De las bacterias a las plantas

PRENTICE HALL **Explorador** de
Ciencias

PEARSON

Prentice Hall

Needham, Massachusetts
Upper Saddle River, New Jersey

De las bacterias a las plantas

Recursos específicos del libro

Student Edition
Interactive Textbook
Teacher's Edition
All-in-One Teaching Resources
Color Transparencies
Guided Reading and Study Workbook
Student Edition on Audio CD
Discovery Channel Video
Lab Activity Video
Consumable and Nonconsumable Materials Kits

Recursos del programa impreso

Integrated Science Laboratory Manual
Computer Microscope Lab Manual
Inquiry Skills Activity Books
Progress Monitoring Assessments
Test Preparation Workbook
Test-Taking Tips With Transparencies
Teacher's ELL Handbook
Reading in the Content Area

Recursos de tecnología del programa

TeacherExpress™ CD-ROM
Interactive Textbook
Presentation Pro CD-ROM
ExamView®, Computer Test Bank CD-ROM
Lab zone™ Easy Planner CD-ROM
Probeware Lab Manual With CD-ROM
Computer Microscope and Lab Manual
Materials Ordering CD-ROM
Discovery Channel DVD Library
Lab Activity DVD Library
Web Site at PHSchool.com

Recursos de la impresión en español

Libro del estudiante
Cuaderno de orientación al estudio y a la lectura
Chapter Tests with Answer Key, versión en español

Acknowledgments appear on p. 212, which constitutes an extension of this copyright page.

Portada
Helechos crecen entre secoyas gigantes en el Redwood National Park en California (arriba). Aunque estas coloridas amanitas parecen inofensivas, son extremadamente venenosas (abajo).

ISBN 0-13-190038-2
1 2 3 4 5 6 7 8 9 10   09 08 07 06 05

Autores del programa

Dr. Michael J. Padilla
Profesor de Educación en Ciencias
Universidad de Georgia
Athens, Georgia

Michael Padilla se ha destacado en el campo de la educación media en ciencias. Ha escrito libros y ha sido electo funcionario de la Asociación Nacional de Profesores de Ciencias, además de participar en la redacción de las Normas Nacionales de Instrucción en Ciencias. Como uno de los principales autores del Explorador de Ciencias, Mike ha inspirado al grupo para desarrollar un programa que satisface las necesidades de los estudiantes de educación media, promueve la indagación científica y se ajusta a las Normas Nacionales de Instrucción en Ciencias.

Dr. Ioannis Miaoulis
Presidente del Museo de Ciencias
Boston, Massachusetts

Ioannis Miaoulis, que originalmente estudió ingeniería mecánica, encabeza el movimiento nacional para incrementar el alfabetismo tecnológico. Como rector de la Facultad de Ingeniería de la Universidad Tufts, el doctor Miaoulis estuvo en la vanguardia de la introducción de la ingeniería en los planes de estudio de Massachusetts. Actualmente colabora con sistemas escolares de todo el país para interesar a los estudiantes en actividades de ingeniería y promover el análisis del efecto de la ciencia y la tecnología sobre la sociedad.

Dra. Martha Cyr
Directora de Extensión K-12
del Instituto Politécnico de Worcester
Worcester, Massachusetts

Martha Cyr es una destacada experta en extensión de ingeniería. Cuenta con más de nueve años de experiencia en programas y actividades que hacen hincapié en el uso de los principios de ingeniería, a través de proyectos prácticos, para interesar y motivar a estudiantes y profesores de matemáticas y ciencias en los grados K-12. Su meta es suscitar un interés permanente en las ciencias y las matemáticas a través de la ingeniería.

Autores del libro

Dr. Jan Jenner
Escritor de textos de Ciencias
Talladega, Alabama

Colaboradores

James Robert Kaczynski, Jr.
Instructor de Ciencias
Escuela Jamestown
Jamestown, Rhode Island

Evan P. Silberstein
Instructor de Ciencias
Escuela Frisch
Paramus, New Jersey

Dr. Joseph Stukey
Departamento de Biología
Universidad Hope
Holland, Michigan

Asesores

Asesora de Lectura

Dra. Nancy Romance
Profesora de Educación
  en Ciencias
Universidad de Florida Atlantic
Fort Lauderdale, Florida

Asesor de Matemáticas

Dr. William Tate
Profesor de Educación,
  estadísticas aplicadas y
  computación
Universidad de Washington
St. Louis, Missouri

Revisores

Revisores de pedagogía

David R. Blakely
Preparatoria Arlington
Arlington, Massachusetts

Jane E. Callery
Secundaria Two Rivers Magnet
East Hartford, Connecticut

Melissa Lynn Cook
Preparatoria Oakland Mills
Columbia, Maryland

James Fattic
Secundaria Southside
Anderson, Indiana

Dan Gabel
Secundaria Hoover
Rockville, Maryland

Wayne Goates
Secundaria Eisenhower
Goddard, Kansas

Katherine Bobay Graser
Secundaria Mint Hill
Charlotte, Carolina del Norte

Darcy Hampton
Preparatoria Deal Junior
Washington, D.C.

Karen Kelly
Secundaria Pierce
Waterford, Michigan

David Kelso
Preparatoria Central Manchester
Manchester, New Hampshire

Benigno Lopez, Jr.
Secundaria Sleepy Hill
Lakeland, Florida

Dra. Angie L. Matamoros
ALM Consulting, INC.
Weston, Florida

Tim McCollum
Secundaria Charleston
Charleston, Illinois

Bruce A. Mellin
Escuela Brooks
North Andover, Massachusetts

Ella Jay Parfitt
Secundaria Southeast
Baltimore, Maryland

Evelyn A. Pizzarello
Secundaria Louis M. Klein
Harrison, New York

Kathleen M. Poe
Secundaria Fletcher
Jacksonville, Florida

Shirley Rose
Secundaria Lewis and Clark
Tulsa, Oklahoma

Linda Sandersen
Secundaria Greenfield
Greenfield, Wisconsin

Mary E. Solan
Secundaria Southwest
Charlotte, Carolina del Norte

Mary Stewart
Universidad de Tulsa
Tulsa, Oklahoma

Paul Swenson
Preparatoria Billings West
Billings, Montana

Thomas Vaughn
Preparatoria Arlington
Arlington, Massachusetts

Susan C. Zibell
Primaria Central
Simsbury, Connecticut

Revisores de seguridad

Dr. W. H. Breazeale
Departamento de Química
Universidad de Charleston
Charleston, Carolina del Sur

Dra. Ruth Hathaway
Hathaway Consulting
Cape Girardeau, Missouri

Mtro. Douglas Mandt
Consultor en Educación de
    Ciencias
Edgewood, Washington

Revisores de actividades de campo

Nicki Bibbo
Escuela Witchcraft Heights
Salem, Massachusetts

Rose-Marie Botting
Escuelas del Condado de Broward
Fort Lauderdale, Florida

Colleen Campos
Secundaria Laredo
Aurora, Colorado

Elizabeth Chait
Secundaria W. L. Chenery
Belmont, Massachusetts

Holly Estes
Secundaria Hale
Stow, Massachusetts

Laura Hapgood
Escuela Intermedia de la
    Comunidad Plymouth
Plymouth, Massachusetts

Mary F. Lavin
Escuela Intermedia de la
    Comunidad Plymouth
Plymouth, Massachusetts

Dr. James MacNeil
Cambridge, Massachusetts

Lauren Magruder
Escuela St. Michael's Country
Newport, Rhode Island

Jeanne Maurand
Escuela Preparatoria Austin
Reading, Massachusetts

Joanne Jackson-Pelletier
Escuela Secundaria
    Inferior Winman
Warwick, Rhode Island

Warren Phillips
Escuelas Públicas de Plymouth
Plymouth, Massachusetts

Carol Pirtle
Secundaria Hale
Stow, Massachusetts

Kathleen M. Poe
Secundaria Fletcher
Jacksonville, Florida

Cynthia B. Pope
Escuelas Públicas de Norfolk
Norfolk, Virginia

Anne Scammell
Secundaria Geneva
Geneva, New York

Karen Riley Sievers
Secundaria Callanan
Des Moines, Iowa

David M. Smith
Secundaria Eyer
Allentown, Pennsylvania

Gene Vitale
Escuela Parkland
McHenry, Illinois

Contenido

De las bacterias a las plantas

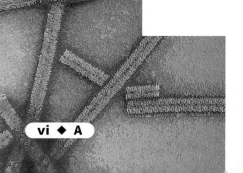
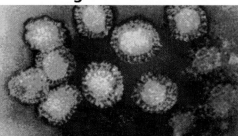
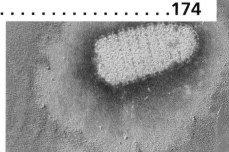

Sección de referencia

VIDEO

Mejora tu comprensión con un video dinámico, disponible en inglés.

Preview Motívate con esta introducción al contenido del capítulo.

Field Trip Explora un relato de la vida real relacionado con el contenido del capítulo.

Assessment Repasa el contenido y responde a la evaluación.

Web Links

Conéctate con interesantes recursos Web para cada lección, disponible en inglés.

SC*LINKS*™ Busca vínculos Web sobre temas relacionados con cada sección.

Active Art Interactúa en línea con ayudas visuales seleccionadas de cada capítulo.

Planet Diary® Explora noticias y fenómenos naturales con reportajes semanales.

Science News® Ponte al día con los descubrimientos científicos más recientes.

Experimenta todo el libro de texto en línea y en CD-ROM, disponible en inglés.

Actividades Practica destrezas y aprende los contenidos.

Videos Explora el contenido y aprende importantes destrezas de laboratorio.

Apoyo de audio Escucha la pronunciación y definición de los términos clave.

Autoevaluación Usa la retroalimentación inmediata para conocer tus adelantos.

Actividades

Detective de enfermedades resuelve misterio

El Departamento de Salud de Colorado tenía un problema. Siete niños habían enfermado de diarrea, calambres estomacales, fiebre y vómito. A los pocos días, otras 43 personas tuvieron los mismos síntomas.

Las pruebas señalaban que todos se habían infectado de salmonela. La salmonela son bacterias que suelen transmitirse a través de alimentos como la carne o los huevos contaminados.

¿Cómo se infectaron estos niños con la salmonela? Para hallar la respuesta, los funcionarios de salud de Colorado llamaron a la Dra. Cindy Friedman, quien trabaja en los Centros para el Control y la Prevención de Enfermedades (Centers for Disease Control and Prevention, CDC), un organismo del gobierno de Estados Unidos que da seguimiento y estudia la transmisión de enfermedades en el mundo.

Cindy Friedman estudia los brotes de enfermedades en grupos de personas más que en individuos. Su especialidad son las enfermedades infecciosas, enfermedades que se propagan de una persona a otra. Ha investigado los brotes de enfermedades en lugares como las zonas rurales de Bolivia en América del Sur, las Islas Cabo Verde en la costa de África y una granja en Vermont.

Perfil Profesional

Cindy Friedman creció en Brooklyn, Nueva York. Después de obtener su bachillerato en biología en la Universidad Purdue, obtuvo su maestría en la Universidad Ross en la isla caribeña de Dominica. Es médica e investigadora en la División de Enfermedades Transmitidas por los Alimentos y de la Diarrea de los Centros para el Control y la Prevención de Enfermedades (CDC).

Una bacteria de salmonela como ésta ocasionó el brote de enfermedad. La bacteria se mueve mediante estructuras parecidas a látigos llamadas flagelos.

Entrevista con
Dra. Cindy Friedman

¿ Cómo se inició en las ciencias?

Cuando era niña, siempre había mascotas en casa y muchos libros sobre medicina y ciencias. Quería ser veterinaria. En la universidad decidí que me encantaban los animales, pero no quería practicar la medicina en ellos. En cambio, los mantuve como un pasatiempo y dediqué mi carrera a la medicina humana.

¿ Por qué se especializó en las enfermedades infecciosas?

De todas las materias que estudié en la escuela de medicina, la microbiología era la que me gustaba; aprender sobre diferentes virus y bacterias. Luego, cuando realicé mi entrenamiento médico en Nueva Jersey, tuvimos muchos pacientes de América Latina. Así que vi algunas enfermedades tropicales y exóticas, que reforzaron aún más mi interés.

¿ Qué disfruta de su trabajo?

Realmente me gusta ayudar al mismo tiempo a muchos pacientes. Lo hago calculando los factores de riesgo de una enfermedad y cómo impedir que la gente la contraiga. A veces, la respuesta es complicada, como agregar cloro al agua. En ocasiones, son medidas simples, como lavarte las manos o cocer bien los alimentos.

¿ Qué pistas tenía en el caso de Colorado?

Al principio, los investigadores estatales pensaban que la bacteria provenía de algún alimento contaminado. Pero cuando interrogaron a los niños, no identificaron ningún lugar en el que hubieran comido todos.

¿ Qué experiencia compartían los niños?

Los investigadores realizaron una segunda serie de entrevistas y se enteraron de que todos los niños habían visitado el zoológico la semana anterior a la que se enfermaron. No comieron el mismo alimento en el zoológico, pero todos fueron a una exhibición especial en el área de los reptiles.

Cindy necesitaba responder a preguntas como éstas para averiguar qué ocasionó la enfermedad.

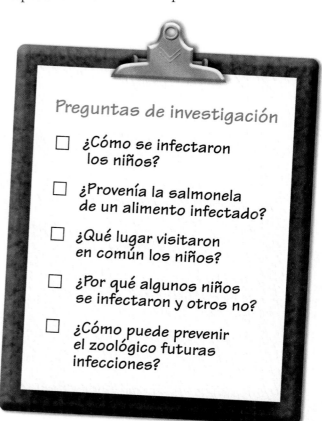

Preguntas de investigación

☐ ¿Cómo se infectaron los niños?

☐ ¿Provenía la salmonela de un alimento infectado?

☐ ¿Qué lugar visitaron en común los niños?

☐ ¿Por qué algunos niños se infectaron y otros no?

☐ ¿Cómo puede prevenir el zoológico futuras infecciones?

¿Pensó que la exhibición podría ser una pista nueva?

Sí, lo fue porque los reptiles con frecuencia portan la salmonela sin enfermarse. En la exhibición especial, había cuatro crías de dragones de Komodo, lagartijas carnívoras de la isla de Komodo en Indonesia. Se exhibían en un corral lleno de mantillo, cercado por una barrera de madera de unos dos pies de alto. Examinamos a los dragones de Komodo y descubrimos que uno de ellos tenía la bacteria de la salmonela. Pero no era una exhibición en la que se pudiera tocar a los animales, así que no entendía cómo se habían infectado los niños.

¿Cómo recabó datos nuevos?

Pregunté a los niños que enfermaron y comparé sus respuestas con las de los niños que no enfermaron. Pregunté por su comportamiento en la exhibición, dónde se pararon, qué tocaron y si habían comido algo ahí. También pregunté a todos los niños si se habían lavado las manos después de visitar la exhibición. Los que lo habían hecho destruyeron a la bacteria. Fueron sólo los niños que no se lavaron las manos los que enfermaron.

Estas imágenes sugieren formas de combatir a las bacterias que ocasionan enfermedades.

Lávate las manos a menudo.

Evita usar los dedos y sopear dos veces en la misma salsa.

¿Cuál fue la fuente de la contaminación?

Descubrí que quienes habían tocado la barrera de madera tuvieron más probabilidades de contraer la enfermedad. Los niños que se subieron a la barrera y pusieron las manos sobre ésta. Luego algunos de ellos se llevaron las manos a la boca o comieron sin lavarse las manos primero. Esos fueron los niños que se infectaron con la salmonela.

El dragón de Komodo es la especie de lagartija más grande que existe. Se halla en la isla de Komodo en Indonesia y está casi extinto.

Mantén fríos los alimentos que lleves a las comidas campestres.

Refrigera apropiadamente los alimentos.

Cocina bien la carne.

¿Qué es ser detective de enfermedades?

Es como la vieja idea de la medicina. Lo que yo hago es examinar a los pacientes y escuchar las historias que cuentan, a dónde viajaron, qué comieron y a qué estuvieron expuestos. Luego trato de determinar qué ocasionó sus enfermedades.

Después de que Cindy obtuvo un cultivo en el zoológico examinó la muestra en los laboratorios de los CDC.

¿Cómo puso a prueba su hipótesis?

Tomamos cultivos, muestras de la parte superior de la barrera en la que los niños colocaron las manos. Al examinar esos cultivos en el laboratorio, descubrimos la bacteria de la salmonela.

¿A qué conclusión llegó sobre la bacteria?

El dragón de Komodo infectado depositó sus excrementos en el mantillo y sobre éste caminaron los animales. Luego seguramente se pararon sobre sus patas traseras y se apoyaron colocando las patas delanteras en la parte superior de la barrera.

¿Qué recomendaciones hizo usted?

No queremos decir que los zoológicos no deben tener exhibiciones de reptiles, porque son algo bueno. Y los niños deben tener la posibilidad de acercarse a los animales. Pero en esta exhibición en particular, el brote pudo haberse prevenido con un sistema de doble barrera, de modo que los reptiles y los niños no tocaran la misma barrera. Y lavarse las manos es realmente importante. Los zoológicos deberían tener letreros que instruyeran a la gente a lavarse las manos después de ir a esa clase de exhibiciones. En los hogares y las escuelas en las que haya reptiles como mascotas, también es importante lavarse las manos.

Escribir *en ciencias*

Enlace con profesiones Revisa el proceso científico que Cindy siguió para resolver el caso de las infecciones de salmonela. ¿Qué la hace una detective de enfermedades? Redacta un párrafo en el que describas los pasos que dio Cindy y las destrezas que usa en su carrera como investigadora de enfermedades infecciosas.

Go Online
PHSchool.com

Para: Más información sobre esta profesión, disponible en inglés.
Visita: PHSchool.com
Código Web: ceb-1000

Los seres vivos

Cada bola transparente es un diminuto ▶ organismo de agua dulce llamado *Volvox.*

Lab zone™ **Proyecto** del capítulo

Objeto desconocido

No siempre es fácil decir si algo está vivo o no. En este capítulo, aprenderás las características de los seres vivos. Al estudiar el capítulo, tu reto será determinar si un objeto desconocido está vivo o no.

Tu objetivo Estudiar un objeto desconocido durante varios días para determinar si está vivo o no

Para completar el proyecto debes
- ocuparte de tu objeto siguiendo las instrucciones de tu maestro
- observar tu objeto diariamente y registrar tus datos
- determinar si tu objeto está vivo y, de ser así, a qué dominio y reino pertenece
- seguir las reglas de seguridad del Apéndice A

Haz un plan Antes de empezar, haz una lista de las características que comparten los seres vivos. Piensa si las cosas sin vida comparten esas características. Además, piensa en qué tipo de pruebas puedes realizar para buscar signos de vida. Crea tablas de datos en las que registres tus observaciones.

¿Qué es la vida?

Avance de la lectura

Conceptos clave
- ¿Qué características comparten todos los seres vivos?
- ¿De dónde vienen los seres vivos?
- ¿Qué necesitan los seres vivos para sobrevivir?

Términos clave
- organismo • célula • unicelular
- multicelular • estímulo
- respuesta • desarrollo
- generación espontánea
- experimento controlado
- autótrofo • heterótrofo
- homeostasis

Destreza clave de lectura

Usar el conocimiento previo Mira los encabezados y ayudas visuales de la sección para que veas de qué trata esta sección. Luego, escribe lo que ya sepas sobre los seres vivos en un organizador gráfico como el siguiente. Mientras lees, escribe lo que aprendas.

Lo que sabes
1. Los seres vivos crecen.
2.

Lo que aprendiste
1.
2.

Lab zone **Actividad** Descubre

¿Está vivo o no?

1. Tu maestro les dará a un compañero y a ti un juguete de cuerda.
2. Uno de ustedes buscará evidencias de que el juguete está vivo y el otro buscará evidencias de que no lo está.
3. Observa el juguete de cuerda. Registra las características del juguete que apoyen tu postura de que el juguete está vivo o no.
4. Comparte tu lista de características de los seres con vida y sin vida con tus compañeros.

Reflexiona

Formular definiciones operativas Basándote en lo que aprendiste de la actividad, haz una lista de las características que comparten los seres vivos.

Era un verano inusualmente húmedo para las poblaciones cercanas a Dallas, Texas. Por doquiera empezaron a aparecer "borujos" de color amarillo brillante. Parecidos a las criaturas viscosas de las películas de horror, los borujos se escurrían lentamente por el suelo. Al final, esas masas brillantes parecidas a gelatina invadieron los patios y porches de la gente. Los dueños de las casas aterrados no sabían qué eran. Unos pensaban que eran formas de vida de otro planeta.

Los pobladores alrededor de Dallas estaban aterrados hasta que los tranquilizaron los biólogos, científicos que estudian los seres vivos. Los borujos eran mohos de limo, seres vivos que se hallan en el material en descomposición húmedo en el suelo de los bosques. El tiempo inusualmente húmedo proporcionó las condiciones ideales para que crecieran los mohos de limo.

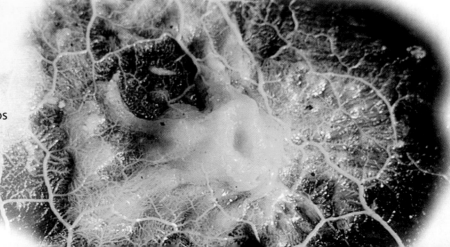

FIGURA 1
Moho de limo
Durante un verano, mohos de limo similares a éstos crecieron en los patios y porches cercanos a Dallas, Texas.

▲ Células vegetales

▲ Células animales

Características de los seres vivos

Si te pidieran mencionar algunos seres vivos, u **organismos,** podrías nombrarte a ti mismo, a tu mascota y algunos insectos o plantas. Quizá no mencionarías el musgo que crece en los lugares umbrosos, el moho de las baldosas de los baños o los mohos del limo que se escurrían por el pasto. Pero todos éstos son organismos que comparten características importantes con los seres vivos. **Todos los seres vivos tienen una organización celular, contienen sustancias químicas similares, usan energía, responden a su entorno, crecen, se desarrollan y reproducen.**

Organización celular Todos los organismos están hechos de pequeños bloques llamados células. Una **célula** es la unidad estructural y funcional básica de un organismo. Las células más pequeñas son tan diminutas que podrías poner más de un millón en el punto final de esta oración. Para ver las células, necesitas un microscopio, un instrumento que usa lentes, como las de los anteojos, para ampliar los objetos pequeños.

Los organismos se componen de una sola célula o de muchas. Los organismos **unicelulares,** o de una sola célula, incluyen a las bacterias, los organismos más numerosos en la Tierra. Una célula bacteriana realiza todas las funciones necesarias para que el organismo permanezca con vida.

Los organismos **multicelulares** están compuestos por muchas células. En muchos organismos multicelulares, las células se especializan en ciertas tareas. Por ejemplo, tú estás formado por billones de células. Las células especializadas de tu cuerpo, como las de los músculos y nervios, trabajan juntas para mantenerte con vida. Las células nerviosas transmiten mensajes sobre tu entorno a tu cerebro. Otras de estas células transmiten luego los mensajes a las células de tus músculos, lo que hace que tu cuerpo se mueva.

FIGURA 2
Organización celular
Como todos los seres vivos, la rana y la planta están formados por células. Aunque las células de diferentes organismos no son idénticas, comparten características importantes.
Hacer generalizaciones *¿En qué formas son similares las células?*

¡Reacciona!

En esta actividad, probarás tus respuestas a tres estímulos diferentes.

1. Haz que un compañero aplauda con las manos a unos diez centímetros de tu rostro. Describe tu reacción.

2. Observa uno de tus ojos en el espejo. Cúbrete el ojo con la mano durante un minuto. Al mirar en el espejo, retira la mano. Observa cómo cambia de tamaño tu pupila.

3. Acerca una rodaja de limón a tu nariz y boca. Describe lo que pasa.

Clasificar Por cada acción realizada, nombra el estímulo y la respuesta.

Las sustancias químicas de la vida Las células de todos los seres vivos están compuestas por sustancias químicas. La más abundante en las células es el agua. Otras sustancias, llamadas carbohidratos, son la principal fuente de energía de la célula. Otras dos sustancias químicas, las proteínas y los lípidos, son los materiales de construcción de las células, como lo son la madera y los ladrillos en el caso de las casas. Por último, los ácidos nucleicos son el material genético, es decir las instrucciones químicas que dirigen las actividades de las células.

Uso de la energía Las células de los organismos usan energía para realizar lo que los seres vivos deben hacer, como crecer y reparar partes dañadas. Las células de un organismo son muy trabajadoras. Por ejemplo, al leer este párrafo, no sólo están ocupadas las células de tus ojos y cerebro, sino que también están trabajando casi todas tus otras células. Las células de tu estómago e intestinos digieren el alimento. Tus células sanguíneas desplazan sustancias químicas por todo tu cuerpo. Si te lesionaste, algunas de tus células están reparando el daño.

Respuesta al entorno Si alguna vez has visto una planta en una ventana soleada, quizá hayas observado que sus tallos se han doblado para que las hojas se orienten hacia el sol. Como una planta que se orienta hacia la luz, todos los organismos reaccionan a los cambios en su medio ambiente. Un cambio en el entorno de un organismo que hace que éste reaccione se llama **estímulo.** Los estímulos incluyen cambios en la temperatura, la luz, el sonido y otros factores.

FIGURA 3
Estímulo y respuesta
Todos los organismos responden a los cambios en su entorno. Cuando la zarigüeya asusta al gatito, éste le muestra sus dientes en respuesta.

Un organismo reacciona a un estímulo con una **respuesta,** es decir, una acción o cambio de conducta. Por ejemplo, ¿alguna vez alguien ha tirado por accidente un vaso de agua durante la cena, haciendo que te sobresaltes? El derrame súbito del agua fue el estímulo que generó tu respuesta de sobresalto.

Crecimiento y desarrollo Otra característica de los seres vivos es que crecen y se desarrollan. El crecimiento es el proceso de hacerse más grande. El **desarrollo** es el proceso de cambio que ocurre durante la vida de un organismo y que lo hace más complejo. Al crecer y desarrollarse, los organismos usan energía para crear células nuevas. Mira la Figura 4 para que veas cómo se desarrolla la semilla de un girasol hasta convertirse en una planta.

Reproducción Otra característica de los organismos es su capacidad para reproducirse, o producir crías que son similares a los padres. Los petirrojos ponen huevos que se convierten en pequeños petirrojos muy parecidos a sus padres. Las manzanas producen semillas que se convierten en manzanos, que a su vez generan más semillas. ¡El moho de las baldosas de tu baño producirá más moho si no lo limpias!

 **Verifica tu lectura** ¿En qué difieren el crecimiento y el desarrollo?

FIGURA 4
Crecimiento y desarrollo del girasol
Con el tiempo, una diminuta semilla de girasol crece y se convierte en una planta grande. Se necesita mucha energía para producir las células de una planta de girasol madura. **Comparar y contrastar** *¿En qué se parecen los almácigos a la planta de girasol? ¿En qué difieren?*

▲ Semillas de girasol

▲ Diminutos almácigos de girasol

▲ Girasol maduro

FIGURA 5

Experimento de Redi

Francesco Redi diseñó uno de los primeros experimentos controlados. En su experimento, Redi demostró que las moscas no surgen de manera espontánea de la carne en descomposición.
Controlar variables ¿Cuál es la variable manipulada en este experimento?

Tarro descubierto   Tarro cubierto

▲ **Gusanos en la carne**

1 Redi colocó carne en dos tarros idénticos. Uno lo dejó descubierto y otro lo cubrió con una tela que dejaba entrar aire.

2 Al cabo de unos días, Redi vio gusanos (moscas jóvenes) en la carne en descomposición del tarro abierto. No había gusanos en la carne del tarro cubierto.

3 Redi razonó que las moscas habían depositado huevos en la carne del tarro abierto. Los huevos se convirtieron en gusanos. Como las moscas no pudieron depositar huevos en la carne del tarro cubierto, no hubo gusanos ahí. Redi concluyó que la carne en descomposición no genera gusanos.

Go **Online**
active art

Para: Actividad de los experimentos de Redi y Pasteur, disponible en inglés.
Visita: PHSchool.com
Código Web: cep-1011

La vida viene de la vida

Hoy en día, cuando la gente observa palomillas que salen volando del armario o la mala hierba que brota en las grietas de la banqueta, sabe que estos organismos son resultado de la reproducción. **Los seres vivos surgen de los seres vivos mediante la reproducción.**

Sin embargo, hace cuatrocientos años, se creía que la vida podía surgir de la materia sin vida. Por ejemplo, cuando se veía pululando a moscas en carne descompuesta, se concluía que las moscas surgían de la carne podrida. La falsa idea de que los seres vivos surgen de las fuentes sin vida se llama **generación espontánea.** Se llevó años de experimentos convencer a la gente de que la generación espontánea es imposible.

El experimento de Redi En el siglo XVII, un médico italiano llamado Francesco Redi desmintió la generación espontánea. Redi diseñó un experimento controlado para demostrar que las moscas no surgen de la carne en descomposición. En un **experimento controlado,** el científico realiza dos pruebas idénticas en todo salvo por un factor. El factor que el científico modifica se llama variable manipulada.

Caldo hervido   **Caldo sin hervir**

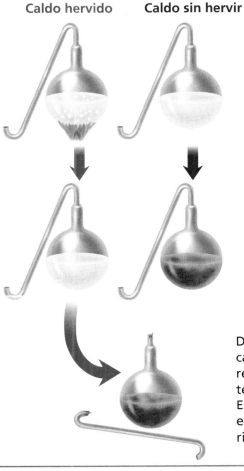

① Pasteur puso caldo transparente en dos matraces de cuello curvo. Los cuellos harían que entrara oxígeno, pero mantendrían fuera las bacterias del aire. Pasteur puso a hervir el caldo en un matraz para matar cualquier bacteria, pero no hizo lo mismo con el caldo del otro matraz.

② Al cabo de unos días, el caldo sin hervir se enturbió, lo que demostraba que habían surgido nuevas bacterias. El caldo hervido permaneció transparente. Pasteur concluyó que las bacterias no surgen espontáneamente del caldo. Las nuevas bacterias aparecían sólo cuando ya estaban presentes otras bacterias vivas.

Después, Pasteur tomó el matraz con el caldo que había permanecido transparente y le rompió el cuello curvo. Las bacterias del aire podían entrar ahora al caldo. En unos días, el caldo se enturbió. Esta evidencia confirmó que las nuevas bacterias surgen sólo de bacterias existentes.

FIGURA 6
Experimento de Pasteur

El experimento cuidadosamente controlado de Louis Pasteur demostró que las bacterias surgen sólo de bacterias existentes.

▲ **Pasteur en su laboratorio**

En el experimento de Redi, mostrado en la Figura 5, la variable manipulada fue si el tarro estaba cubierto o no. Las moscas podían entrar al tarro descubierto y depositar sus huevos en la carne del interior. Estos huevos se convirtieron en gusanos, que se volvieron moscas nuevas. Sin embargo, las moscas no podían entrar al tarro cubierto, por lo que no se formaron gusanos en la carne dentro de este tarro. Mediante este experimento, Redi concluyó que la carne podrida no genera moscas.

El experimento de Pasteur Incluso después del trabajo de Redi, muchos siguieron creyendo que podía darse la generación espontánea. A mediados del siglo XIX, el químico francés Louis Pasteur diseñó algunos experimentos controlados que finalmente desmintieron la generación espontánea. Como se ve en la Figura 6, demostró que las bacterias nuevas en el caldo aparecían sólo cuando bacterias existentes las producían. Los experimentos de Redi y Pasteur ayudaron a convencer a la gente que los seres vivos no surgen de la materia sin vida.

 Verifica tu lectura   **¿Qué es un experimento controlado?**

Las necesidades de los seres vivos

Aunque parezca sorprendente, las moscas, las bacterias y todos los demás organismos tienen las mismas necesidades básicas que tú. **Todos los seres vivos deben satisfacer sus necesidades básicas de alimento, agua, espacio vital y condiciones internas estables.**

Alimento Recuerda que los organismos necesitan una fuente de energía para vivir. Usan el alimento como su fuente de energía. Los organismos difieren en las formas en que obtienen la energía. Algunos, como las plantas, captan la energía del sol y la usan para elaborar alimento. Los organismos que elaboran su propio alimento se llaman **autótrofos.** *Auto-* significa "solo" y *-trofos* significa "alimentador". Los autótrofos usan el alimento que elaboran para realizar sus propias funciones vitales.

Los organismos que no elaboran su propio alimento se llaman **heterótrofos.** *Hetero-* significa "otro". Los heterótrofos obtienen su energía alimentándose de otros. Algunos comen autótrofos y usan la energía del alimento almacenado del autótrofo. Otros consumen heterótrofos que a su vez comen autótrofos. Por tanto, la fuente de energía de un heterótrofo también es el sol, pero en forma indirecta. Los animales, los hongos y los mohos del limo son ejemplos de heterótrofos.

FIGURA 7
Alimento, agua y espacio vital
Este medio ambiente satisface las necesidades de los muchos animales que viven ahí.
Inferir *¿Cómo satisfacen sus necesidades de alimento los árboles y otras plantas?*

El puerco espín, un heterótrofo, obtiene su energía alimentándose de plantas verdes.

Agua Todos los seres vivos necesitan agua para sobrevivir. De hecho, casi todos los organismos viven sólo unos cuantos días sin ella. Los organismos necesitan agua para obtener sustancias químicas de su entorno, descomponer el alimento, crecer, desplazar las sustancias dentro de su cuerpo y reproducirse.

Una de las propiedades del agua vital para los seres vivos es que disuelven más sustancias químicas que cualquier otra sustancia en la Tierra. De hecho, el agua constituye cerca del 90 por ciento de la parte líquida de tu sangre. El alimento que necesitan tus células se disuelve en la sangre y se transporta a todas las partes de tu cuerpo. Los desechos de las células se disuelven en la sangre y son expulsados. Las células de tu cuerpo también proporcionan un ambiente acuoso en el que se disuelven las sustancias químicas.

Espacio vital Todos los organismos necesitan un lugar para vivir, es decir, un sitio para obtener alimento y agua y hallar refugio. Ya sea que el organismo viva en el helado Antártico o en el desierto abrasador, su entorno tiene que proporcionarle lo necesario para sobrevivir.

Dado que hay una cantidad limitada de espacio en la Tierra, algunos organismos deben competir por él. Por ejemplo, los árboles en el bosque compiten con otros árboles por la luz solar por encima del nivel del suelo. Bajo la tierra, sus raíces compiten por agua y minerales.

Lab zone **Actividad** Destrezas

Diseñar experimentos
Tu maestro te dará una rebanada de papa. Predice qué porcentaje de la masa de la papa es agua. Luego, presenta un plan para poner a prueba tu predicción. Como materiales, te darán una secadora de cabello y una balanza. Obtén la aprobación de tu maestro antes de realizar tu plan. ¿En qué se parece o difiere tu resultado de tu predicción?

El arroyo satisface la necesidad de agua del alce americano.

El búho encuentra un espacio vital adecuado en el hueco de un árbol.

FIGURA 8

Homeostasis

El sudor ayuda a tu cuerpo a mantener una temperatura corporal estable. Tu cuerpo lo produce durante los períodos de actividad intensa. Cuando el sudor se evapora, enfría tu cuerpo.

Condiciones internas estables Los organismos deben estar en posibilidades de mantener estables las condiciones dentro de su cuerpo, aun si las condiciones en su entorno cambian. Por ejemplo, la temperatura de tu cuerpo permanece estable pese a los cambios en la temperatura del aire. El mantenimiento de condiciones internas estables se llama **homeostasis.**

La homeostasis mantiene las condiciones internas adecuadas para que funcionen las células. Piensa en tu necesidad de sudar después de una sesión de ejercicios agotadora. Cuando los niveles de agua en tu cuerpo disminuyen, las sustancias químicas en tu cuerpo envían señales a tu cerebro, haciendo que sientas sed.

Otros organismos tienen mecanismos diferentes para mantener la homeostasis. Considera los percebes, que cuando son adultos se pegan a las piedras a orillas del mar. Cuando sube la marea, se cubren de agua. Sin embargo, al bajar la marea, desaparece el entorno acuoso y los percebes quedan expuestos a varias horas de sol y viento. Si no tuvieran cómo mantener el agua en sus células, morirían. Por fortuna, cierran sus duras placas externas, atrapando algo de agua dentro. Así, el percebe mantiene la humedad de su cuerpo hasta la siguiente marea alta.

 Verifica tu lectura ¿Qué es la homeostasis?

Sección 1 Evaluación

Destreza clave de lectura Usar el conocimiento previo Repasa tu organizador gráfico y revísalo basándote en lo que acabas de aprender en la sección.

Repasar los conceptos clave

1. a. Repasar Haz una lista de las seis características de los seres vivos.

b. Inferir Un ave posada en un árbol se aleja cuando te acercas caminando. ¿Cuál de las características de la vida explica el comportamiento del ave?

c. Aplicar conceptos Explica por qué un árbol, que no se mueve, también se considera un ser vivo.

2. a. Definir ¿Qué se entendía por la idea de *generación espontánea*?

b. Explicar ¿Por qué esta idea es incorrecta?

c. Resumir ¿Cómo demuestra el experimento de Pasteur que la generación espontánea es imposible?

3. a. Identificar ¿Cuáles son las cuatro cosas que necesitan todos los organismos para sobrevivir?

b. Describir ¿Qué necesidad satisface un zorro al alimentarse de moras?

c. Aplicar conceptos El zorro del ártico tiene pelaje grueso y denso en el invierno y mucho más corto en el verano. ¿Cómo ayuda esto al zorro a mantener la homeostasis?

Lab zone **Actividad** En casa

Observar la vida Con algún integrante de tu familia, observa un ser vivo, como tu mascota, una planta casera o un ave parada afuera de tu ventana. Prepara una tabla que muestre cómo satisface el organismo las cuatro necesidades de los seres vivos analizadas en esta sección.

Laboratorio de destrezas

Lab zone

Por favor, pásame el pan

Problema

¿Qué factores son necesarios para que crezca moho en el pan?

Destrezas aplicadas

observar, controlar variables

Materiales

- platos de cartón
- gotero de plástico
- pan sin conservadores
- bolsas de plástico resellables
- agua de la llave
- cinta de embalaje

Procedimiento

1. Genera una lluvia de ideas con tus compañeros para predecir qué factores podrían influir en el crecimiento del moho en el pan. Registren sus ideas.

2. Coloca por separado dos rebanadas de pan del mismo tamaño y grosor en dos platos limpios.

3. Para probar el efecto de la humedad en el crecimiento del moho del pan, agrega unas gotas de agua de la llave a una rebanada de pan hasta que se humedezca toda. Mantén seca la otra rebanada. Expón ambas rebanadas al aire durante una hora.

4. Pon cada rebanada en una bolsa resellable. Sácale el aire a las bolsas y ciérralas. Luego, con cinta de embalaje séllalas de nuevo. Guarda las bolsas en un lugar oscuro y seco.

5. Copia la tabla de datos en tu cuaderno.

6. Diariamente durante al menos cinco días, retira brevemente las bolsas resellables del lugar en el que las guardaste. Registra si ha crecido algún moho. Estima el área del pan en que esté presente el moho. **PRECAUCIÓN:** *No abras las bolsas. Al final del experimento, dale las bolsas selladas a tu maestro.*

Analiza y concluye

1. **Observar** ¿Cómo cambió la apariencia de las dos rebanadas de pan en el curso del experimento?

2. **Inferir** ¿Cómo explicas cualquier diferencia en la apariencia entre las dos rebanadas?

3. **Controlar variables** ¿Cuál fue la variable manipulada en este experimento? ¿Por qué fue necesario controlar todas las demás variables excepto ésta?

4. **Comunicar** Supón que viviste en la época de Redi. Un amigo te dice que el moho aparece de pronto en el pan. ¿Cómo le explicarías a tu amigo el experimento de Redi y cómo se aplica en el caso del moho del pan?

Diseña un experimento

Elige otro factor que pudiera influir en el crecimiento del moho en el pan, como la temperatura o la cantidad de luz. Diseña un experimento para poner a prueba el factor que elijas. Recuerda mantener iguales todas las condiciones excepto la que estés probando. *Obtén la aprobación de tu maestro antes de realizar tu investigación.*

Tabla de datos				
	Rebanada de pan humedecida		Rebanada de pan no humedecida	
Día	¿Tiene moho?	Área con moho	¿Tiene moho?	Área con moho
1				
2				

Clasificación de los organismos

Avance de la lectura

Conceptos clave

- ¿Por qué los biólogos organizan a los seres vivos por grupos?
- ¿Qué indican los niveles de clasificación sobre la relación entre los organismos?
- ¿Cuál es la utilidad de las claves taxonómicas?
- ¿Cuál es la relación entre clasificación y evolución?

Términos clave

- clasificación • taxonomía
- nomenclatura binaria
- género • especie • evolución

Destreza clave de lectura

Formular preguntas Antes de leer, repasa los encabezados en rojo. En un organizador gráfico como el siguiente, plantea una pregunta *qué, por qué* o *cómo* para cada encabezado. Mientras lees, escribe las respuestas a tus preguntas.

Clasificar los organismos

Pregunta	Respuesta
¿Por qué clasifican los científicos?	Los científicos clasifican porque...

Actividad Descubre

¿Puedes organizar un cajón de cachivaches?

1. Tu maestro te dará algunos artículos que podrías hallar en el cajón de cachivaches de un escritorio. Tu labor consiste en organizarlos.
2. Examina los objetos y decide los tres grupos en que puedes organizarlos.
3. Coloca cada objeto en uno de tres grupos, basándote en la correspondencia que tengan las características de los artículos con las características del grupo.
4. Compara tu sistema de agrupación con los de tus compañeros de clase.

Reflexiona
Clasificar ¿Cuál de los sistemas de clasificación de tus compañeros de clase resultó más útil? ¿Por qué?

Supón que sólo tienes diez minutos para ir al supermercado a conseguir lo que necesitas: leche y tomates. ¿Podrías hacerlo? En casi todo supermercado esto sería una tarea sencilla. Averiguarías dónde están las secciones de lácteos y productos alimenticios e irías directamente a esas áreas. Ahora, imagina que tuvieras que comprar estos mismos artículos en un mercado donde las cosas se acomodaron al azar por toda la tienda. ¿Por dónde empezarías? Tendrías que buscar entre muchas cosas antes de encontrar lo que necesites. Podrías estar ahí mucho tiempo.

FIGURA 9
Clasificación de verduras
Las verduras en la sección de productos alimenticios de un supermercado están organizadas con gran cuidado.

¿Por qué clasifican los científicos?

Así como ir de compras a una tienda desorganizada puede ser un problema, hallar información sobre un determinado organismo también puede ser un problema. Hasta ahora, los científicos han identificado más de un millón de clases de organismos en la Tierra. Ésta es una gran cantidad y crece continuamente conforme los científicos descubren nuevos organismos. Imagina lo difícil que sería hallar información sobre un determinado organismo si no tuvieras idea incluso de por dónde empezar. Sería mucho más sencillo si los organismos similares se ordenaran por grupos.

Organizar a los seres vivos por grupos es exactamente lo que han hecho los biólogos. Los biólogos agrupan a los organismos basándose en las semejanzas, así como los tenderos agrupan la leche con los productos lácteos y los tomates con los productos alimenticios. La **clasificación** es el proceso de agrupar las cosas según sus semejanzas.

Los biólogos usan la clasificación para organizar a los seres vivos por grupos y estudiar a los organismos con más facilidad. El estudio científico de la clasificación de los seres vivos se llama **taxonomía.** La taxonomía es útil porque una vez que se clasifica a un organismo, el científico sabe mucho sobre dicho organismo. Por ejemplo, si sabes que un cuervo se clasifica como ave, sabes que tiene alas, plumas y pico.

 **Verifica tu lectura** ¿Cómo se llama el estudio científico de la clasificación de los seres vivos?

FIGURA 10
Clasificación de los escarabajos
Los escarabajos pertenecen a una gran colección de insectos en un museo de historia natural. Se han clasificado según las características que comparten.
Observar ¿Qué características se habrán usado para agrupar a estos escarabajos?

Living Things

Video Preview
▶ Video Field Trip
Video Assessment

Sistema de denominación de Lineo

La taxonomía también consiste en asignar un nombre a los organismos. En 1750, el naturalista sueco Carlos Lineo ideó un sistema de denominación de organismos que aún se usa ahora. Lineo ubicó a los organismos por grupos según sus características observables. Basándose en sus observaciones, Lineo asignó a cada organismo un nombre científico único en dos partes. Este sistema de denominación que usó Lineo se llama **nomenclatura binaria.** La palabra *binaria* significa "dos nombres".

Género y especie La primera palabra en el nombre científico de un organismo es su género. El **género** es la clasificación de grupo que abarca a organismos similares y estrechamente relacionados. Por ejemplo, los pumas, los gatos jaspeados y los gatos caseros se clasifican en el género *Felis*. Los organismos clasificados en este género comparten características como garras retráctiles afiladas y comportamientos como cazar a otros animales.

La segunda palabra en un nombre científico suele describir una característica singular de un organismo, como dónde vive o su apariencia. En conjunto, las dos palabras indican una especie única. Una **especie** es un grupo de organismos similares que se aparean y producen crías que también pueden aparearse y reproducirse.

FIGURA 11

Nomenclatura binaria

Estas tres diferentes especies de gatos pertenecen al mismo género. Sus nombres científicos comparten la misma primera palabra, *Felis*. La segunda palabra de su nombre describe una característica del animal.

Felis concolor
(Puma)
Concolor significa "del mismo color" en latín. Observa que el pelaje del animal es en su mayor parte del mismo color.

Felis marmorata
(Gato jaspeado)
Observa el patrón veteado del pelaje de este animal. *Marmorata* significa "mármol" en latín.

Felis domesticus
(Gato casero)
Domesticus significa "de la casa" en latín.

Aristóteles y la clasificación

Cientos de años antes de Lineo, un erudito griego llamado Aristóteles desarrolló un sistema de clasificación de animales. Dividió primero a los animales en aquellos que consideraba que tenían sangre y los que no. Esta gráfica muestra el sistema de clasificación de Aristóteles de los "animales con sangre".

1. **Leer gráficas** ¿En cuántos grupos se clasificaron estos animales?

2. **Interpretar datos** ¿Qué grupo formaba el porcentaje más grande de animales?

3. **Calcular** ¿Qué porcentaje de estos animales vuelan o nadan?

4. **Inferir** En el sistema de clasificación de Aristóteles, ¿dónde se clasificaría a una vaca? ¿Y a una ballena?

5. **Predecir** ¿Sería útil ahora el sistema de clasificación de Aristóteles? Explica.

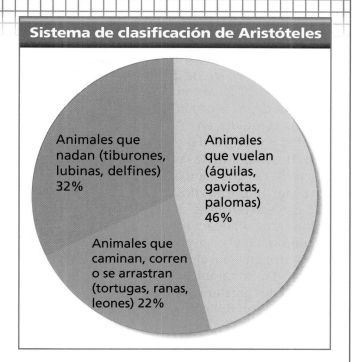

Sistema de clasificación de Aristóteles

Animales que nadan (tiburones, lubinas, delfines) 32%

Animales que vuelan (águilas, gaviotas, palomas) 46%

Animales que caminan, corren o se arrastran (tortugas, ranas, leones) 22%

Cómo se usa la nomenclatura binaria   Observa en la Figura 11 que un nombre científico completo se escribe en cursiva. Sólo la primera letra de la primera palabra se escribe con mayúsculas. Advierte también que los nombres científicos contienen palabras en latín. Lineo las usó en su sistema de denominación porque el latín era un idioma que usaban los científicos de la época.

La nomenclatura binaria facilita la comunicación entre los científicos en relación con un organismo porque todos usan el mismo nombre científico para referirse al mismo organismo. Si se usaran diferentes nombres para designar al mismo organismo sería muy confuso. Por ejemplo, observa el animal de la Figura 12. La gente lo llama con diversos nombres. Dependiendo de dónde vivas, podrías llamarlo marmota o perrito de las praderas. Por fortuna, sólo tiene un nombre científico: *Marmota monax*.

Verifica tu lectura   ¿Cómo se escribe un nombre científico?

FIGURA 12
Marmota monax
Aunque hay muchos nombres comunes para designar a este animal, tiene un solo nombre científico: *Marmota monax*.
Hacer generalizaciones *¿Cuál es la ventaja de los nombres científicos?*

Niveles de clasificación

El sistema de clasificación que usan ahora los científicos se basa en las aportaciones de Lineo. Pero en el sistema de clasificación actual se usa una serie de muchos niveles para clasificar a los organismos.

Para ayudarte a comprender los niveles de clasificación, imagina una habitación llena con todos los habitantes de tu estado. Primero, levantan la mano todos los que viven en tu población; luego, quienes viven en tu vecindario; después, quienes viven en tu calle; y por último, quienes viven en tu casa. Cada vez, son menos las personas que levantan la mano. Pero tú has estado en todos los grupos. El grupo más general al que perteneces es el estado; el grupo más específico es la casa. Cuantos más niveles compartas con los demás, más tienes en común con ellos.

Los principales niveles de clasificación La mayoría de los biólogos clasifican ahora a los organismos en los niveles que se aprecian en la Figura 13. Por supuesto, los organismos no están agrupados por el lugar en que viven, sino por las características que comparten. Primero, se ubica a un organismo en un grupo amplio, que a su vez se divide en grupos más específicos.

Como muestra la Figura 13, el dominio es el nivel más alto de organización. Dentro de un dominio, hay reinos. Dentro de los reinos, hay fílum. Dentro de los fílum hay clases. Dentro de las clases hay órdenes. Dentro de los órdenes hay familias. Cada familia contiene uno o más géneros. Por último, cada género contiene una o más especies. **Cuantos más niveles de clasificación compartan dos organismos, más características tienen en común.**

Clasificación de un búho Observa con atención la Figura 13 y verás cómo se aplican los niveles de clasificación al búho cornudo. Observa la hilera superior de la figura. Como ves, varios otros organismos pertenecen también al mismo dominio que el búho cornudo.

Luego, observa los niveles del reino, el fílum, la clase y el orden. Advierte que al descender por los niveles de la figura, hay menos clases de organismos en cada grupo. El aspecto más importante: los organismos de cada grupo tienen más en común entre sí. Por ejemplo, la clase de las aves incluye a todos los pájaros, en tanto que el orden de los estrigiformes incluye sólo búhos. Los diferentes búhos tienen más en común entre sí que con otros tipos de aves.

 Verifica tu lectura ¿Cuál es el nivel de clasificación más amplio, el reino o la familia?

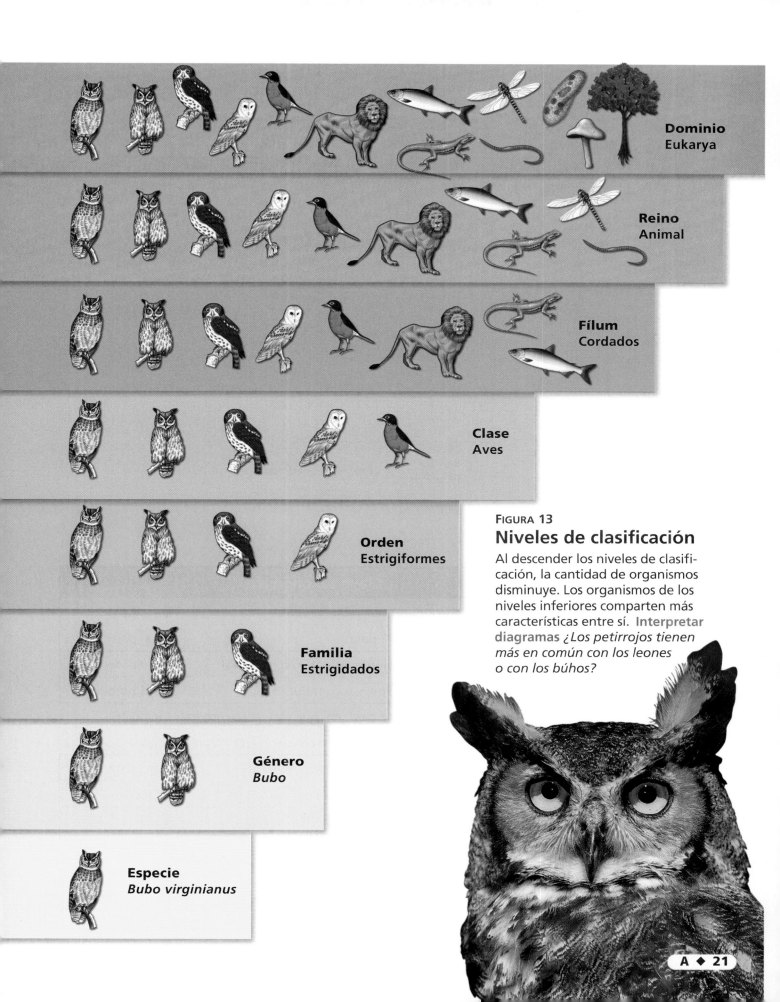

Dominio
Eukarya

Reino
Animal

Fílum
Cordados

Clase
Aves

Orden
Estrigiformes

Familia
Estrigidados

Género
Bubo

Especie
Bubo virginianus

FIGURA 13

Niveles de clasificación

Al descender los niveles de clasificación, la cantidad de organismos disminuye. Los organismos de los niveles inferiores comparten más características entre sí. **Interpretar diagramas** ¿*Los petirrojos tienen más en común con los leones o con los búhos?*

FIGURA 14
Identificación de los organismos
Puedes usar la clave taxonómica para identificar a este organismo. Los seis pares de oraciones en esta clave describen características físicas de diferentes organismos.
Sacar conclusiones *¿Qué es esta criatura?*

Claves taxonómicas

¿Por qué debe interesarte la taxonomía? Supón que estás viendo la televisión y sientes algo que te hace cosquillas en el pie. Asustado, miras hacia abajo y ves una pequeña criatura que se arrastra por tus dedos. Aunque es del tamaño de una semilla de melón, no te gusta la apariencia de sus dos garras. Luego, en un parpadeo, desaparece.

¿Cómo podrías averiguar qué criatura era? Podrías usar una guía de campo. Las guías de campo son libros con ilustraciones que destacan las diferencias entre organismos con apariencia similar. También podrías usar una clave taxonómica. **Las claves taxonómicas son herramientas útiles para determinar la identidad de los organismos.** Una clave taxonómica consiste en una serie de pares de oraciones que describen las características físicas de diferentes organismos.

La clave taxonómica de la Figura 14 te ayuda a identificar el organismo misterioso. Para usar la clave, empieza por leer el par de oraciones numeradas como 1a y 1b. Observa que ambas oraciones son contrastantes. Elige la que se aplique al organismo. Sigue la instrucción que aparece al final de esa oración. Por ejemplo, si el organismo tiene ocho patas, sigue la instrucción al final de la oración 1a, que dice "Ve al paso 2". Continúa este proceso hasta que la clave te conduzca a la identidad del organismo.

Verifica tu lectura ¿Qué son las guías de campo?

Clave taxonómica			
Paso 1	**1a.**	Tiene 8 patas	Ve al paso 2.
	1b.	Tiene más de 8 patas	Ve al paso 3.
Paso 2	**2a.**	Tiene una región corporal en forma oval	Ve al paso 4.
	2b.	Tiene dos regiones corporales	Ve al paso 5.
Paso 3	**3a.**	Tiene un par de patas en cada segmento corporal	Ciempiés
	3b.	Tiene dos pares de patas en cada segmento corporal	Milpiés
Paso 4	**4a.**	Tiene menos de 1 milímetro de largo	Garrapata
	4b.	Tiene más de 1 milímetro de largo	Ácaro
Paso 5	**5a.**	Tiene brazos en forma de tenazas	Ve al paso 6.
	5b.	No tiene brazos en forma de tenazas	Araña
Paso 6	**6a.**	Tiene una cola larga con aguijón	Escorpión
	6b.	No tiene cola o aguijón	Seudoescorpión

Evolución y clasificación

Cuando Lineo creó su sistema de clasificación, se pensaba que las especies no cambiaban. En 1859, un naturalista británico llamado Charles Darwin publicó una teoría sobre el cambio de las especies en el tiempo. La teoría de Darwin tuvo un efecto importante en la clasificación de las especies.

Teoría de Darwin Darwin recopiló datos para su teoría en las islas Galápagos en la costa occidental de América del Sur. Al estudiar los pinzones de las islas, observó que algunas especies de éstos eran similares entre sí, pero diferentes de los que vivían en la parte continental de América del Sur.

Darwin planteó la hipótesis de que algunos miembros de una especie de pinzones volaron de América del Sur a las islas. Una vez ahí, las especies cambiaron poco a poco durante muchas generaciones hasta diferenciarse de las especies que permanecieron en el continente. Después de un tiempo, las aves de la isla no pudieron aparearse y reproducirse con las del continente y se convirtieron en una especie nueva. Así, dos grupos de una misma especie pueden acumular diferencias suficientes durante un período muy largo hasta convertirse en dos especies distintas. Este proceso por el cual las especies cambian gradualmente con el tiempo se llama **evolución.**

La clasificación actual La teoría de la evolución ha cambiado la forma en que los biólogos conciben la clasificación. Los científicos entienden ahora que ciertos organismos son similares porque comparten un ancestro común. Por ejemplo, Darwin planteó la hipótesis de que los pinzones en las islas Galápagos compartían un ancestro común con los pinzones de la parte continental de América del Sur. Cuando los organismos comparten un ancestro común, comparten una historia evolutiva. El sistema de clasificación actual considera la historia de las especies. **Las especies con historias evolutivas similares se clasifican en forma más estrecha unas con otras.**

Cómo determinar la historia evolutiva ¿Cómo determinan los científicos la historia evolutiva de una especie? Una forma es comparar la estructura de los organismos. Pero ahora, los científicos se basan principalmente en información sobre la composición química de las células de los organismos. Cuanto más estrechamente se relacionen dos especies, más similares son las sustancias químicas que forman sus células.

FIGURA 15

Pinzones de las Galápagos

Estas tres especies de pinzones que viven en las islas Galápagos quizá surgieron de una sola especie. Observa las diferencias en la apariencia de estas aves, sobre todo el pico.

El gran pinzón terrestre parte semillas abiertas con su pico fuerte y ancho.

El gran pinzón arbóreo usa su pico con forma de gancho para atrapar insectos.

El pinzón cactero terrestre usa su pico puntiagudo para perforar la cubierta externa de los cactus.

FIGURA 16
Clasificación de zorrillos y comadrejas
El zorrillo (abajo) y la comadreja (derecha) se clasificaban antes en la misma familia. Con base en información química nueva, los científicos los reclasificaron en familias diferentes.

Información nueva A veces, al estudiar la composición química de los organismos, los científicos descubren información nueva que modifica lo que pensaban. Por ejemplo, zorrillos y comadrejas se clasificaron en la misma familia durante 150 años. Sin embargo, cuando los científicos compararon los ácidos nucleicos de las células de zorrillos y comadrejas, descubrieron muchas diferencias. Éstas señalaron que los dos grupos no se relacionan tan estrechamente como se pensaba. Algunos científicos propusieron que se cambiara la clasificación de los zorrillos. En consecuencia, éstos se reclasificaron en su propia familia llamada *Mephitidae*, que significa "gas nocivo" en latín.

 Verifica tu lectura ¿En qué información se basan los científicos para determinar la historia evolutiva?

Sección 2 Evaluación

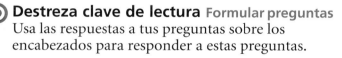 **Destreza clave de lectura** Formular preguntas
Usa las respuestas a tus preguntas sobre los encabezados para responder a estas preguntas.

Repasar los conceptos clave

1. a. Repasar ¿Por qué clasifican los biólogos?
 b. Inferir Supón que alguien te dice que un yaguarundí se clasifica en el mismo género que los gatos caseros. ¿Qué características piensas que podría tener un yaguarundí?

2. a. Hacer una lista Ordena los niveles de clasificación, empezando por el dominio.
 b. Aplicar conceptos Las marmotas se clasifican en la misma familia que las ardillas, pero en una diferente que los ratones. ¿Las marmotas tienen más características en común con las ardillas o con los ratones? Explica.

3. a. Repasar ¿Qué es una clave taxonómica?
 b. Aplicar conceptos Crea una clave taxonómica que ayude a identificar una fruta como manzana, naranja, fresa o plátano.

4. a. Repasar ¿Qué es la evolución?
 b. Explicar ¿Por qué es importante conocer la historia evolutiva de una especie en su clasificación?
 c. Predecir Supón que descubres un nuevo organismo que tiene una composición química sumamente similar a la de las gallinas. ¿Qué semejanza podría haber en la historia evolutiva de tu organismo y la de las gallinas?

Lab zone **Actividad** En casa

Clasificación en la cocina Con un familiar, vete a una "cacería de clasificación" a la cocina. Mira en el refrigerador, el armario y los cajones para que descubras qué sistemas de clasificación usa tu familia para organizar los artículos. Luego, explícale a tu familiar la importancia de la clasificación en la biología.

Misterios vivientes

Problema

¿Cómo puedes crear una clave taxonómica que te ayude a identificar las hojas de los árboles?

Destrezas aplicadas

observar, clasificar, inferir

Materiales

- hojas diferentes
- lupa
- regla métrica

Procedimiento

1. Tu maestro te dará cinco hojas de árbol diferentes. Manéjalas con cuidado.

2. Usa una lupa para examinar cada hoja. Busca características como las que se describen en la tabla. Haz una lista de cinco o más características de identificación de cada hoja.

Características de la hoja para considerar	
Característica	**Observaciones**
Forma general	¿La hoja tiene forma de aguja y es estrecha o es plana y ancha? En el caso de una hoja plana, ¿es redondeada, alargada, con forma de corazón o alguna otra forma?
Simple o compuesta	¿La hoja es una unidad o está formada por folíolos individuales? Si la forman folíolos, ¿cómo están dispuestos en el tallo de la hoja?
Patrón de las venas	¿Las venas de la hoja corren paralelas a partir de una vena central o forman un patrón ramificado?
Orillas de la hoja	¿Las orillas de la hoja son irregulares o lisas?
Textura de la hoja	¿La superficie de la hoja es velluda, brillante o tiene otra textura?

3. Usa tus observaciones para crear una clave taxonómica de las hojas. Al crearla, usa las características que pusiste en tu lista junto con cualquier otra que observes. Recuerda que tu clave taxonómica debe consistir en pares de oraciones, similares a las que se aprecian en la Figura 14 de este capítulo.

4. Intercambia tus hojas y clave taxonómica con un compañero. Si éste no puede identificar todas las hojas con tu clave, revísala si es necesario.

Analiza y concluye

1. Observar ¿En qué se parecen o se diferencian tus hojas?

2. Clasificar ¿Cómo decidiste qué características usar en tu clave taxonómica?

3. Inferir Elige una de tus hojas y revisa la lista de características que usaste para clasificarla. ¿Consideras que todas las hojas del mismo tipo compartirían esas características? Explica.

4. Comunicar Explica con tus propias palabras por qué es útil una clave taxonómica. Incluye en tu explicación por qué es importante que los pares de oraciones en una clave taxonómica sean contrastantes.

Explora más

Supón que sales de excursión al bosque y ves muchas flores de diferentes colores, formas y tamaños. Decides crear una clave taxonómica para ayudarte a identificar las flores. ¿Qué características incluirías en la clave?

Dominios y reinos

Avance de la lectura

Conceptos clave
- ¿Qué características se usan para clasificar a los organismos?
- ¿En qué se diferencian las bacterias y las arqueobacterias?
- ¿Cuáles son los reinos dentro del dominio Eukarya?

Términos clave
- procariota • núcleo
- eucariota

Destreza clave de lectura
Comparar y contrastar Mientras lees, compara y contrasta las características de los organismos en los dominios Bacteria, Archaea y Eukarya, completando una tabla como la siguiente.

Características de los organismos

Dominio o Reino	Tipo de célula y número	¿Capaz de elaborar alimento?
Bacteria	Procariota; unicelular	
Archaea		
Eukarya: Protistas		
Hongos		
Plantas		
Animales		

Actividad Descubre

¿Dónde va cada organismo?

1. Tu maestro te dará algunos organismos para que los observes. Dos de éstos se clasifican en el mismo reino.

2. Observa los organismos. Decide qué organismos pertenecerían al mismo reino. Escribe las razones de tu decisión. Lávate las manos después de manipular los organismos.

3. Expón tu decisión y razonamiento con tus compañeros de clase.

Reflexiona
Formular definiciones operativas ¿Qué características piensas que definen el reino en que colocaste juntos a los dos organismos?

Supón que eres un aprendiz que ayuda a Lineo a clasificar organismos. Tal vez identificarías a cada uno como planta o animal. Eso se debe a que hace unos 200 años, la gente no podía ver los diminutos organismos que ahora se sabe que existen. Cuando se inventaron los microscopios, que permiten que los objetos pequeños se vean más grandes, se reveló un mundo completamente nuevo. Al desarrollarse microscopios cada vez más poderosos, los científicos descubrieron muchos organismos nuevos e identificaron diferencias importantes entre las células.

Ahora, es común el uso de un sistema de clasificación en tres dominios. En la Figura 17, se aprecian los tres dominios: Bacteria, Archaea y Eukarya. Dentro de los dominios hay reinos. **Los organismos se ubican en dominios y reinos basándose en su tipo celular, su capacidad para elaborar alimento y la cantidad de células de su cuerpo.**

FIGURA 17
En el sistema de clasificación en tres dominios, todos los organismos conocidos pertenecen a uno de los tres dominios: Bacteria, Archaea o Eukarya.

Los tres dominios de la vida

Bacteria   Archaea   Eukarya

Protistas   Hongos   Plantas   Animales

Dominio Bacteria

Aunque tal vez lo desconozcas, los miembros del dominio Bacteria están alrededor de ti. Se hallan en el yogur que comes, en toda superficie que tocas y dentro de tu cuerpo, cuando estás sano y cuando estás enfermo.

Los miembros del dominio Bacteria son procariotas. Los **procariotas** son organismos cuyas células carecen de núcleo. Un **núcleo** es un área densa en una célula que contiene ácidos nucleicos, las instrucciones químicas que dirigen las actividades de la célula. En los procariotas, los ácidos nucleicos no están contenidos dentro de un núcleo.

Algunas bacterias son autótrofas, en tanto que otras son heterótrofas. Las bacterias pueden ser dañinas, como las que ocasionan la inflamación de la garganta. Sin embargo, en su mayoría son benéficas. Unas producen vitaminas y alimentos como el yogur y otras reciclan sustancias químicas esenciales, como el nitrógeno.

 Verifica tu lectura ¿Qué es un núcleo?

Dominio Archaea

En las profundidades del océano Pacífico, brotan gases calientes y piedras fundidas de una chimenea en el suelo oceánico. Es difícil imaginar que cualquier ser vivo pudiera existir en condiciones tan duras. Pero aunque parezca sorprendente, hay un grupo de diminutos organismos que prospera en esos lugares. Son miembros del dominio Archaea (arqueobacterias) palabra griega que significa "antiguo".

Las arqueobacterias se hallan en algunos de los ambientes más extremos de la Tierra, incluidas las fuentes termales, el agua muy salada, los pantanos y los intestinos de las vacas. Los científicos consideran que las duras condiciones en que viven las arqueobacterias son similares a las de la Tierra primitiva.

Como las bacterias, las arqueobacterias son procariotas unicelulares. Y como las bacterias, algunas arqueobacterias son autótrofas mientras que otras son heterótrofas. Sin embargo, las arqueobacterias se clasifican en su propio dominio, debido a que su composición química es diferente a la de las bacterias. **Aunque las bacterias y las arqueobacterias son similares en ciertas formas, hay diferencias importantes en la estructura y composición química de sus células.**

 Verifica tu lectura ¿Dónde se hallan las arqueobacterias?

FIGURA 18
Dominio Bacteria
Las cerdas de un cepillo dental (azul) expulsan una capa de bacterias (amarillo) en un diente. Las bacterias en el óvalo son responsables de las caries.

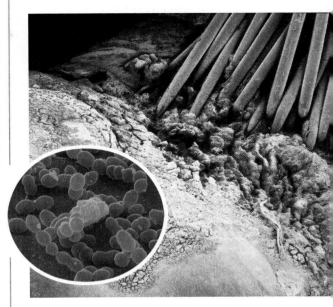

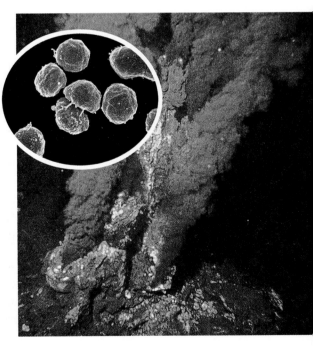

FIGURA 19
Dominio Archaea
Las arqueobacterias que necesitan calor (óvalo) prosperan en chimeneas como ésta en el fondo del mar.
Clasificar ¿Qué características comparten las arqueobacterias y las bacterias?

▲ **Protistas:** paramecio

▲ **Hongos:** setas

FIGURA 20
Dominio Eukarya

En una excursión por el bosque puedes encontrar organismos de los cuatro reinos de Eukarya. *Hacer generalizaciones ¿Qué característica comparten todos los eucariotas?*

Go **Online**
SC*i*LINKS NSTA

Para: Vínculos sobre los reinos, disponible en inglés.
Visita: www.SciLinks.org
Código Web: scn-0113

Dominio Eukarya

¿Qué tienen en común algas marinas, hongos, tomates y perros? Todos son miembros del dominio Eukarya. Los organismos en este dominio son **eucariotas,** es decir, organismos con células que contienen núcleos. **Los científicos clasifican a los organismos en el dominio Eukarya en uno de cuatro reinos: protistas, hongos, plantas o animales.**

Protistas Un protista es cualquier organismo eucariota que no puede clasificarse como animal, planta u hongo. Dado que sus miembros son tan diferentes entre sí, el reino protista a veces se llama el reino de los "raros y los extremos". Por ejemplo, algunos protistas son autótrofos, en tanto que otros son heterótrofos. La mayoría de los protistas son unicelulares, pero algunos, como las algas marinas, son grandes organismos multicelulares.

Hongos Con seguridad, en alguna ocasión has comido hongos. Las setas, el moho y el mildiu son hongos. La mayor parte de los hongos son eucariotas multicelulares. Algunos, como la levadura que usas para hacer pasteles, son eucariotas unicelulares. Los hongos se encuentran en casi cualquier parte de la tierra, pero sólo unos cuantos viven en el agua dulce. Todos los hongos son heterótrofos. En su mayoría se alimentan absorbiendo los nutrientes de organismos muertos o en descomposición.

Plantas Los dientes de león en el pasto, el musgo en el bosque y los chícharos en un jardín son miembros conocidos del reino de las plantas. Éstas son eucariotas multicelulares y casi todas viven en la tierra. Además, las plantas son autótrofas que elaboran su propio alimento. Las plantas proporcionan alimento a la mayor parte de los heterótrofos en la tierra.

El reino de las plantas incluye diversos organismos. Unas plantas producen flores, otras no. Algunas, como los gigantescos árboles de secoya, crecen muy alto. Otras, como el musgo, nunca crecen más de unos cuantos centímetros.

▲ **Plantas:** musgo

▲ **Animales:** salamandra

Animales Un perro, una mosca en la oreja del perro y el gato que persigue el perro tienen mucho en común: todos son animales. Los animales son eucariotas multicelulares y todos son heterótrofos. Los animales tienen adaptaciones diferentes que les permiten localizar alimento, capturarlo, comerlo y digerirlo. Los miembros del dominio de los animales viven en diversos medio ambientes en toda la Tierra. Los animales se hallan desde las profundidades del mar hasta las cúspides de las montañas, desde los desiertos cálidos y abrasadores hasta los paisajes fríos y glaciales.

✓ **Verifica tu lectura** ¿Cuáles son los dos reinos que sólo consisten en heterótrofos?

Sección 3 Evaluación

Destreza clave de lectura Comparar y contrastar Usa la información de tu tabla sobre las bacterias, las arqueobacterias y los eucariotas para responder a las siguientes preguntas.

Repasar los conceptos clave

1. a. **Hacer una lista** ¿Cuáles son los tres dominios en que se clasifican los organismos?
   b. **Clasificar** ¿Qué información necesitas saber para determinar el dominio al que pertenece un organismo?
2. a. **Definir** ¿Qué es un procariota?
   b. **Clasificar** ¿Qué dos dominios incluyen sólo organismos que son procariotas?
   c. **Comparar y contrastar** ¿En qué difieren los miembros de los dos dominios de procariotas?

3. a. **Repasar** ¿Qué tienen en común las células de protistas, hongos, plantas y animales?
   b. **Comparar y contrastar** ¿En qué se parecen protistas y animales? ¿En qué se diferencian?
   c. **Inferir** Aprendes que la atrapamoscas está en el mismo reino que los pinos. ¿Qué características comparten estos organismos?

Escribir en ciencias

Observación detallada Estudia la foto de un animal. Luego, escribe una descripción detallada del animal sin mencionarlo, para que un amigo con aptitudes artísticas pueda pintarlo en detalle sin verlo. Usa adjetivos que describan clara y vívidamente al animal.

El origen de la vida

Avance de la lectura

Conceptos clave

- ¿En qué diferiría la atmósfera de la Tierra primitiva de la atmósfera actual?

- ¿Qué hipótesis plantean los científicos sobre el surgimiento de la vida en la Tierra primitiva?

Término clave

- fósil

Destreza clave de lectura

Identificar evidencia de apoyo

Mientras lees, identifica la evidencia que apoye la hipótesis de los científicos sobre el surgimiento de la vida en la Tierra. Escribe la evidencia en un organizador gráfico como el que sigue.

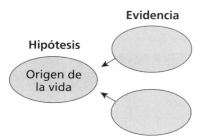

Hipótesis — Evidencia

Origen de la vida

Lab zone · **Actividad** Descubre

¿Cómo cambia la composición del aire?

1. Tu maestro te dará dos tarros de plástico tapados. Uno contiene una planta y otro, un animal.

2. Observa los organismos de cada tarro. Comenta con algún compañero la influencia que consideren que cada organismo ejerce en la composición del aire en su tarro.

3. Predice cómo cambiaría con el tiempo la composición de oxígeno en cada tarro si se dejaran así.

4. Regrésale los tarros a tu maestro.

Reflexiona

Inferir Los científicos plantean la hipótesis de que la antigua atmósfera de la Tierra era diferente de la atmósfera actual. ¿Qué papel desempeñarían los primeros organismos en la generación de esos cambios?

Imagina que miras por la ventana de tu máquina del tiempo. Has retrocedido más de 3.5 mil millones de años en el tiempo, a un antiguo período en la historia de la Tierra. El paisaje te es desconocido: escarpado, con rocas afiladas y poca tierra. Buscas algún rastro de verdor, pero no lo hay. Sólo ves los colores negro, café y gris, y destellos. Oyes un estruendo de truenos, vientos huracanados y olas que azotan la playa.

No ves ni oyes a ningún ser vivo. Sin embargo, sabes que éste es el período en que los científicos especulan que surgieron las primeras formas de vida en la Tierra. Decides explorar. Para estar seguro, te pones tu máscara de oxígeno. Al salir, te preguntas qué tipos de organismos pudieron haber vivido en un lugar así.

La atmósfera de la Tierra primitiva

Fuiste inteligente al ponerte tu máscara de oxígeno antes de explorar la Tierra primitiva. No habrías podido respirar porque había poco oxígeno en el aire. Los científicos piensan que las condiciones en la Tierra primitiva eran muy distintas a las actuales. **En la Tierra primitiva, es probable que el nitrógeno, el vapor de agua, el dióxido de carbono y el metano hayan sido los gases más abundantes en la atmósfera.** En contraste, los principales gases en la atmósfera actual son el nitrógeno y el oxígeno.

La vida en la Tierra Las evidencias señalan que las primeras formas de vida aparecieron en la Tierra hace aproximadamente entre 3.5 y 4 mil millones de años. Como no había oxígeno, tú, como casi todos los organismos actuales, no habrías podido vivir en la Tierra en ese entonces.

Nadie está seguro de cómo eran las primeras formas de vida, pero los científicos han desarrollado hipótesis sobre ellas. Primero, las antiguas formas de vida no necesitaban oxígeno para sobrevivir. Segundo, es probable que hayan sido organismos unicelulares. Tercero, quizá hayan vivido en el mar. Los primeros organismos tal vez se parecieran a las arqueobacterias que viven ahora en medio ambientes extremos, como los casquetes polares, las aguas termales y el fango en el fondo del mar.

Modelar las condiciones en la Tierra primitiva

Una de las preguntas más interesantes que enfrentan los científicos es explicar cómo surgieron las primeras formas de vida. Aunque Redi y Pasteur demostraron que los seres vivos no surgen espontáneamente en la Tierra actual, los científicos argumentan que las primeras formas de vida tal vez surgieron de la materia sin vida.

En 1953, un joven estudiante de posgrado estadounidense, Stanley Miller, y su asesor, Harold Urey, proporcionaron los primeros indicios de cómo pudieron haber surgido los organismos en la Tierra. Diseñaron un experimento en el que recrearon las condiciones de la Tierra primitiva en su laboratorio. Colocaron agua (para representar el océano) y una mezcla de gases con la idea de componer la antigua atmósfera de la Tierra en un matraz. Procuraron eliminar de la mezcla el oxígeno y los organismos unicelulares. Luego, transmitieron una corriente eléctrica por la mezcla para simular relámpagos.

Al cabo de una semana, la mezcla se oscureció. En el líquido oscuro, Miller y Urey descubrieron algunas unidades químicas pequeñas que, al unirse, formaban proteínas, uno de los componentes de la vida.

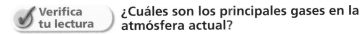

Verifica tu lectura ¿Cuáles son los principales gases en la atmósfera actual?

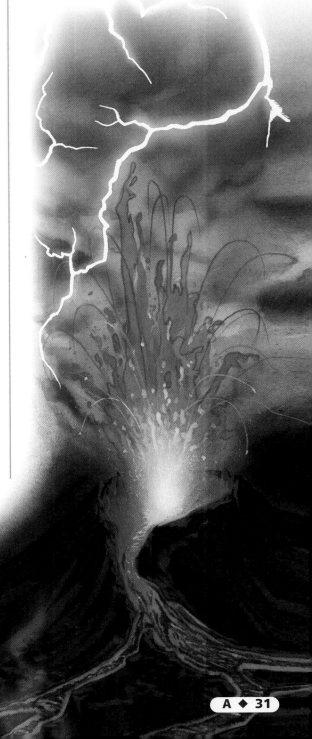

FIGURA 21
La Tierra primitiva
La atmósfera de la Tierra primitiva tenía poco oxígeno. Las erupciones volcánicas, los terremotos y las tormentas violentas eran frecuentes. *Inferir ¿Los organismos modernos habrían sobrevivido en la Tierra primitiva? ¿Por qué sí o por qué no?*

Las primeras células

En experimentos similares a los de Miller y Urey, otros científicos produjeron unidades químicas que forman carbohidratos y ácidos nucleicos. Los resultados experimentales permitieron a los científicos formular una hipótesis sobre cómo surgió la vida en la Tierra.

Los científicos plantean la hipótesis de que las pequeñas unidades químicas de la vida se formaron gradualmente durante millones de años en las aguas de la Tierra. Algunas de estas unidades químicas se unieron y formaron los grandes elementos químicos básicos que se hallan en las células. Con el tiempo, algunas de estas sustancias químicas grandes se unieron y se convirtieron en las precursoras de las primeras células.

Apoyo de las evidencias fósiles Esta hipótesis es compatible con las evidencias fósiles. Un **fósil** es el vestigio de un organismo de la antigüedad preservado en la roca u otra sustancia. Los científicos han descubierto fósiles de organismos parecidos a las arqueobacterias. Se calcula que estos fósiles tienen una antigüedad de 3.4 a 3.5 mil millones de años. Por tanto, sustentan la idea de que las células existen desde entonces.

Las primeras células tal vez no necesitaran oxígeno para sobrevivir. Tal vez fueron heterótrofas que usaban como energía las sustancias químicas de su entorno. Cuando las células crecieron y se reprodujeron, su número aumentó. Al mismo tiempo, disminuyó la cantidad de sustancias químicas de que podían disponer.

En algún momento posterior, algunas de las células tal vez hayan desarrollado la capacidad para elaborar su propio alimento. Estos antiguos ancestros de los autótrofos actuales tuvieron un efecto importante en la atmósfera. Al elaborar su propio alimento, produjeron oxígeno como producto de desecho. Como los autótrofos prosperaron, el oxígeno se acumuló en la atmósfera de la Tierra. Durante cientos de millones de años, la cantidad de oxígeno aumentó a su nivel actual.

 Verifica tu lectura ¿Qué es un fósil?

FIGURA 22
Evidencia fósil
Estos fósiles parecidos a células se encontraron en las colinas escarpadas de Australia occidental. Son los fósiles más antiguos que se conocen, tienen unos 3.5 millones de años.

FIGURA 23
Preguntas sin respuesta
Los científicos siguen buscando
indicios sobre el origen de la vida.
Aplicar conceptos *¿Qué clase de
evidencias se podrían hallar en las
rocas?*

Preguntas sin respuesta Muchos científicos siguen explorando ahora la pregunta de cómo y dónde surgió la vida en la Tierra. Los experimentos de laboratorio, como los de Miller y Urey, no prueban cómo apareció la vida en la Tierra, sino sólo hipótesis sobre cómo surgieron las primeras formas de vida. Nadie sabrá nunca con certeza cómo y cuándo apareció la vida en la Tierra. Sin embargo, los científicos seguirán haciendo preguntas, probando sus modelos y buscando evidencias experimentales y fósiles sobre el origen de la vida en la Tierra.

Sección 4 Evaluación

Destreza clave de lectura Identificar evidencia de apoyo Consulta tu organizador gráfico al responder a las preguntas siguientes.

Repasar los conceptos clave

1. a. **Nombrar** ¿Qué gases fueron quizá los más abundantes en la antigua atmósfera de la Tierra?
   b. **Describir** ¿Qué modelo hicieron Muller y Urey de las condiciones de la antigua atmósfera de la Tierra?
   c. **Inferir** ¿Qué se infiere de los resultados del experimento de Miller y Urey?
2. a. **Repasar** ¿Qué experimentos, además de los de Miller y Urey, ayudaron a plantear la hipótesis sobre el surgimiento de la vida en la Tierra?
   b. **Ordenar en serie** Ordena estos sucesos según la hipótesis del origen la vida: se forman pequeñas unidades químicas, las células elaboran su propio alimento, se forman las primeras células, aumentan los niveles de oxígeno en la atmósfera, se forman grandes elementos químicos básicos.

c. **Inferir** ¿Qué congruencia guarda la existencia de organismos en las aguas termales actuales con la hipótesis científica del surgimiento de las primeras formas de vida en la Tierra?

Escribir en ciencias

Anuncio Supón que eres el encargado de exhibiciones en un museo de ciencias. El museo está montando una exhibición que modela la Tierra primitiva. Escribe un anuncio para que el museo atraiga a los visitantes a ver la nueva exhibición. Describe con claridad lo que verán y escucharán los visitantes.

① ¿Qué es la vida?

Conceptos clave

- Todos los seres vivos tienen una organización celular, contienen sustancias químicas similares, usan energía, responden a su entorno, crecen, se desarrollan y reproducen.

- Los seres vivos surgen de los seres vivos mediante la reproducción.

- Todos los seres vivos deben satisfacer sus necesidades básicas de alimento, agua, espacio vital y condiciones internas estables.

Términos clave

organismo	desarrollo
célula	generación espontánea
unicelular	experimento controlado
multicelular	autótrofo
estímulo	heterótrofo
respuesta	homeostasis

② Clasificación de los organismos

Conceptos clave

- Los biólogos usan la clasificación para organizar a los seres vivos por grupos y estudiar a los organismos con más facilidad.

- Cuantos más niveles de clasificación compartan dos organismos, más características tienen en común.

- Las claves taxonómicas son herramientas útiles para determinar la identidad de los organismos.

- Las especies con historias evolutivas similares se clasifican en forma más estrecha unas con otras.

Términos clave

clasificación
taxonomía
nomenclatura
 binaria
género
especie
evolución

③ Dominios y reinos

Conceptos clave

- Los organismos se ubican en dominios y reinos basándose en su tipo celular, su capacidad para elaborar alimento y la cantidad de células de su cuerpo.

- Aunque las bacterias y las arqueobacterias son similares en ciertas formas, hay diferencias importantes en la estructura y composición química de sus células.

- Los científicos clasifican a los organismos en el dominio Eukarya en uno de cuatro reinos: protistas, hongos, plantas o animales.

Términos clave

procariota
núcleo
eucariota

④ El origen de la vida

Conceptos clave

- En la Tierra primitiva, es probable que el nitrógeno, el vapor de agua, el dióxido de carbono y el metano hayan sido los gases más abundantes en la atmósfera.

- Los científicos plantean la hipótesis de que las pequeñas unidades químicas de la vida se formaron gradualmente durante millones de años en las aguas de la Tierra. Algunas de estas unidades químicas se unieron y formaron los grandes elementos químicos básicos que se hallan en las células. Con el tiempo, algunas de estas sustancias químicas grandes se unieron y se convirtieron en las precursoras de las primeras células.

Término clave

fósil

Repaso y evaluación

Organizar la información

Hacer un mapa de conceptos
Copia el mapa de conceptos sobre las necesidades de los organismos en una hoja de papel aparte. Luego, complétalo y agrégale un título. (Para más información sobre mapas de conceptos, consulta el Manual de destrezas.)

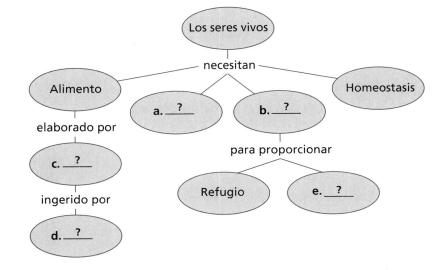

Repasar los términos clave

Elige la letra de la mejor respuesta.

1. La idea de que la vida podría surgir de la materia sin vida se llama
   a. desarrollo.
   b. generación espontánea.
   c. homeostasis.
   d. evolución.

2. El estudio científico de cómo se clasifican los seres vivos se llama
   a. desarrollo.
   b. biología
   c. taxonomía.
   d. evolución.

3. Un género se divide en
   a. especies.
   b. filum.
   c. familias.
   d. clases.

4. ¿Qué organismos tienen células sin núcleo?
   a. protistas
   b. arqueobacterias
   c. plantas
   d. hongos

5. ¿Qué gas NO formaba una parte importante de la antigua atmósfera de la Tierra?
   a. metano
   b. nitrógeno
   c. oxígeno
   d. vapor de agua

Si la oración es verdadera, escribe *verdadera*. Si es falsa, cambia la palabra o palabras subrayadas para hacer verdadera la oración.

6. Las bacterias son organismos <u>unicelulares</u>.

7. Los <u>heterótrofos</u> elaboran su propio alimento.

8. Lineo creó un sistema de denominación de organismos llamado <u>nomenclatura binaria</u>.

9. El lobo gris, *Canis lupus*, y el lobo rojo, *Canis rufus*, pertenecen a la misma <u>especie</u>.

10. Las células de un <u>procariota</u> carecen de núcleo.

Escribir en ciencias

Carta Supón que eres un oceanógrafo y acabas de descubrir un organismo nuevo en las profundidades del mar. Escribe una carta a un colega explicando cómo debería clasificarse el organismo y por qué.

Discovery CHANNEL SCHOOL

Living Things
Video Preview
Video Field Trip
▶ Video Assessment

Repaso y evaluación

Verificar los conceptos

11. Tu amigo piensa que las plantas no están vivas porque no se mueven. ¿Cómo le responderías a tu amigo?

12. Describe cómo satisface tu mascota, o la de un amigo, sus necesidades como ser vivo.

13. ¿Cuáles son las ventajas de identificar a un organismo por su nombre científico?

14. ¿A los científicos qué les indica la composición química de las células de un organismo sobre su historia evolutiva?

15. ¿Cuál es la principal diferencia entre los hongos y las plantas?

16. Describe dónde vivían los primeros organismos de la Tierra y cómo obtenían alimento.

Pensamiento crítico

17. **Aplicar conceptos** ¿Cómo sabes que un robot no está vivo?

18. **Relacionar causa y efecto** Cuando se creía en la generación espontánea, había una receta para hacer ratones: "Coloque una camisa sucia y unos cuantos granos de trigo en una olla abierta y espere tres semanas". Haz una lista de las razones por las que esta receta podría haber funcionado. ¿Cómo podrías demostrar que la generación espontánea no fue la responsable de la aparición de los ratones?

19. **Inferir** De los organismos siguientes ¿cuáles son los dos que se relacionan más estrechamente: *Entamoeba histolytica*, *Escherichia coli*, *Entamoeba coli*? Explica tu respuesta.

20. **Clasificar** ¿Cuántos dominios representan los siguientes organismos? ¿Cuántos reinos?

21. **Aplicar conceptos** Si pudieras viajar a un planeta con una atmósfera como la de la Tierra primitiva, ¿sobrevivirías? Explica tu respuesta.

Aplicar destrezas

Usa la siguiente ilustración para responder a las preguntas 22 a 25.

Un estudiante diseñó el experimento que se representa abajo para probar la influencia de la luz en el crecimiento de las plantas.

22. **Controlar variables** ¿Es éste un experimento controlado? De ser así, identifica la variable manipulada. Si no, explica por qué no lo es.

23. **Desarrollar hipótesis** ¿Qué hipótesis podría probar este experimento?

24. **Predecir** Basándote en lo que sabes de las plantas, predice cómo cambiará esta planta en dos semanas.

25. **Diseñar experimentos** Diseña un experimento controlado para determinar si la cantidad de agua que recibe una planta influye en su crecimiento.

Lab zone **Proyecto** del capítulo

Evaluación del desempeño Prepara un exhibidor en el que presentes tus conclusiones sobre tu objeto misterioso. Describe las observaciones que te ayudaron a llegar a tu conclusión. Compara tus ideas con las de los demás estudiantes. Si es necesario, defiende tu trabajo.

Sugerencia para hacer la prueba

Buscar calificativos

Tal vez te pidan que respondas a una pregunta en la que se usa un calificativo como *siempre, nunca, la mayor parte* o *al menos*. Por ejemplo, en la pregunta de ejemplo siguiente, sólo una de las opciones de respuesta es verdadera. Luego, responde la pregunta.

Pregunta de ejemplo

Dos organismos que se clasifican en el mismo fílum *siempre* se clasificarán en el (la) mismo(a)

  A reino.
  B orden.
  C familia.
  D género.

Respuesta

La respuesta correcta es **A** porque un fílum es parte de un reino. Dos organismos cualesquiera clasificados en el mismo fílum siempre deben compartir el mismo reino. Sin embargo, pueden clasificarse en diferentes niveles bajo el nivel del fílum. Por tanto, puedes eliminar **B, C** y **D**.

Elige la letra de la mejor respuesta.

1. ¿Cuál de las oraciones siguientes sobre las células *no* es verdadera?
  A Las células son los componentes de los seres vivos.
  B Las células realizan las funciones básicas de la vida de los seres vivos.
  C Algunos organismos están formados sólo por una célula.
  D La mayor parte de las células pueden verse a simple vista.

2. ¿En cuál de los siguientes dominios se clasifican los organismos autótrofos?
  F Bacteria
  G Archaea
  H Eukarya
  J todas las anteriores

Usa la tabla siguiente y lo que sabes de ciencias para responder las preguntas 3 y 4.

Algunos tipos de árboles			
Nombre común del árbol	**Reino**	**Familia**	**Especie**
Cerezo americano	Plantas	Rosaceae	*Prunus avium*
Cerezo japonés	Plantas	Rosaceae	*Prunus serrula*
Olmo de hojas lisas	Plantas	Ulmaceae	*Ulmus minor*
Mostajo	Plantas	Rosaceae	*Sorbus aria*

3. En el sistema de la nomenclatura binaria, ¿cuál es el nombre del mostajo?
  A Rosaceae
  B *Sorbus aria*
  C *Prunus serrula*
  D *Ulmus minor*

4. ¿Cuál de los siguientes organismos es el más diferente de los otros tres?
  F *Prunus avium*
  G *Prunus serrula*
  H *Ulmus minor*
  J *Sorbus aria*

5. El experimento de Pasteur en el que calentó caldo en unos matraces, pero no en otros, fue un experimento controlado porque
  A demostró que las bacterias no surgen de manera espontánea.
  B los cuellos de ambos matraces estaban curvos.
  C calentar o no calentar el matraz fue la única variable que modificó.
  D el caldo en ambos matraces permaneció transparente.

Respuesta estructurada

6. Menciona cinco características que comparten todos los seres vivos. Luego, describe cada característica o da un ejemplo.

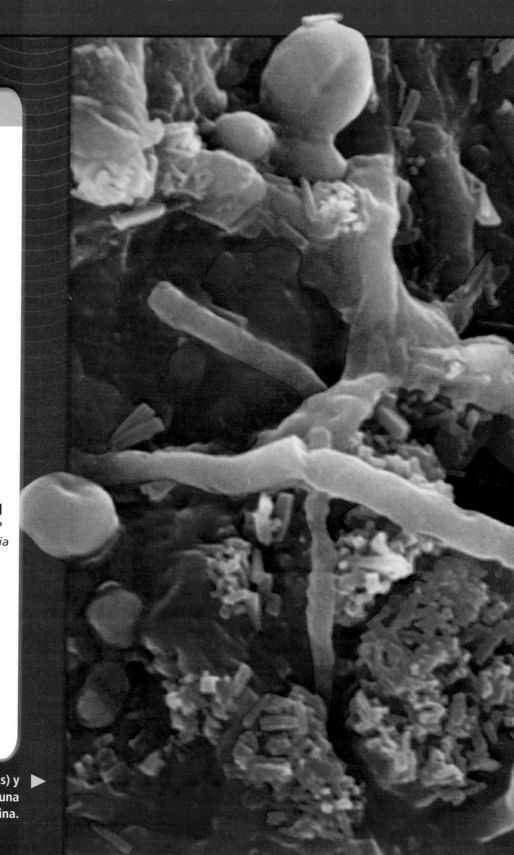

Capítulo

2

Virus y bacterias

Las bacterias (bastoncillos azules y púrpuras) y otros microorganismos acechan en una esponja de cocina. ▶

 Proyecto del capítulo

Sé un detective de enfermedades

No hace mucho, contraer ciertas "enfermedades infantiles" virales y bacterianas era una parte rutinaria del crecimiento. Entre éstas se hallaban la varicela, las paperas, la tos ferina y otras. En este proyecto, elegirás una enfermedad infantil para investigar.

Tu objetivo Entrevistar a personas de diferentes edades para averiguar lo que saben sobre una enfermedad infantil.

Para completar el proyecto debes

- elegir e investigar una enfermedad para aprender más de ella
- preparar un cuestionario para entrevistar a las personas sobre su experiencia y conocimientos de la enfermedad
- interrogar en total a 30 personas de diferentes grupos de edad e informar cualquier patrón que encuentres

Haz un plan Con varios compañeros de clase, haz una lista de enfermedades infantiles. Investiga una para que averigües más sobre ella. Piensa en la clase de preguntas que necesitarás plantear en la encuesta y cómo elegirás a las personas que entrevistarás. Luego, prepara tu cuestionario.

1 Virus

Avance de la lectura

Conceptos clave
- ¿Qué diferencia hay entre los virus y los seres vivos?
- ¿Cuál es la estructura básica de un virus?
- ¿Cómo se multiplican los virus?

Términos clave
- virus • huésped • parásito
- bacteriófago

Destreza clave de lectura
Ordenar en serie Mientras lees, haz dos diagramas de flujo que muestren cómo se multiplican los virus activos y ocultos. Pon los pasos del proceso en recuadros separados dentro del diagrama de flujo en el orden en que ocurran.

Cómo se multiplican los virus activos

Los virus se pegan a la superficie de una célula viviente

↓

Los virus inyectan material genético en la célula

↓

¿En qué cerradura entra la llave?

1. Tu maestro te dará una llave.
2. Estudia la llave con cuidado. Piensa en la forma que debe tener el ojo de su cerradura. En una hoja de papel, dibuja dicha forma.
3. La cerradura para tu llave está dentro del grupo de cerraduras que tu maestro te proporcionará. Trata de hacer que tu llave corresponda a su cerradura sin introducir la llave.

Reflexiona

Inferir Supón que cada tipo de célula tuviera una "cerradura" única en su superficie. ¿Cómo ayudaría una cerradura única a proteger a una célula de los organismos invasores?

Es una noche oscura y silenciosa. Un espía enemigo se desliza con sigilo por la frontera. Invisible a los guardias, se arrastra cauteloso por la orilla del camino hacia el centro de control. Sin ser detectado, entra a hurtadillas al sistema de seguridad del centro y llega a la puerta. Al entrar en la sala de control, el espía se apodera de la computadora central. El enemigo está al mando.

Momentos después, se activan por fin las defensas del centro de mando. Según la fuerza y astucia del enemigo, las defensas pueden sofocar la invasión antes de que cause mayor daño. De lo contrario, el enemigo ganará y se apoderará del territorio.

FIGURA 1
Formas de los virus
Los virus tienen varias formas.

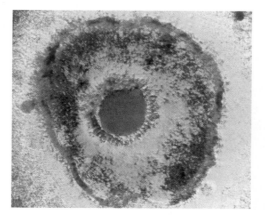

▲ El virus redondo de la varicela genera una erupción irritante en la piel humana.

▼ Este virus con apariencia de robot, llamado bacteriófago, infecta a las bacterias.

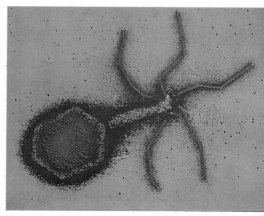

¿Qué es un virus?

Aunque la historia de este espía puede leerse como el guión de una película, describe sucesos similares a los que ocurren en tu cuerpo. El espía actúa como un virus que invade un organismo. Un **virus** es una partícula diminuta e inerte que entra y se reproduce dentro de una célula viva. Ningún organismo está a salvo de los virus. Desde la célula bacteriana más pequeña hasta el árbol más grande, desde tu gato hasta tu hermano pequeño, hay un virus capaz de invadir las células del organismo.

Características de los virus Casi todos los biólogos actuales consideran que los virus no son seres vivos porque no tienen todas las características esenciales para la vida. Los virus no son células ni usan su propia energía para crecer o responder a su entorno. Tampoco elaboran alimento, lo captan o producen desechos. El único parecido que tienen con los organismos es que se multiplican. **Aunque los virus se multiplican, lo hacen en forma diferente a los organismos. Los virus se multiplican sólo cuando están dentro de una célula viva.**

El organismo al que entra un virus y en el que se multiplica se llama huésped. Un **huésped** es un organismo que constituye una fuente de energía para un virus u otro organismo. Un virus actúa como **parásito,** un organismo que vive sobre o en un huésped y lo daña. Casi todos los virus destruyen la células en las que se multiplican.

Formas de los virus Como ves en la Figura 1, la forma de los virus varía mucho. Unos son redondos, pero otros tienen forma de bastón. Otros más tienen forma como de ladrillo, hebras o balas. Hay virus incluso que tienen formas complejas, parecidas a robots, como el bacteriófago de la Figura 1. Un **bacteriófago** es un virus que infecta bacterias. De hecho, su nombre significa "comedor de bacterias".

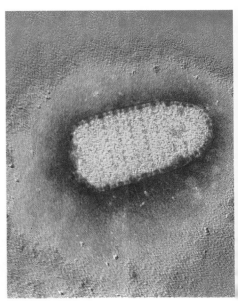

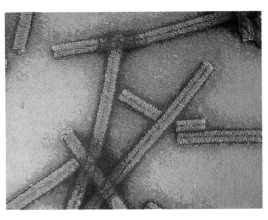

▲ El virus en forma tubular del mosaico infecta las plantas de tabaco.

▼ Estos virus redondos son responsables de la enfermedad del Nilo Occidental en los animales.

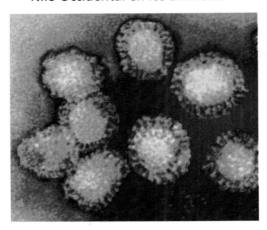

▲ El virus en forma de bala de la rabia infecta las células nerviosas de ciertos animales.

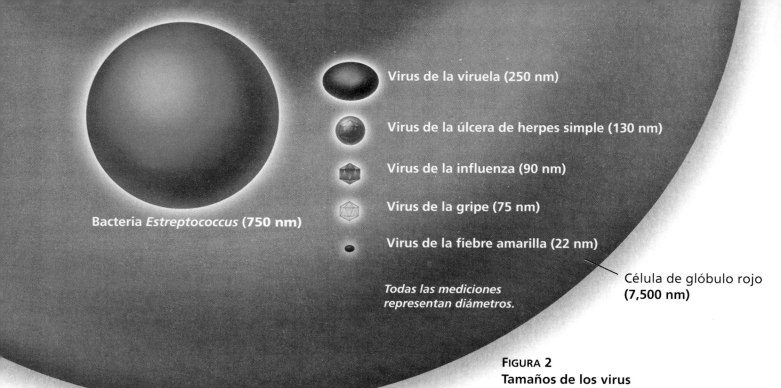

Virus de la viruela (250 nm)

Virus de la úlcera de herpes simple (130 nm)

Virus de la influenza (90 nm)

Virus de la gripe (75 nm)

Virus de la fiebre amarilla (22 nm)

Bacteria *Estreptococcus* (750 nm)

Todas las mediciones representan diámetros.

Célula de glóbulo rojo (7,500 nm)

FIGURA 2
Tamaños de los virus
Las partículas de los virus son diminutas en comparación con las bacterias más pequeñas. Calcular *¿Cuántas partículas de virus de la gripe entrarían en el diámetro de una célula bacteriana estreptococo?*

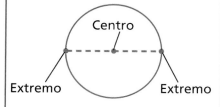

Matemáticas
Destrezas

Diámetro

El diámetro de un círculo es una línea que atraviesa el centro del círculo y tiene sus dos extremos en el círculo. Para hallar el diámetro, traza una línea como la que se aprecia abajo. Luego, con una regla métrica mide la longitud de la línea. Por ejemplo, el diámetro de una moneda de un centavo es de aproximadamente 1.9 mm.

Centro

Extremo   Extremo

Problema de práctica Mide el diámetro de una moneda de 25 centavos y de un CD.

Tamaños de los virus Así como varía la forma de los virus, también varía su tamaño. Los virus son más pequeños que las células y no se ven con los microscopios que usas en la escuela. Son tan pequeños que se miden en unidades llamadas nanómetros (nm). Un nanómetro es una mil millonésima de metro (m). Los virus más pequeños tienen unos 20 nanómetros de diámetro y los más grandes tienen más de 200 nanómetros de diámetro. El virus promedio es muy pequeño en comparación incluso con las células más pequeñas: las de las bacterias.

Denominación de los virus Como a los virus no se les considera organismos, los científicos no usan la nomenclatura binaria tradicional para denominarlos. Hoy en día, los denominan de diversas formas. Algunos, como el virus de la polio, reciben su nombre por la enfermedad que ocasionan. Otros se denominan en función de los organismos que infectan. El virus mosaico del tabaco, por ejemplo, infecta las plantas de la familia del tabaco. Los científicos denominaron el virus del Nilo Occidental por el lugar en África donde se descubrió por primera vez. A veces, los científicos le ponen a los virus nombres de personas. El virus Epstein-Barr, por ejemplo, se denominó así por los dos científicos que identificaron inicialmente el virus que ocasiona la enfermedad conocida como mononucleosis.

 **Verifica tu lectura** ¿Qué es más grande: un virus o una bacteria?

Estructura de los virus

Aunque los virus pueden parecer muy diferentes unos de otros, todos tienen una estructura similar. **Todo virus tiene dos partes básicas: una cubierta de proteínas que protege al virus y un núcleo interno compuesto de material genético.** El material genético de un virus contiene instrucciones para crear nuevos virus. Algunos virus también están rodeados por una membrana externa adicional, o envoltura.

Las proteínas en la superficie de un virus desempeñan una función importante durante la invasión a una célula huésped. Cada virus contiene proteínas únicas en su superficie. La forma de éstas permite que el virus se una a ciertas células en el huésped. Como llaves, las proteínas de un virus sólo entran en ciertas "cerraduras", o proteínas, en la superficie de las células huésped. La Figura 3 muestra el funcionamiento de la acción de cerradura y llave.

Dado que la acción de cerradura y llave de un virus es muy específica, un determinado virus se une sólo a uno o unos cuantos tipos de células. Por ejemplo, casi todos los virus de la gripe infectan a células sólo en la nariz y la garganta de los seres humanos. Estas células son las que tienen en su superficie las proteínas que complementan o "entran en" las del virus. Esto explica por qué cada virus sólo infecta células huésped muy específicas.

 **¿Qué información contiene el material genético de un virus?**

FIGURA 3

Estructura e infección de un virus

Todos los virus constan de material genético rodeado por una cubierta de proteína. Algunos, como los que aquí se aprecian, están rodeados por una membrana externa que los envuelve. Un virus se une a una célula sólo si las proteínas de la superficie del virus corresponden a las de la célula.

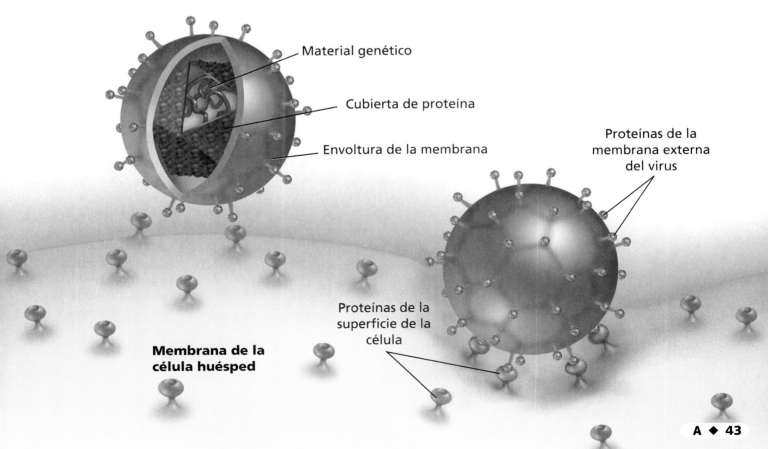

Partícula de virus

Material genético

Cubierta de proteína

Envoltura de la membrana

Proteínas de la membrana externa del virus

Proteínas de la superficie de la célula

Membrana de la célula huésped

Cómo se multiplican los virus

Después de unirse a una célula huésped, el virus la penetra. **Una vez dentro de la célula, el material genético del virus asume muchas de las funciones de la célula. Instruye a ésta para que produzca las proteínas y el material genético del virus, los cuales después se congregan en nuevos virus.** Unos virus asumen de inmediato las funciones celulares; otros aguardan un tiempo.

Virus activos Después de penetrar en una célula, un virus activo entra en acción de inmediato. El material genético del virus asume las funciones celulares y la célula rápidamente empieza a producir las proteínas y el material genético del virus. Luego estas partes se congregan en nuevos virus. Como una fotocopiadora que se deja en la posición de "encendido", la célula invadida hace una copia tras otra de los nuevos virus. Cuando está llena de éstos, revienta, liberando cientos de nuevos virus al morir.

FIGURA 4
Virus activos y ocultos
Los virus activos entran a las células y de inmediato empiezan a multiplicarse, lo que genera la muerte rápida de las células invadidas. Los virus ocultos "se esconden" por un tiempo dentro de las células huésped antes de volverse activos.

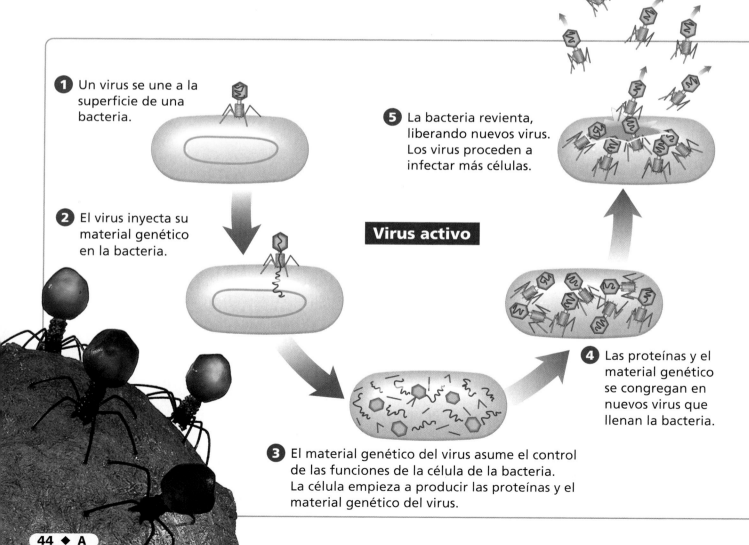

1 Un virus se une a la superficie de una bacteria.

2 El virus inyecta su material genético en la bacteria.

Virus activo

3 El material genético del virus asume el control de las funciones de la célula de la bacteria. La célula empieza a producir las proteínas y el material genético del virus.

4 Las proteínas y el material genético se congregan en nuevos virus que llenan la bacteria.

5 La bacteria revienta, liberando nuevos virus. Los virus proceden a infectar más células.

Virus ocultos Otros virus no se vuelven activos de inmediato, sino que se "esconden" por un tiempo. Después de que un virus oculto entra a una célula huésped, su material genético se vuelve parte del material genético de la célula. El virus parece no afectar las funciones de la célula y puede permanecer inactivo durante años. Cada vez que se divide una célula huésped, el material genético del virus se copia junto con el material genético del huésped. Después, bajo ciertas condiciones, el material genético del virus se activa de pronto. Asume las funciones de la célula casi del mismo modo que los virus activos. Pronto, la célula está llena de nuevos virus y revienta.

El virus que ocasiona las úlceras del herpes simple es un ejemplo de virus oculto. Puede permanecer inactivo durante meses o años en las células nerviosas del rostro. Mientras está oculto, el virus no produce síntomas. Al activarse, ocasiona una úlcera inflamatoria dolorosa que se forma cerca de la boca. La luz del sol fuerte y el estrés son dos factores que los científicos consideran que pueden activar el virus de la úlcera del herpes. Después de un período activo, el virus se "esconde" una vez más en las células nerviosas hasta que se activa de nuevo.

 **Verifica tu lectura** ¿En qué parte de la célula huésped se "esconde" un virus oculto cuando está inactivo?

Go Online active art

Para: Actividad de los virus activos y ocultos, disponible en inglés.
Visita: PHSchool.com
Código Web: cep-1021

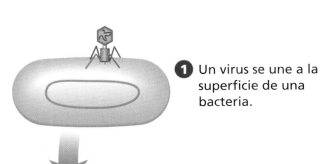

1 Un virus se une a la superficie de una bacteria.

Virus oculto

2 El virus inyecta su material genético en la bacteria.

3 El material genético del virus se vuelve parte del material genético de la bacteria.

4 Luego de cierto tiempo, el material genético del virus se separa y se activa.

5 La célula empieza a producir las proteínas y el material genético del virus, que se unen para formar nuevos virus.

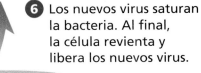

6 Los nuevos virus saturan la bacteria. Al final, la célula revienta y libera los nuevos virus.

Los virus y el mundo viviente

Si has tenido una úlcera de herpes simple o te has resfriado o agripado, sabes que los virus ocasionan enfermedades. Pero, te sorprendería saber que los virus también pueden ser útiles.

Virus y enfermedades Algunas enfermedades virales, como los resfriados, son leves (uno se enferma durante un período breve, pero se recupera pronto). Otras, como el síndrome de inmunodeficiencia adquirida, o SIDA, tienen efectos mucho más graves.

Los virus también ocasionan enfermedades en otros organismos además de los seres humanos. Por ejemplo, los manzanos infectados por el virus mosaico del manzano producen menos frutos. Las mascotas, como los perros y los gatos, pueden contraer enfermedades virales mortales, como la rabia y el moquillo.

Utilidad de los virus Las noticias sobre los virus no son todas malas. En una técnica llamada terapia con genes, los científicos aprovechan la capacidad del virus para entrar en una célula huésped. Agregan material genético a un virus y luego lo usan como "servicio de mensajería" para suministrar el material genético a las células que lo necesitan.

La terapia con genes alberga muchas esperanzas como tratamiento médico para trastornos como la fibrosis quística. Quienes padecen esta enfermedad carecen del material genético necesario para el buen funcionamiento de sus pulmones. Esta terapia ofrece el material genético necesario a sus células pulmonares.

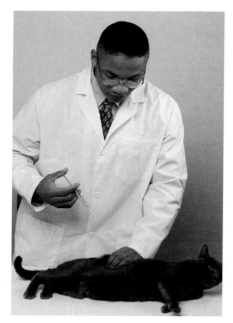

FIGURA 5
Virus y enfermedades
Los veterinarios ponen inyecciones a las mascotas que protegen a los animales contra enfermedades virales.

 **Verifica tu lectura** **¿Qué utilidad tiene para los científicos la capacidad de un virus de entrar en una célula huésped?**

Sección 1 Evaluación

Destreza clave de lectura Ordenar en serie
Consulta tus diagramas de flujo sobre cómo se multiplican los virus para responder a la pregunta 3.

Repasar los conceptos clave

1. a. **Definir** ¿Qué es un virus?
   b. **Comparar y contrastar** ¿En qué se parecen los virus a los organismos? ¿En qué difieren?
   c. **Inferir** Los científicos tienen la hipótesis de que los virus no pueden haber existido en la Tierra antes de que aparecieran los organismos. Usa lo que sabes para apoyar esta hipótesis.

2. a. **Identificar** ¿Qué estructura básica comparten todos los virus?
   b. **Relacionar causa y efecto** ¿Qué función tienen las proteínas de la cubierta externa de un virus al invadir una célula huésped?

3. a. **Repasar** Traza los pasos de un virus activo para multiplicarse, desde que entra en un huésped hasta que la célula huésped revienta.
   b. **Ordenar en serie** Haz una lista de los pasos adicionales al multiplicarse un virus oculto.
   c. **Clasificar** ¿Cómo es el virus de la influenza: activo u oculto? Explica tu razonamiento.

Matemáticas
Práctica

Diámetro Mide el diámetro de una moneda de diez centavos. Luego, busca un objeto redondo cuyo diámetro predigas es diez veces superior al de la moneda. Mide su diámetro. ¿Qué tan acertada fue tu predicción?

¿Cuántos virus caben en un alfiler?

Problema
¿Cómo ayuda un modelo a comprender lo pequeños que son los virus?

Destrezas aplicadas
calcular, hacer modelos

Materiales
- alfiler recto • tiras de papel largas • lápiz
- cinta métrica • tijeras • cinta adhesiva
- calculadora (opcional)

Procedimiento

1. Examina la cabeza de un alfiler recto. Escribe una predicción sobre la cantidad de virus que podrían caber en ella. **PRECAUCIÓN:** *No piques a nadie con el alfiler.*

2. Supón que la cabeza del alfiler tiene 1 mm de diámetro. Si se ampliara 10,000 veces su diámetro mediría 10 m. Crea un modelo de la cabeza del alfiler cortando y pegando tiras de papel hasta hacer una tira de 10 m de largo. Esta tira representa el diámetro de la cabeza de alfiler ampliada.

3. Coloca la tira de papel de 10 m en el suelo de tu salón o en el corredor. Imagina que haces un gran círculo y que la tira es su diámetro. El círculo sería la cabeza del alfiler ampliada. Calcula su área con esta fórmula:

$$\text{Área} = \pi \times \text{radio}^2$$

   Recuerda que puedes hallar el radio dividiendo el diámetro entre 2.

4. Una partícula de virus puede medir 200 nm de cada lado (1 nm es igual a una mil millonésima de metro). Si se ampliara 10,000 veces, cada lado mediría 0.002 m. Recorta un cuadrado de 0.002 m por 0.002 m para que sirva como modelo de un virus. (*Pista:* 0.002 m = 2 mm.)

5. Luego, halla el área en metros de una partícula de virus en el tamaño ampliado. Recuerda que el área del cuadrado es igual a lado × lado.

6. Ahora divide el área de la cabeza del alfiler que calculaste en el paso 3 entre el área de una partícula de virus para averiguar cuántos virus cabrían en la cabeza del alfiler.

7. Intercambia tu trabajo con un compañero, y revisen sus respectivos cálculos.

Analiza y concluye

1. **Calcular** Aproximadamente, ¿cuántos virus caben en la cabeza de un alfiler?

2. **Predecir** ¿En qué se parece tu cálculo a la predicción que hiciste? Si ambas cifras son muy diferentes, explica por qué tu predicción fue imprecisa.

3. **Hacer modelos** ¿Qué aprendiste sobre el tamaño de los virus al ampliar el virus y la cabeza de alfiler 10,000 veces su tamaño real?

4. **Comunicar** En un párrafo, explica por qué los científicos a veces hacen y usan modelos ampliados de cosas tan pequeñas como un virus.

Explora más

Piensa en otro objeto cotidiano que pudieras usar para modelar algunos otros aspectos de los virus, como su forma o el modo en que infectan las células. Describe tu modelo y explica por qué el objeto sería una buena elección.

Estos virus del papiloma, ▶ que ocasionan verrugas, tienen 50 nm de diámetro aproximadamente.

Avance de la lectura

Conceptos clave

- ¿En qué difieren las células de las bacterias de las de las eucariotas?
- ¿Qué necesitan las bacterias para sobrevivir?
- ¿En qué condiciones prosperan y se reproducen las bacterias?
- ¿Qué funciones positivas desempeñan las bacterias en la vida de las personas?

Términos clave

- bacterias • citoplasma
- ribosoma • flagelo
- respiración • fisión binaria
- reproducción asexual
- reproducción sexual
- conjugación • endospora
- pasteurización
- descomponedor

Destreza clave de lectura

Desarrollar el vocabulario Una definición establece el significado de una palabra o frase indicando su característica o función más importante. Después de leer la sección, lee de nuevo los párrafos que contienen las definiciones de los términos clave. Usa toda la información que aprendiste para escribir una definición de cada término clave con tus propias palabras.

Lab zone **Actividad** Descubre

¿Qué tan rápido se multiplican las bacterias?

1. Tu maestro te dará algunos frijoles y vasos de cartón. Numera los vasos del 1 al 8. Cada frijol representará una célula bacteriana.

2. Pon un frijol en el vaso 1 para que represente la primera generación de bacterias. Aproximadamente cada 20 minutos, se reproduce una célula bacteriana dividiéndose en dos células. Pon dos frijoles en el vaso 2 para que represente a la segunda generación de bacterias.

3. Calcula cuántas células bacterianas habría en la tercera generación si cada célula en el vaso 2 se dividiera en 2 células. Pon el número correcto de frijoles en el vaso 3.

4. Repite cinco veces más el paso 3. Todos los vasos deben contener ahora frijoles. ¿Cuántas células hay en la octava generación? ¿Cuánto tiempo ha pasado desde la primera generación?

Reflexiona

Inferir Basándote en esta actividad, explica por qué la cantidad de bacterias aumenta rápidamente en un período breve.

Se desarrollan en el recipiente de yogur. Acechan en la esponja de tu cocina. Te cubren la piel y se aglomeran dentro de tu nariz. No puedes escapar de ellos porque viven casi en todas partes: bajo las piedras, en el mar y en todo tu cuerpo. De hecho, ¡hay más organismos de estos en tu boca que personas en la Tierra! No los notas porque son muy pequeños. Estos organismos son las bacterias.

La célula bacteriana

Aunque hay miles de millones de bacterias en la Tierra, no se descubrieron sino hasta finales del siglo XVII. El comerciante holandés Anton van Leeuwenhoek las descubrió por accidente. Leeuwenhoek fabricaba microscopios como pasatiempo. Un día, al usar uno de sus microscopios para observar fragmentos de un diente, observó unos organismos diminutos parecidos a gusanos en la muestra. Pero, los microscopios de Leeuwenhoek no tenían la potencia suficiente para ver con detalle el interior de estos organismos.

Estructuras de la célula Si Leeuwenhoek hubiera tenido un microscopio de alta potencia como los actuales, habría visto en detalle los organismos unicelulares conocidos como **bacterias. Las bacterias son procariotas. El material genético de sus células no está contenido en un núcleo.** Además de carecer de núcleo, las células de las bacterias también carecen de muchas otras estructuras que se encuentran en las células de los eucariotas.

Casi todas las células bacterianas están rodeadas por una rígida pared celular que las protege. Justo dentro de la pared celular está la membrana celular, que controla los materiales que entran y salen de la célula. La región dentro de la membrana celular, llamada **citoplasma,** contiene un material gelatinoso. En el citoplasma hay unas estructuras diminutas llamadas **ribosomas,** fábricas químicas en las que se producen proteínas. El material genético de la célula, parecido a un cordón enredado, también se halla en el citoplasma. Si pudieras desenredar el material genético, verías que tiene forma circular. El material genético contiene las instrucciones de todas las funciones de la célula.

Una célula bacteriana puede tener también un **flagelo,** una estructura larga y en forma de látigo que ayuda a que la célula se mueva. El flagelo mueve la célula girando como una hélice. Una célula bacteriana puede tener muchos flagelos, uno o ninguno. La mayor parte de las bacterias que no tienen flagelos no pueden moverse por su cuenta. En cambio, se mueven de un lugar a otro por medio del aire, las corrientes de agua, los objetos u otros métodos.

Para: Más información sobre las bacterias, disponible en inglés.
Visita: PHSchool.com
Código Web: ced-1022

FIGURA 6
Estructuras de las células bacterianas
Este modelo muestra las estructuras que hay en una célula bacteriana común.
Relacionar diagramas y fotos
¿Qué estructura usa para moverse la bacteria salmonela *de la fotografía?*

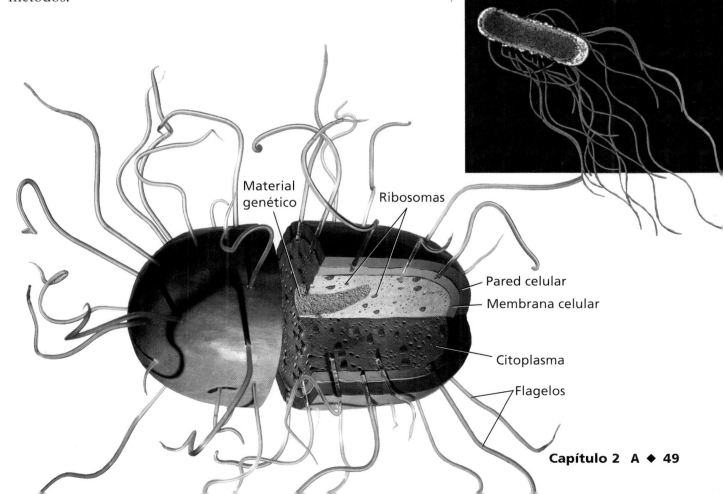

Material genético

Ribosomas

Pared celular

Membrana celular

Citoplasma

Flagelos

FIGURA 7

Formas de las células bacterianas

La mayor parte de las bacterias tienen una de tres formas básicas.

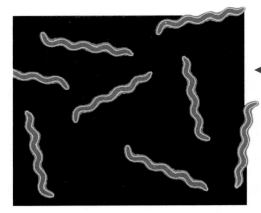

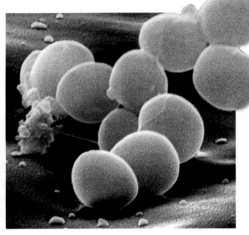

◄ Las bacterias *Borrelia burgdorferi,* que ocasionan la enfermedad de Lyme, tienen forma de espiral.

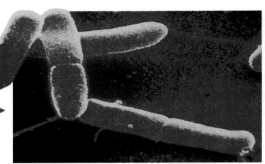

Las bacterias *Escherichia* ► *coli* tienen forma de bastón. Estas bacterias se hallan en tus intestinos.

▲ Estos *Staphylococcus aureus,* que se hallan en la piel humana, son esféricos.

Lab zone · Actividad Inténtalo

Bacterias para el desayuno

En esta actividad, observarás las bacterias útiles en un alimento común.

1. Ponte tu delantal. Agrega agua a un yogur natural hasta hacer una mezcla poco espesa.

2. Con un gotero de plástico, pon una gota de la mezcla en un portaobjetos de vidrio.

3. Usa otro gotero de plástico para agregar una gota de azul de metileno al portaobjetos. **PRECAUCIÓN**: *Esta solución puede teñir tu piel.*

4. 🖐 Pon un cubreobjetos sobre el portaobjetos.

5. Observa el portaobjetos bajo las lentes de baja y alta potencia de un microscopio.

Observar Dibuja un diagrama de lo que veas bajo la lente de alta potencia. Clasifica cada estructura celular que veas.

Formas de la célula Si vieras las bacterias bajo un microscopio, observarías que casi todas las células bacterianas tienen una de tres formas básicas: esférica, bastón o espiral. La Figura 7 muestra estas diferentes formas. Es la composición química de la pared celular la que determina la forma de la célula bacteriana. La forma de la célula ayuda a los científicos a identificar el tipo de bacteria. Por ejemplo, las bacterias que causan la infección de garganta son esféricas.

Tamaños de la célula El tamaño de las bacterias varía mucho. La bacteria más grande que se conoce es tan grande como el punto al final de esta oración. Sin embargo, una bacteria promedio es mucho más pequeña. Por ejemplo, la bacteria que ocasiona la infección de garganta tiene entre 0.5 y 1 micrómetro de diámetro. Un micrómetro es una millonésima de metro.

Obtención de alimento y energía

Desde las bacterias que viven en el suelo hasta las que viven en los poros de tu piel, todas necesitan ciertas cosas para sobrevivir. **Las bacterias deben tener una fuente de alimento y una forma de descomponerlo para liberar su energía.**

Obtención de alimento Algunas bacterias son autótrofas y elaboran su propio alimento. Las bacterias autótrofas elaboran alimento de una de dos formas. Algunas captan y usan la energía del sol como las plantas. Otras, como las bacterias que viven en el barro, no usan esa energía, sino la energía de sustancias químicas que hay en el ambiente para elaborar su alimento.

Algunas bacterias son heterótrofas y no elaboran su propio alimento, sino que deben consumir a otros organismos o el alimento que otros organismos elaboran. Las bacterias heterótrofas pueden consumir diversos alimentos, desde leche hasta carne (que tú también podrías ingerir) hasta las hojas en descomposición que hay en el suelo de un bosque.

Respiración Como todos los organismos, las bacterias necesitan una provisión constante de energía para realizar sus funciones. Esta energía proviene del alimento. El proceso de descomposición del alimento para liberar su energía se denomina **respiración.** Como muchos otros organismos, casi todas las bacterias necesitan oxígeno para descomponer su alimento. Pero otras no necesitan oxígeno para su respiración y mueren si está presente en su entorno. Para ellas, el oxígeno es un veneno que las mata.

Verifica tu lectura ¿Cuáles son las dos formas en que las bacterias autótrofas elaboran alimento?

FIGURA 8
Obtención de alimento

Las bacterias obtienen alimento de varias formas. **Comparar y contrastar** *¿Cuál es la diferencia entre autótrofos y heterótrofos en la forma de obtener alimento?*

◄ Estas bacterias autótrofas, que viven en las aguas termales, usan la energía química de su ambiente para elaborar alimento.

Estas bacterias heterótrofas, que se hallan en el ► yogur, descomponen los azúcares de la leche para obtener alimento.

Las bacterias autótrofas que ► generan la capa de verdín turbio de esta laguna usan la energía del sol para elaborar alimento.

FIGURA 9
Reproducción asexual
Las bacterias como la *Escherichia coli* se reproducen por fisión binaria. Cada célula nueva es idéntica a la célula madre.

Reproducción

En las condiciones adecuadas, la cantidad de bacterias puede aumentar muy rápido. **Cuando las bacterias tienen abundante alimento, la temperatura correcta y otras condiciones adecuadas, prosperan y se reproducen con frecuencia.** En estas condiciones ideales, algunas bacterias se reproducen incluso cada 20 minutos. Es bueno que las condiciones de crecimiento de las bacterias pocas veces sean ideales. De lo contrario, pronto no habría espacio en la Tierra para otros organismos.

Reproducción asexual Las bacterias se reproducen por medio de un proceso llamado **fisión binaria,** en el cual la célula se divide y forma dos células idénticas. La fisión binaria es una forma de reproducción asexual. La **reproducción asexual** es un proceso reproductivo en el que sólo participa la madre y produce descendientes que son idénticos a ésta. Durante la fisión binaria, la célula duplica primero su material genético y luego se divide en dos células separadas. Cada célula nueva obtiene su propia copia completa del material genético de la célula madre así como algunos de los ribosomas y citoplasma de ella.

Reproducción sexual Algunas bacterias a veces se someten a una forma simple de reproducción sexual. La **reproducción sexual** supone la combinación del material genético de los dos padres para producir un nuevo organismo, que difiere de aquéllos. Durante el proceso llamado **conjugación,** una bacteria transfiere parte de su material genético a otra bacteria a través de un delgado puente en forma de hebra que une ambas células. Después de la transferencia, las células se separan. La conjugación, que se aprecia en la Figura 10, genera bacterias con nuevas combinaciones de material genético. Cuando estas bacterias se dividen por fisión binaria, el nuevo material genético pasa a las nuevas células. La conjugación no aumenta la cantidad de bacterias. Sin embargo, genera nuevas bacterias que son genéticamente distintas de las células madre y padre.

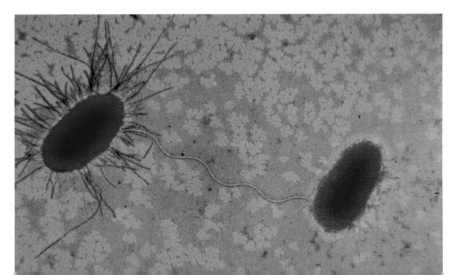

FIGURA 10
Reproducción sexual
Durante la conjugación, una bacteria transfiere parte de su material genético a otra bacteria.
Observar *¿Qué estructura permite que las células transfieran material genético?*

Explosión poblacional

Supón que una bacteria se reproduce por fisión binaria cada 20 minutos. Las nuevas células sobreviven y se reproducen al mismo ritmo. Esta gráfica muestra cómo crecería la población de bacterias a partir de una sola bacteria.

1. **Leer gráficas** ¿Qué variable se traza sobre el eje horizontal? ¿Cuál sobre el eje vertical?

2. **Interpretar datos** Según la gráfica, ¿cuántas células habrá después de 20 minutos? ¿1 hora? y ¿2 horas?

3. **Sacar conclusiones** Describe el patrón que observas según el cual la población de bacterias se incrementa cada 2 horas.

4. **Predecir** ¿Consideras que la población de bacterias seguiría creciendo al mismo ritmo? ¿Por qué sí o por qué no?

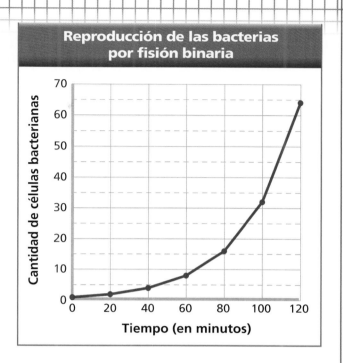

Reproducción de las bacterias por fisión binaria

(eje vertical: Cantidad de células bacterianas; eje horizontal: Tiempo (en minutos))

Formación de endosporas A veces, las condiciones en el ambiente son desfavorables para el crecimiento de las bacterias. Por ejemplo, las fuentes de alimento pueden desaparecer, el agua secarse o la temperatura descender o aumentar en forma drástica. Algunas bacterias sobreviven a las condiciones difíciles formando endosporas como las de la Figura 11. Una **endospora** es una pequeña célula en reposo, redondeada y de paredes delgadas que se forma dentro de la célula bacteriana. Contiene el material genético de la célula y parte de su citoplasma.

Dado que las endosporas resisten el frío, el calor y la resequedad, sobreviven durante muchos años. Por ejemplo, las bacterias que ocasionan el botulismo, *Clostridium botulinium*, producen endosporas resistentes al calor que sobreviven en alimentos que no están debidamente enlatados. Las endosporas también son ligeras; la brisa puede levantarlas y llevarlas a nuevos lugares. Si una endospora cae en un lugar en donde las condiciones son adecuadas, se abre. Luego la bacteria empieza a crecer y multiplicarse.

 **Verifica tu lectura** **¿En qué condiciones se forman las endosporas?**

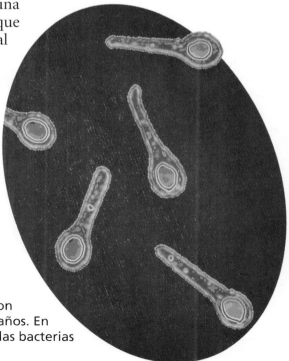

FIGURA 11
Formación de endosporas
Los círculos rojos de estas bacterias son endosporas que sobreviven durante años. En condiciones ambientales favorables, las bacterias crecen y se multiplican.

Las bacterias en la naturaleza

Al oír la palabra *bacteria*, quizá pienses en enfermedades. Después de todo, las bacterias ocasionan infecciones de garganta, de oído y otras enfermedades. Sin embargo, casi todas las bacterias son inofensivas o útiles. De hecho, dependemos de ellas. **Las bacterias inciden en la producción de oxígeno y alimento, en el reciclaje, la limpieza del ambiente, en el mantenimiento de la salud y en la producción de medicamentos.**

Producción de oxígeno ¿Sabías que el aire que respiras depende en parte de las bacterias? Cuando las bacterias autótrofas usan la energía del sol para producir alimento, también liberan oxígeno en el aire. Como viste en el Capítulo 1, había poco oxígeno en la atmósfera de la Tierra hace millones de años. Los científicos consideran que las bacterias autótrofas fueron responsables de la primera incorporación de oxígeno a la atmósfera. Ahora, los distintos descendientes de esas bacterias ayudan a mantener estables los niveles de oxígeno en el aire.

Ciencias e **historia**

Bacterias y alimentos del mundo

Las culturas antiguas carecían de refrigeración y otros métodos modernos para impedir la descomposición de los alimentos. En estas culturas se crearon formas de usar las bacterias para conservar los alimentos. Ahora puedes disfrutar de estos alimentos.

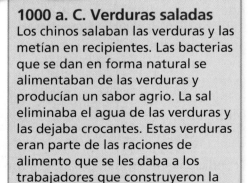

2300 a. C. Queso
Los egipcios elaboraban queso de la leche, a partir de las bacterias que se alimentan de los azúcares de la leche. La leche se separa en cuajos sólidos y suero líquido. Los cuajos se procesan hasta formar queso, que se preserva por más tiempo que la leche.

1000 a. C. Verduras saladas
Los chinos salaban las verduras y las metían en recipientes. Las bacterias que se dan en forma natural se alimentaban de las verduras y producían un sabor agrio. La sal eliminaba el agua de las verduras y las dejaba crocantes. Estas verduras eran parte de las raciones de alimento que se les daba a los trabajadores que construyeron la Gran Muralla China.

500 a. C. Cecina
Los habitantes de la región del mar Mediterráneo cortaban en tiras carne, la sazonaban con sal y especias, la enrollaban y colgaban a secar. Las bacterias en la carne en proceso de secado daban sabores únicos al alimento. La carne enrollada se conservaba durante varias semanas en lugares fríos.

| 2500 a. C. | 1500 a. C. | 500 a. C. |

Producción de alimentos ¿Te gusta el queso, el chucrut o los pepinillos en vinagre? Las actividades de las bacterias útiles producen todos estos alimentos y más. Por ejemplo, las bacterias que crecen en la sidra de manzana transforman la sidra en vinagre. Las bacterias que crecen en la leche generan productos lácteos como mantequilla, yogur, crema agria y quesos.

Sin embargo, algunas bacterias hacen que el alimento se pudra al descomponer las sustancias químicas que lo componen. El alimento descompuesto suele oler y saber mal y puede enfermarte. Refrigerar y calentar los alimentos son dos formas de reducir la descomposición del alimento. Otro método, llamado pasteurización, suele utilizarse para tratar bebidas como la leche o los jugos. Durante la **pasteurización,** el alimento se calienta a una temperatura que es lo suficientemente alta que mata casi todas las bacterias perjudiciales sin modificar el sabor del alimento. Como seguramente ya habrás adivinado, este proceso se llama así en honor de su inventor, Louis Pasteur.

Escribir en ciencias

Analizar y escribir Averigua más sobre algunos de estos antiguos métodos de producción de alimentos y la cultura que lo desarrolló. Escribe un informe sobre la importancia del alimento para la cultura.

500 d. C. Salsa de soja
Los chinos machacaban la soja en mezclas de trigo, sal, bacterias y otros microorganismos. Los microorganismos se alimentaban de las proteínas del trigo y la soja. La sal eliminaba el agua de la mezcla. La pasta de soja rica en proteínas que quedaba se usaba para condimentar los alimentos. La salsa de soja que seguramente usas ahora se elabora en forma similar.

1500 d. C. Bebida de chocolate
Los pobladores de las Indias Occidentales mezclaban semillas de la planta de cacao con bacterias y otros microorganismos, luego las secaban y tostaban. Con las semillas tostadas se preparaban una bebida con sabor a chocolate. La bebida se servía fría con miel, especias y vainilla.

1850 d. C. Pan de masa fermentada
Los buscadores de oro en California comían pan de masa fermentada. La bacteria *Lactobacillus sanfrancisco* le daba al pan su sabor amargo. Diariamente antes de hornear, los cocineros separaban parte de la masa, la cual contenía la bacteria, que se usaría para el próximo día.

500 d. C.	1500 d. C.	2500 d. C.

FIGURA 12
Reciclaje ambiental Las bacterias descomponedoras reciclan las sustancias químicas en estas hojas. **Predecir** *¿Cómo serían los bosques si no hubiera bacterias descomponedoras en el suelo?*

Reciclaje ambiental Si reciclas vidrio o plástico, entonces tienes algo en común con algunas bacterias heterótrofas. Estas bacterias que viven en el suelo, son **descomponedores**, organismos que convierten grandes sustancias químicas de organismos muertos en sustancias químicas pequeñas

Los descomponedores son recicladores de la "naturaleza". Regresan sustancias químicas básicas al ambiente para que las reutilicen otros seres vivos. Por ejemplo, las hojas de muchos árboles mueren en otoño y caen al suelo. Las bacterias descomponedoras dedican los meses siguientes a desintegrar las sustancias químicas de las hojas muertas. Las sustancias desintegradas se mezclan con el suelo y luego las absorben las raíces de las plantas cercanas.

Otro tipo de bacterias recicladoras, llamada bacterias nitrificantes, ayudan a las plantas a sobrevivir. Viven en el suelo y en protuberancias en las raíces de ciertas plantas, como el cacahuete, el chícharo y la soja. Convierten el gas nitrógeno del aire en productos de nitrógeno que necesitan las plantas para crecer. Por sí solas, las plantas no pueden usar el nitrógeno del aire, así que las bacterias nitrificantes son vitales para la supervivencia de las plantas.

Limpieza ambiental Algunas bacterias ayudan a limpiar la tierra y el agua del planeta. ¿Te imaginas tener petróleo para cenar en lugar de sopa? Pues bien, algunas bacterias prefieren el petróleo. Convierten las sustancias químicas venenosas que hay en el petróleo en sustancias benignas. Los científicos usan estas bacterias para limpiar los derrames de petróleo en los mares y las filtraciones de gasolina en el suelo bajo las gasolineras.

 **Verifica tu lectura**   **¿Qué función desempeñan las bacterias descomponedoras en el ambiente?**

FIGURA 13
Limpieza ambiental Los científicos usan bacterias como estas *Ochrobactrum anthropi* para ayudar a limpiar los derrames de petróleo.

Salud y medicina ¿Sabías que muchas de las bacterias que viven en tu cuerpo en realidad te mantienen saludable? En tu aparato digestivo, por ejemplo, tus intestinos rebosan de bacterias. Algunas te ayudan a digerir el alimento. Otras elaboran vitaminas que necesita tu cuerpo. Otras más compiten por espacio con los organismos que ocasionan enfermedades, impidiendo que las bacterias dañinas se peguen a tus intestinos y te enfermen.

Los científicos han puesto a trabajar a algunas bacterias en la elaboración de medicamentos y otras sustancias. Las primeras bacterias productoras de medicamentos se crearon en la década de 1970. Al manipular el material genético de las bacterias, los científicos diseñaron bacterias que produjeran insulina humana. Aunque quienes están saludables elaboran su propia insulina, quienes padecen ciertos tipos de diabetes no pueden hacerlo y necesitan consumir diariamente insulina. Gracias al rápido ritmo de reproducción de las bacterias, grandes cantidades de bacterias elaboradoras de insulina crecen en enormes tanques. La insulina humana que producen después se purifica y se convierte en medicamentos.

FIGURA 14
Bacterias y digestión
Las bacterias que viven en forma natural en tus intestinos te ayudan a digerir el alimento.

Sección 2 Evaluación

Destreza clave de lectura Desarrollar el vocabulario Usa tus definiciones para responder a las siguientes preguntas.

Repasar los conceptos clave

1. a. Repasar ¿En qué parte de la célula bacteriana se encuentra el material genético?
   b. Resumir ¿Cuál es la función de estas estructuras en una célula bacteriana: pared celular, membrana celular, ribosomas, flagelo?
2. a. Hacer una lista ¿De qué tres maneras obtienen alimento las bacterias?
   b. Describir ¿Cómo obtienen energía las bacterias para realizar sus funciones?
   c. Inferir Acabas de descubrir unas bacterias que viven dentro de las latas de alimento. ¿Cómo crees que obtienen alimento y energía?
3. a. Definir ¿Qué es la fisión binaria?
   b. Explicar ¿En qué condiciones prosperan y se reproducen con frecuencia las bacterias por medio de la fisión binaria?

c. Inferir ¿Por qué las bacterias que pasan por la conjugación están en mejores posibilidades de sobrevivir cuando las condiciones son menos que ideales?
4. a. Hacer una lista Un amigo afirma que todas las bacterias son dañinas. Enumera tres razones por las que esta afirmación es imprecisa.
   b. Aplicar conceptos ¿En qué formas podrían contribuir las bacterias al éxito de un jardín en el que crecen chícharos?

Lab zone Actividad En casa

Bacterias comestibles Con un familiar, busca en la cocina alimentos que se elaboren con bacterias. Lee las etiquetas de los alimentos para ver si se mencionan las bacterias en su producción. Expón a tu familiar las útiles funciones de las bacterias en la vida de las personas.

Comparar desinfectantes

Problema

¿Qué tan bien controlan los desinfectantes el crecimiento de las bacterias?

Destrezas aplicadas

observar, controlar variables

Materiales

- reloj
- lápiz de cera
- 2 goteros de plástico
- cinta adhesiva transparente
- 2 desinfectantes caseros
- 3 cajas de Petri con agar nutriente estéril

Procedimiento

1. Copia la tabla de datos en tu cuaderno.

2. Trabaja con un compañero. Consigue 3 cajas de Petri que contengan agar nutriente estéril. Sin abrirlas, usa un lápiz de cera para clasificar el fondo como A, B y C. Escribe tus iniciales en cada caja.

3. Lávate las manos a conciencia con jabón y luego pasa la yema de un dedo por la superficie de tu mesa de trabajo. Tu compañero debe mantener abierta la tapa de la caja de Petri A, mientras pasas la yema de ese dedo suavemente por el agar en un movimiento de zigzag. Cierra de inmediato la caja de Petri.

4. Repite el paso 3 con las cajas de Petri B y C.

5. Usa un gotero de plástico para transferir 2 gotas de un desinfectante al centro de la caja de Petri A. Abre la tapa de esta caja lo suficiente para agregarle el desinfectante. Cierra de inmediato la tapa. Registra el nombre del desinfectante en tu tabla de datos. **PRECAUCIÓN**: *No inhales los vapores del desinfectante.*

6. Repite el paso 5 con la caja de Petri B, pero agrega 2 gotas del otro desinfectante. **PRECAUCIÓN**: *No mezcles desinfectantes.*

7. No agregues desinfectante a la caja de Petri C.

8. Sella con cinta adhesiva las tapas de las 3 cajas de Petri de modo que permanezcan bien cerradas. Deja que las 3 cajas se asienten en tu superficie de trabajo por lo menos durante 5 minutos. **PRECAUCIÓN**: *No abras de nuevo las cajas de Petri. Lávate las manos con agua y jabón.*

9. Como indique tu maestro, guarda las cajas de Petri en un lugar cálido y oscuro en donde puedan permanecer por lo menos durante 3 días. Sácalas diariamente sólo para hacer un breve examen.

10. Al cabo de un día, observa el contenido de cada caja de Petri sin quitarle la tapa. Estima el porcentaje de la superficie del agar que muestre algún cambio. Registra tus observaciones. Regresa las cajas de Petri a su lugar de almacenamiento cuando hayas terminado de hacer tus observaciones. Lávate las manos con jabón.

Tabla de datos				
Caja de Petri	Desinfectante	Día 1	Día 2	Día 3
A				
B				
C				

11. Repite el paso 10 al cabo del segundo día y de nuevo después del tercer día.

12. Después de que tu compañero y tú hayan hecho sus últimas observaciones, regrésenle las cajas de Petri sin abrir a su maestro.

Analiza y concluye

1. **Observar** ¿En qué cambió la apariencia de la caja C durante el ejercicio de laboratorio?

2. **Comparar y contrastar** ¿En qué se parece o difiere la apariencia de las cajas A y B respecto de la caja C?

3. **Sacar conclusiones** ¿En qué se parece o difiere la apariencia de las cajas A y B? ¿Qué conclusión sacas sobre los dos desinfectantes de tus observaciones?

4. **Controlar variables** ¿Por qué fue importante apartar una caja de Petri que no contenía ningún desinfectante?

5. **Comunicar** Basándote en los resultados de este laboratorio, ¿qué recomendación harías a tu familia sobre el uso de desinfectantes? Explica en qué parte de la casa se necesitarían más estos productos y por qué.

Diseña un experimento

Ve a la tienda y observa los jabones "antibacterianos". ¿En qué difieren sus ingredientes de otros jabones? Diseña un experimento para probar qué tan bien controlan estos productos el crecimiento de las bacterias. *Pide permiso a tu maestro antes de realizar tu investigación.*

Virus, bacterias y tu salud

Avance de la lectura

Conceptos clave
- ¿Cómo se propagan las enfermedades infecciosas?
- ¿Qué tratamientos son eficaces para las enfermedades bacterianas y virales?
- ¿Cómo te proteges contra las enfermedades infecciosas?

Términos clave
- enfermedad infecciosa
- toxina
- antibiótico
- resistencia a antibióticos
- vacuna

Destreza clave de lectura
Usar el conocimiento previo
Mira los encabezados y ayudas visuales para que veas de qué trata esta sección. Luego, escribe lo que sabes de las enfermedades ocasionadas por los virus y las bacterias en un organizador gráfico como el que sigue. Mientras lees, escribe lo que aprendas.

Lo que sabes
1. Puedes contraer un resfriado de alguien que lo padezca.
2.

Lo que aprendiste
1.
2.

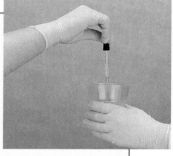

Lab zone · Actividad Descubre

¿Cómo te "infectas"?

1. Ponte gafas protectoras y guantes de plástico. Tu maestro te dará un gotero y un vaso de plástico lleno hasta la mitad con un líquido. No huelas, pruebes o toques el líquido.

2. Tu maestro te indicará el inicio del período de "conversación". Elige a un compañero de clase con quien conversar brevemente. Mientras hablan, intercambia un gotero lleno del líquido con tu compañero.

3. Cuando tu maestro dé la señal, conversa con otro compañero. Intercambia un gotero lleno del líquido.

4. Repite el paso 3 dos veces más.

5. Tu maestro agregará unas cuantas gotas de un líquido al vaso de cada estudiante. Si tu líquido se pone rosado, indica que has "contraído una enfermedad" de uno de tus compañeros. Lávate las manos al terminar la actividad.

Reflexiona
Predecir ¿Cuántas rondas más se llevaría para que todos en tu clase se "infectaran"? ¿Por qué consideras que algunas enfermedades se propagan rápidamente en la población?

Un día te sientes bien. Al siguiente, sientes dolor, estornudas y casi no puedes levantarte de la cama. Has agarrado un resfriado... o lo que es más preciso: ¡un resfriado te agarró a tí!

Propagación de enfermedades infecciosas

¿Alguna vez te has preguntado cómo "contrajiste" un resfriado, una infección de garganta o la varicela? Éstas y otras enfermedades son **enfermedades infecciosas**, pasan de un organismo a otro. **Las enfermedades infecciosas se propagan al tener contacto con una persona o un animal infectados, un objeto contaminado o una fuente ambiental.** Una vez que ocurre el contacto, los agentes causantes de las enfermedades, como los virus y las bacterias, pueden entrar en la persona por heridas en la piel o pueden inhalarse o tragarse. Otros quizás entren por las superficies húmedas de ojos, oídos, nariz, boca y otras cavidades corporales.

Contacto con una persona infectada El contacto directo como tocar, abrazar o besar a una persona infectada propaga ciertas enfermedades infecciosas. Por ejemplo, besar a una persona infectada puede transmitir úlceras de herpes simple. El contacto también puede ocurrir en forma indirecta. Una forma común de contacto indirecto es inhalar las diminutas gotas de humedad que una persona infectada estornuda o tose en el aire. Estas gotas de humedad pueden contener organismos causantes de enfermedades, como la gripe o los virus del resfriado.

Contacto con un objeto contaminado Ciertos virus y bacterias sobreviven durante un tiempo fuera del cuerpo de la persona. Pueden propagarse por medio de objetos como los utensilios para comer. Por ejemplo, beber de una taza que usó una persona infectada puede propagar enfermedades como la infección de garganta y la mononucleosis. Si tocas un objeto sobre el que una persona infectada ha estornudado o tosido, puedes transferir algunos virus o bacterias a tu cuerpo si luego te tocas la boca o los ojos. También puedes enfermarte si bebes agua o comes alimentos que haya contaminado una persona infectada.

Contacto con un animal infectado Las mordidas de animales transmiten algunas infecciones graves a los seres humanos. Por ejemplo, la enfermedad mortal de la rabia puede transmitirse por la mordida de un perro, un mapache o algunos otros animales infectados. La mordida de la garrapata puede transmitir las bacterias que ocasionan la enfermedad de Lyme. Los piquetes de mosquito pueden contagiar el virus que ocasiona la encefalitis, una enfermedad grave en la que se hincha el tejido cerebral.

Contacto con fuentes ambientales Ciertos virus y bacterias viven en forma natural en el alimento, el suelo y el agua. Estos lugares pueden ser fuentes ambientales de enfermedades. Por ejemplo, las aves, los huevos y la carne a menudo contienen bacterias de salmonela. Cocinar los alimentos que contienen estas bacterias pueden generar un tipo de intoxicación alimenticia. Cocinar debidamente los alimentos mata las bacterias. *Clostridium tetani,* una bacteria que habita en el suelo, puede entrar al cuerpo de la persona por una herida. Produce una **toxina,** o veneno, que ocasiona la enfermedad mortal del tétano.

 **Verifica tu lectura** ¿Cuál es una forma de prevenir la propagación de enfermedades infecciosas?

FIGURA 15
Cómo se propagan las enfermedades infecciosas Se propagan al entrar en contacto con fuentes infectadas o contaminadas.

▲ Los estornudos liberan en el aire agentes causantes de enfermedades.

Compartir objetos ▶ contaminados puede transferir a los organismos.

El piquete de un ▶ mosquito *Culex nigripalpus* puede transmitir el virus que ocasiona la encefalitis.

▲ Los huevos crudos pueden tener bacterias de salmonela que intoxican.

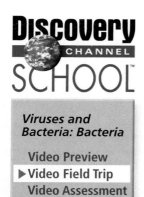

Tratamiento de las enfermedades infecciosas

Hay miles de enfermedades infecciosas, muchas de las cuales las ocasionan bacterias y virus. Otras se deben a protistas y hongos, de los que aprenderás en el Capítulo 3.

Es posible que en algún momento entres en contacto con una enfermedad infecciosa. Cuando empiezas a manifestar sus síntomas tu atención quizá se concentre en ayudarte a sentir mejor.

Enfermedades bacterianas Por fortuna, muchas enfermedades bacterianas se curan con medicamentos conocidos como antibióticos. Un **antibiótico** es una sustancia química que mata las bacterias sin dañar las células de la persona. Los antibióticos los elaboran en forma natural algunas bacterias y hongos. Hoy en día, antibióticos como la penicilina se fabrican en grandes cantidades en los laboratorios farmacéuticos. La penicilina debilita las paredes celulares de algunas bacterias y hace que las células revienten.

FIGURA 16
Enfermedades bacterianas comunes

Muchas enfermedades infecciosas comunes las ocasionan las bacterias. Entender cómo se propagan esas enfermedades es útil para saber cómo prevenirlas. Clasificar *¿Cuáles de estas enfermedades bacterianas se propagan por medio del contacto con una persona infectada?*

▼ Bacterias de la tuberculosis

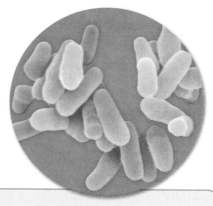

ENFERMEDAD DE LYME

Síntomas: Erupción en el sitio del piquete; escalofríos; fiebre; dolores corporales; hinchazón de las articulaciones

Cómo se propaga: Piquete de garrapata de venado infectado

Tratamiento: Antibiótico

Prevención: Meter los pantalones en las medias; usar camisa de manga larga.

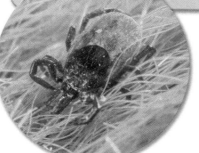

▲ Garrapata causante de la enfermedad de Lyme

TUBERCULOSIS

Síntomas: Fatiga; fiebre leve; pérdida de peso; sudores nocturnos; tos

Cómo se propaga: Al inhalar gotitas

Tratamiento: Antibiótico

Prevención: Evitar el contacto con personas que tengan una infección activa; vacuna (para quienes se encuentran en alto riesgo)

Si alguna vez has tenido una infección de garganta, sabes que ésta hace que al tragar sientas como si tu garganta estuviera llena de alambre de púas. Pero poco después de que empiezas a tomar el antibiótico que te receta el médico, sientes mejor la garganta. El antibiótico mata rápidamente las bacterias que ocasionan la infección.

Por desgracia, los antibióticos son menos eficaces ahora de lo que fueron. Con los años, muchas bacterias se han vuelto resistentes a los antibióticos. La **resistencia a antibióticos** se da cuando algunas bacterias logran sobrevivir en presencia del antibiótico.

El aumento reciente en los casos de tuberculosis demuestra el efecto de la resistencia a los antibióticos. Cuando los pacientes empezaron a tomar antibióticos para tratar la tuberculosis en la década de 1940, la cantidad de casos de tuberculosis disminuyó de manera significativa. Por desgracia, siempre hubo algunas bacterias de tuberculosis que resistieron a los antibióticos. Cuando las bacterias resistentes sobreviven y se reproducen, aumenta su número. La cantidad de casos de tuberculosis se ha incrementado en los últimos 20 años. Ahora, la resistencia a los antibióticos es un problema grave y es muy difícil tratar algunas enfermedades bacterianas.

Go Online
SciLINKS NSTA

Para: Vínculos sobre enfermedades infecciosas, disponible en inglés.
Visita: www.SciLinks.org
Código Web: scn-0123

▼ **Bacterias de la infección de garganta**

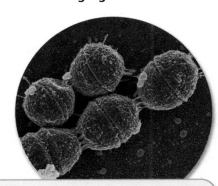

TÉTANO (pasmo)

Síntomas: Rigidez en músculos de mandíbula y cuello; espasmos; dificultad para tragar

Cómo se propaga: Herida por cortada profunda

Tratamiento: Antibiótico; abrir y limpiar la herida

Prevención: Vacuna

INFECCIÓN DE GARGANTA

Síntomas: Fiebre; garganta rasposa; inflamación de las glándulas

Cómo se propaga: Al inhalar gotitas; contacto con objeto contaminado

Tratamiento: Antibiótico

Prevención: Evitar el contacto con personas infectadas; no compartir utensilios, tazas u otros objetos.

INTOXICACIÓN ALIMENTICIA

Síntomas: Vómito; calambres; diarrea; fiebre

Cómo se propaga: Al ingerir alimentos que contienen bacterias

Tratamiento: Medicamentos que combatan las toxinas

Prevención: Cocinar y almacenar adecuadamente los alimentos; evitar los alimentos en latas oxidadas o infladas.

Enfermedades virales A diferencia de las enfermedades bacterianas, actualmente no hay medicamentos que curen las infecciones virales. Sin embargo, muchos medicamentos que se venden sin prescripción médica ayudan a paliar los síntomas de una infección viral. Estos fármacos se pueden obtener sin necesidad de receta médica. Aunque los medicamentos sin prescripción médica hacen que te sientas mejor, también pueden demorar tu recuperación si reanudas tus rutinas normales estando aún enfermo. También pueden ocultar los síntomas que normalmente te harían ir al médico.

El mejor tratamiento contra las infecciones virales suele ser el reposo. Descansar, beber muchos líquidos y comer alimentos balanceados tal vez sean todo lo que puedes hacer para recuperarte de una enfermedad viral.

 Verifica tu lectura ¿Qué son los medicamentos sin prescripción médica?

FIGURA 17
Enfermedades virales comunes

Aunque actualmente no hay cura contra las enfermedades virales, hay formas de tratar los síntomas y prevenir su transmisión.

INFLUENZA (gripe)

Síntomas:	Fiebre elevada; garganta rasposa; dolor de cabeza; tos
Cómo se propaga:	Contacto con objetos contaminados; inhalar gotitas
Tratamiento:	Reposo; líquidos
Prevención:	Vacuna (sobre todo para ancianos, jóvenes y enfermos de alto riesgo)

HEPATITIS C

Síntomas:	A veces sin síntomas; ictericia (color amarillo de ojos y piel); fatiga
Cómo se propaga:	Contacto con la sangre de una persona infectada
Tratamiento:	Fármacos que reducen la multiplicación viral
Prevención:	Evitar el contacto con sangre infectada.

VARICELA

Síntomas:	Fiebre; erupción rojiza e irritante
Cómo se propaga:	Contacto con la erupción; inhalar gotitas
Tratamiento:	Fármaco antiviral (para adultos)
Prevención:	Vacuna

SÍNDROME DE INMUNODEFICIENCIA ADQUIRIDA (SIDA)

Síntomas:	Pérdida de peso; fatiga crónica; fiebre; diarrea; infecciones frecuentes
Cómo se propaga:	Contacto sexual; contacto con sangre; embarazo, parto, amamantamiento
Tratamiento:	Fármacos que disminuyen la multiplicación viral
Prevención:	Evitar el contacto con flujos corporales infectados.

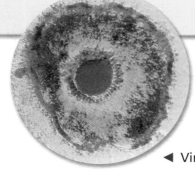

◀ Virus de la varicela

Prevención de las enfermedades infecciosas

Por supuesto, es probable que de entrada no te enfermes. **Las vacunas son instrumentos importantes que ayudan a prevenir la propagación de las enfermedades infecciosas.** Una **vacuna** es una sustancia que se introduce en el cuerpo para estimular la producción de sustancias químicas que destruyen determinados virus o bacterias. Puede elaborarse a partir de virus o bacterias muertos o alterados por lo que no ocasionan enfermedades, sino que activan las defensas naturales del cuerpo. En efecto, la vacuna pone "en alerta" al cuerpo. Si ese virus o bacteria invade el cuerpo, es destruido antes de que pueda ocasionar la enfermedad. Seguramente ya te han vacunado contra enfermedades como la polio, el sarampión, el tétano y la varicela.

Otra forma importante de protegerte contra las enfermedades infecciosas es mantener tu cuerpo saludable. Para ello, necesitas ingerir alimentos nutritivos, dormir lo necesario, consumir líquidos y hacer ejercicio. También puedes protegerte lavándote las manos a menudo y evitando compartir los utensilios para comer y beber. Almacenar adecuadamente los alimentos, mantener limpios el equipo y las superficies de la cocina y cocinar bien los alimentos impide la intoxicación alimenticia.

Por desgracia, pese a tus mejores esfuerzos, quizá contraigas enfermedades infecciosas, como el resfriado. Cuando ocurra, descansa mucho y sigue las indicaciones de tu médico. Además, es muy importante que no infectes a los demás.

FIGURA 18
Prevención de las enfermedades infecciosas Lavarse las manos es una forma simple pero efectiva de prevenir la propagación de muchas enfermedades infecciosas. **Aplicar conceptos** *¿De qué otra forma puedes prevenir la propagación de las enfermedades infecciosas?*

 Verifica tu lectura **¿Por qué las vacunas no ocasionan enfermedades?**

Sección 3 Evaluación

Destreza clave de lectura **Usar el conocimiento previo** Repasa tu organizador gráfico y revísalo con lo que aprendiste aquí.

Repasar los conceptos clave

1. **a. Definir** ¿Qué es una enfermedad infecciosa?
   b. Describir ¿De qué cuatro formas se propagan las enfermedades infecciosas?
   c. Desarrollar hipótesis Veinte personas se enfermaron después de asistir a un festival de las fresas. Describe un escenario que explique cómo se enfermó esa gente.
2. **a. Repasar** ¿Cuál es el mejor tratamiento para las enfermedades bacterianas y virales?
   b. Relacionar causa y efecto Usa lo que sabes de los antibióticos para explicar por qué son ineficaces contra las enfermedades virales.

3. **a. Repasar** ¿Qué es una vacuna?
   b. Explicar ¿En qué son importantes las vacunas para mantener tu cuerpo saludable?
   c. Predecir Supón que dos personas se contagian de gripe. A una de ellas la han vacunado contra la gripe y a la otra no. ¿Cuál se recuperará con mayor rapidez? ¿Por qué?

Escribir en ciencias

Anuncio de servicio público Escribe un anuncio para un programa de radio en el que se enseñe a los niños de corta edad a mantenerse saludables y evitar enfermedades como la gripe. Incluye una lista de lo que debe hacerse y lo que no y otros consejos útiles.

Resistencia a antibióticos: una tendencia alarmante

La penicilina, el primer antibiótico, empezó a usarse en 1943. Pronto los antibióticos llegaron a conocerse como los "fármacos maravilla". Con los años, redujeron la incidencia de muchas enfermedades bacterianas y salvaron millones de vidas. Pero cada vez que se usa un antibiótico, pueden sobrevivir algunas bacterias resistentes que transmiten su resistencia a la siguiente generación de bacterias. Cuantos más pacientes tomen antibióticos, habrá más cantidad de bacterias resistentes.

En 1987, la penicilina mató más del 99.9 por ciento de un tipo de bacterias que causa la infección de oídos. En el 2000, cerca del 30 por ciento de estas bacterias eran resistentes a ella. Enfermedades como la tuberculosis están aumentando debido en parte a la creciente resistencia a antibióticos.

Los temas

¿Qué pueden hacer los médicos?

Cada año, se venden más de 20 mil millones de dólares de antibióticos a farmacias y hospitales en todo el mundo. Más de la mitad de las recetas de antibióticos son innecesarias. Incluyen los que se recetan para resfriados y otras enfermedades virales, contra las cuales los antibióticos son ineficaces. Si los médicos pudieran identificar mejor la causa de las infecciones, evitarían recetar antibióticos innecesarios.

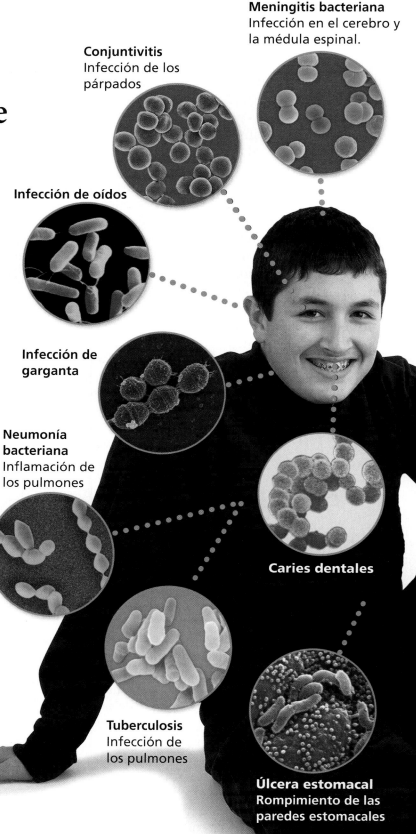

Conjuntivitis
Infección de los párpados

Meningitis bacteriana
Infección en el cerebro y la médula espinal.

Infección de oídos

Infección de garganta

Neumonía bacteriana
Inflamación de los pulmones

Caries dentales

Tuberculosis
Infección de los pulmones

Úlcera estomacal
Rompimiento de las paredes estomacales

¿Qué pueden hacer los pacientes?

Si un médico receta un antibiótico por 10 días, el paciente debe tomarlo todo para matar las bacterias. Si deja de tomar el antibiótico, las bacterias resistentes sobrevivirán y se reproducirán. Luego, tal vez sea necesario un segundo o tercer antibiótico. Los pacientes deben aprender que algunas enfermedades se tratan mejor con reposo y no con antibióticos.

Limitación de los usos no médicos de los antibióticos

Cerca de la mitad de los antibióticos que se usan cada año se les da a los animales (como el ganado y las aves de corral) en su alimento, para prevenir que se enfermen y aumentar su crecimiento. Reducir este uso limitaría los fármacos en los animales que sirven de alimento y en las personas que los consumen. Pero aumentaría el riesgo de enfermedades en los animales y elevarían los precios de la carne.

Nuevos antibióticos

Los científicos tratan de identificar nuevos antibióticos. Confían en que las bacterias no desarrollen la resistencia tan rápido. También investigan otras formas de combatir a las bacterias.

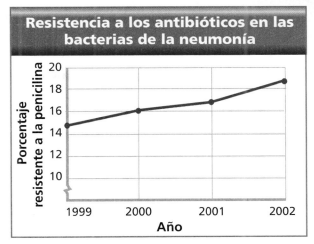

Resistencia a los antibióticos en las bacterias de la neumonía

El porcentaje de bacterias resistentes ha aumentado de manera constante con los años.

Impétigo
Infección de la piel

Tú decides

1. Identifica el problema
¿Cómo hace menos eficaces a estos medicamentos el uso de antibióticos?

2. Analiza las opciones
Haz una lista de las formas para combatir la resistencia a los antibióticos en las bacterias. Indica cualquier costo o inconveniente.

3. Halla una solución
Haz un cartel persuasivo sobre cómo enfrentar la resistencia a los antibióticos. Proporciona razones sólidas.

Go Online
PHSchool.com

Para: Más información sobre la resistencia de las bacterias, disponible en inglés.
Visita: PHSchool.com
Código Web: ceh-1020

1 Virus

Conceptos clave

- Aunque los virus se multiplican, lo hacen en forma diferente a los organismos. Los virus se multiplican sólo cuando están dentro de una célula viva.

- Todo virus tiene dos partes básicas: una cubierta de proteínas que protege al virus y un núcleo interno compuesto de material genético.

- Una vez dentro de la célula, el material genético del virus asume muchas de las funciones de la célula. Instruye a ésta para que produzca las proteínas y el material genético del virus, los cuales después se congregan en nuevos virus.

Términos clave

virus
huésped
parásito
bacteriófago

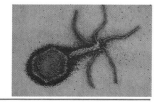

2 Bacterias

Conceptos clave

- Las bacterias son procariotas. El material genético de sus células no está contenido en un núcleo.

- Las bacterias deben tener una fuente de alimento y una forma de descomponerlo para liberar su energía.

- Cuando las bacterias tienen abundante alimento, la temperatura correcta y otras condiciones adecuadas, prosperan y se reproducen con frecuencia.

- Las bacterias inciden en la producción de oxígeno y alimento, en el reciclaje y la limpieza del ambiente, en el mantenimiento de la salud y en la producción de medicamentos.

Términos clave

bacterias	reproducción asexual
citoplasma	reproducción sexual
ribosoma	conjugación
flagelo	endospora
respiración	pasteurización
fisión binaria	descomponedor

3 Virus, bacterias y tu salud

Conceptos clave

- Las enfermedades infecciosas se propagan al tener contacto con una persona o un animal infectados, un objeto contaminado o una fuente ambiental.

- Por fortuna, muchas enfermedades bacterianas se curan con medicamentos conocidos como antibióticos.

- A diferencia de las enfermedades bacterianas, actualmente no hay medicamentos que curen las infecciones virales.

- Las vacunas son instrumentos importantes que ayudan a prevenir la propagación de las enfermedades infecciosas.

Términos clave

enfermedad infecciosa
toxina
antibiótico
resistencia a antibióticos
vacuna

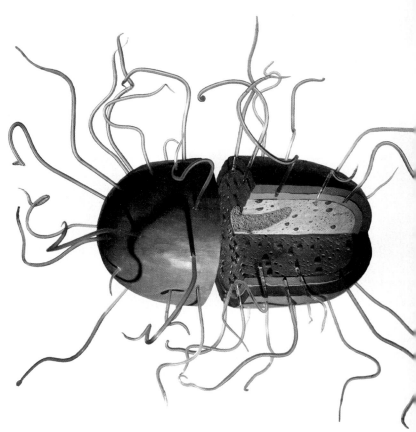

Repaso y evaluación

Go Online
PHSchool.com

Para: Una autoevaluación, disponible en inglés.
Visita: PHSchool.com
Código Web: cea-1020

Organizar la información

Comparar y contrastar En una hoja de papel, copia el diagrama de Venn en el que se comparan virus y bacterias. Luego, complétalo y ponle un título. (Para más información sobre comparar y contrastar, consulta el Manual de destrezas.)

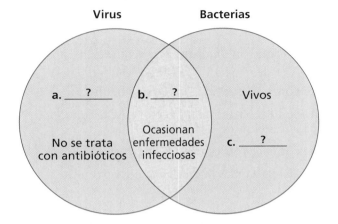

Virus · Bacterias

a. _____?_____ b. _____?_____ Vivos

No se trata con antibióticos · Ocasionan enfermedades infecciosas · c. _____?_____

Repasar los términos clave

Elige la letra de la mejor respuesta.

1. Los bacteriófagos son virus que atacan y destruyen
   a. otros virus.
   b. bacterias.
   c. plantas.
   d. seres humanos.

2. ¿Qué parte de un virus determina qué células huésped puede infectar?
   a. núcleo
   b. ribosomas
   c. flagelo
   d. proteínas en la superficie

3. Los virus se multiplican
   a. por conjugación.
   b. por fisión binaria.
   c. asumiendo las funciones de una célula.
   d. sexual y asexualmente.

4. La mayor parte de las bacterias están rodeadas por una estructura protectora rígida llamada
   a. pared celular.
   b. membrana celular.
   c. cubierta de proteína.
   d. flagelo.

5. ¿Cuál de los siguientes elementos ayuda a prevenir la propagación de las enfermedades infecciosas?
   a. toxinas
   b. vacunas
   c. parásitos
   d. endosporas

Si la oración es verdadera, escribe *verdadera*. **Si es falsa, cambia la palabra o palabras subrayadas para hacer verdadera la oración.**

6. Los <u>virus activos</u> entran en la célula y de inmediato empiezan a multiplicarse.

7. Durante la <u>conjugación</u>, una bacteria transfiere el material genético a otra célula bacteriana.

8. La <u>fusión binaria</u> es el proceso de descomponer el alimento para liberar energía.

9. Las bacterias forman <u>endospermas</u> para sobrevivir a las condiciones desfavorables en su entorno.

10. Una <u>vacuna</u> es una sustancia química que mata las bacterias sin dañar las células de la persona.

Escribir en ciencias

Debate Supón que te preparas para un debate sobre si las bacterias son benéficas o dañinas. Elige uno de estos dos puntos de vista y escribe un párrafo donde defiendas tu postura. Da un ejemplo que apoye tu punto de vista.

Discovery CHANNEL SCHOOL

Viruses and Bacteria: Bacteria
Video Preview
Video Field Trip
▶ Video Assessment

Repaso y evaluación

Verificar los conceptos

11. Enumera tres aspectos en que se diferencien los virus de las células.

12. Explica por qué un determinado virus ataca sólo a uno o unos cuantos tipos de células.

13. Explica cómo se multiplica un virus oculto.

14. ¿Cuáles son las partes de una célula bacteriana? Explica la función de cada parte.

15. Explica cómo se reproducen las bacterias.

16. ¿En qué te ayudan las bacterias que viven en tus intestinos?

17. Explica cómo matan los antibióticos a las bacterias.

18. ¿Cómo previenen las vacunas la propagación de algunas enfermedades infecciosas?

Pensamiento crítico

19. **Clasificar** Clasifica las bacterias de cada foto según su forma.

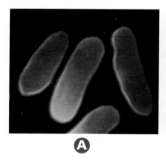
A

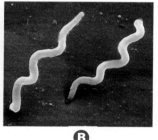
B

20. **Comparar y contrastar** Describe las semejanzas y diferencias entre los virus activos y ocultos.

21. **Resolver un problema** Las bacterias crecen en el laboratorio en una sustancia gelatinosa llamada agar. Los virus no crecen en el agar. Si necesitaras desarrollar virus en el laboratorio, ¿qué clase de sustancia tendrías que usar? Explica tu razonamiento.

22. **Predecir** A un amigo le recetaron un tratamiento de antibióticos durante diez días para una infección bacteriana. Tu amigo se siente mucho mejor después de tres días y decide dejar de tomar el medicamento. ¿Qué piensas que podría pasar y por qué?

Practicar matemáticas

23. **Diámetro** ¿Cuánto mayor es el diámetro de una moneda de un centavo que el diámetro de una de diez centavos?

Aplicar destrezas

Usa la siguiente gráfica para responder a las preguntas 24 a 27.

La gráfica muestra cómo cambia con el tiempo la cantidad de bacterias que crecen en una fuente de alimento.

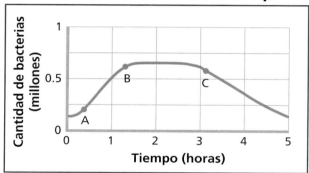

Población bacteriana en el tiempo

24. **Leer gráficas** ¿Qué representan los números sobre el eje vertical?

25. **Interpretar datos** Explica lo que pasa entre los puntos A y B.

26. **Desarrollar hipótesis** Desarrolla una hipótesis que explique por qué la cantidad de bacterias parece permanecer constante entre los puntos B y C.

27. **Diseñar experimentos** ¿Cómo puedes comprobar la hipótesis que desarrollaste en la pregunta 26? ¿Qué mostrarían tus resultados?

Lab zone **Proyecto** del capítulo

Evaluación del desempeño Presenta tu proyecto a la clase. Explica por qué elegiste el grupo de preguntas y la encuesta que realizaste. Usa gráficas u otras ayudas visuales para subrayar cualquier patrón que encuentres. Asegúrate de apoyar tus conclusiones con datos.

Preparación para la prueba estandarizada

Elige la letra de la mejor respuesta.

1. Si sabes que un organismo es procariota, sabes que
   A su célula no contiene núcleo.
   B su célula no contiene ribosomas.
   C el organismo es heterótrofo.
   D el organismo no puede moverse por su cuenta.

2. ¿Cuál de estas oraciones sobre los tamaños de las bacterias y los virus es verdadera?
   F Los virus pueden verse con una lupa pero no las bacterias.
   G Tanto bacterias como virus pueden verse con una lupa.
   H Las bacterias pueden verse con un microscopio ligero, pero no los virus.
   J Ni las bacterias ni los virus pueden verse con un microscopio ligero.

3. ¿Qué es lo más probable que suceda después de que el virus que aparece en el diagrama se una a la célula bacteriana?

   A El virus inyectará sus proteínas en la célula bacteriana.
   B El virus inyectará su material genético en la célula bacteriana.
   C La célula bacteriana inyectará sus proteínas en el virus.
   D La célula bacteriana inyectará su material genético en el virus.

4. ¿Cuál de las siguientes oraciones sobre los virus *no* es verdadera?
   F Los virus se multiplican sólo dentro de una célula viva.
   G Los virus tienen material genético.
   H Las partículas de los virus son más pequeñas que las células bacterianas.
   J Las enfermedades ocasionadas por los virus se curan con antibióticos.

5. Paola desarrolló un nuevo cultivo de bacterias y midió el crecimiento de la población en el tiempo. La cantidad de bacterias aumentó en forma repentina en las primeras horas pero luego disminuyó. ¿Cuál de las siguientes oraciones sobre estas observaciones es verdadera?
   A Las condiciones iniciales para el crecimiento de las bacteria fueron favorables.
   B La cantidad de bacterias aumentó conforme se reprodujeron asexualmente.
   C Después de cierto período, las bacterias empezaron a quedarse con el alimento, el espacio y otros recursos.
   D todas las anteriores

Respuesta estructurada

6. Compara y contrasta los virus y las bacterias con respecto a sus tamaños, estructuras y métodos de reproducción.

Capítulo
3
Protistas y hongos

interactive Textbook

Estos coloridos hongos con forma de estrella de mar huelen a carne podrida. ▶

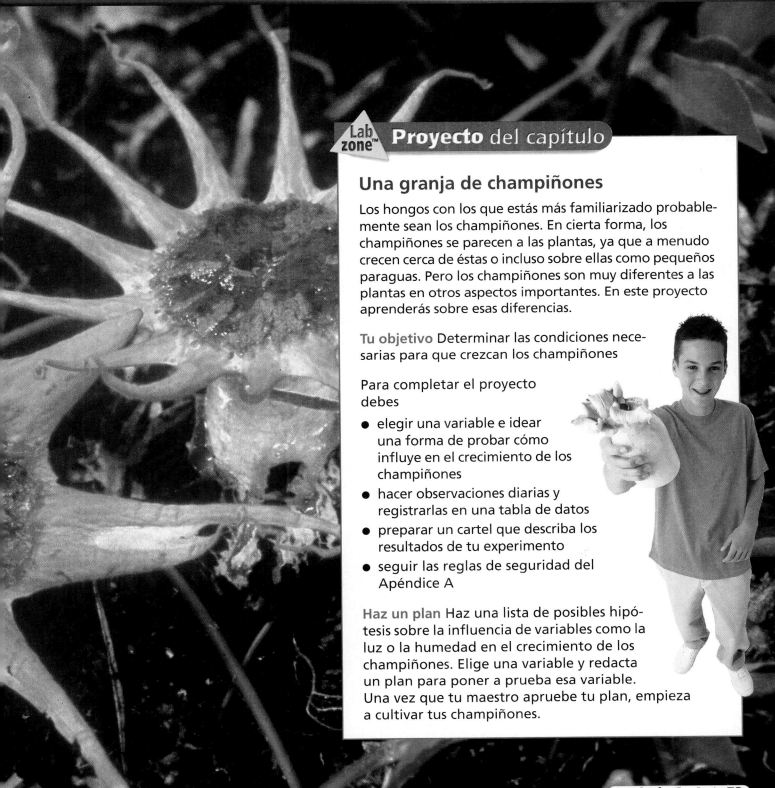

Lab zone™ **Proyecto** del capítulo

Una granja de champiñones

Los hongos con los que estás más familiarizado probablemente sean los champiñones. En cierta forma, los champiñones se parecen a las plantas, ya que a menudo crecen cerca de éstas o incluso sobre ellas como pequeños paraguas. Pero los champiñones son muy diferentes a las plantas en otros aspectos importantes. En este proyecto aprenderás sobre esas diferencias.

Tu objetivo Determinar las condiciones necesarias para que crezcan los champiñones

Para completar el proyecto debes

- elegir una variable e idear una forma de probar cómo influye en el crecimiento de los champiñones
- hacer observaciones diarias y registrarlas en una tabla de datos
- preparar un cartel que describa los resultados de tu experimento
- seguir las reglas de seguridad del Apéndice A

Haz un plan Haz una lista de posibles hipótesis sobre la influencia de variables como la luz o la humedad en el crecimiento de los champiñones. Elige una variable y redacta un plan para poner a prueba esa variable. Una vez que tu maestro apruebe tu plan, empieza a cultivar tus champiñones.

Protistas

Avance de la lectura

Conceptos clave
- ¿Cuáles son las características de los protistas parecidos a animales, a plantas y a hongos?

Términos clave
- protista • protozoario
- seudópodo
- vacuola contráctil • cilios
- simbiosis • mutualismo
- algas • pigmento • espora

 Destreza clave de lectura

Hacer un esquema Mientras, haz un esquema sobre los protistas que puedas usar para repasar. Usa los encabezados de la sección en rojo para los temas principales y los encabezados en azul para los subtemas.

Protistas
I. ¿Qué es un protista?
II. Protistas parecidos a animales
A. Protozoarios con seudópodos
B.
C.

Lab zone Actividad Descubre

¿Qué vive en una gota de agua de estanque?

1. Con un gotero de plástico, pon una gota de agua de estanque en el portaobjetos de un microscopio.
2. Pon el portaobjetos bajo la lente de baja potencia del microscopio. Enfoca el objeto que observas.
3. Encuentra al menos tres objetos diferentes que consideres que pudieran ser organismos. Obsérvalos durante algunos minutos.
4. Dibuja los tres organismos en tu cuaderno. Bajo cada bosquejo, describe los movimientoso comportamientos del organismo. Al terminar, lávate bien las manos.

Reflexiona
Observar ¿Qué características observaste que te hicieron pensar que cada organismo estaba vivo?

Observa los objetos de la Figura 1. ¿A qué se parecen: a joyas, abalorios, ornamentos de vidrios de colores? Te sorprendería saber que estas estructuras bellas y delicadas son las paredes de organismos unicelulares llamados diatomeas. Las diatomeas viven en agua dulce y salada y son una importante fuente de alimento para muchos organismos marinos. Se les llama las "joyas del mar".

FIGURA 1
Diatomeas
Estos organismos parecidos a cristales se clasifican como protistas.

▲ Estas conchas son los restos de protistas unicelulares parecidos a animales llamados foraminíferas.

FIGURA 2
Protistas

Entre los protistas se hallan organismos parecidos a animales, a plantas y a hongos. **Comparar y contrastar** *¿En qué difieren entre sí los protistas?*

▲ Esta alga roja es un protista multicelular parecido a una planta que se encuentra en el suelo oceánico.

¿Qué es un protista?

Las diatomeas son sólo una de las vastas variedades de protistas que existen. Los **protistas** son eucariotas que no se clasifican como animales, plantas u hongos. Como los protistas son tan diferentes entre sí, piensa en ellos como si se tratara del reino de los "cachivaches". Sin embargo, comparten algunas características. Además de ser eucariotas, todos viven en ambientes húmedos.

La palabra que mejor describe a los protistas es *diversidad*. Por ejemplo, casi todos los protistas son unicelulares, pero algunos son multicelulares. Algunos son heterótrofos, otros autótrofos y otros son ambas cosas. Algunos protistas no se mueven, mientras que otros se desplazan en su ambiente húmedo.

Debido a la gran variedad de protistas que hay, los científicos han propuesto varias formas de agruparlos. Una forma útil es dividirlos en tres categorías, según las características que comparten con los organismos de otros reinos: protistas parecidos a animales, parecidos a plantas y parecidos a hongos.

 Verifica tu lectura ¿En qué clase de ambiente viven todos los protistas?

Protistas parecidos a animales

¿Qué te imaginas cuando piensas en un animal? ¿Un tigre que caza a su presa? ¿Una serpiente que se desliza por una piedra? La mayoría de la gente asocia de inmediato a los animales con el movimiento. De hecho, el movimiento se relaciona con una característica importante de los animales: obtener alimento. Todos los animales son heterótrofos que obtienen alimento comiéndose a otros animales.

Como los animales, los protistas parecidos a animales son heterótrofos y la mayoría se mueve de un lugar a otro para obtener alimento. Pero a diferencia de los animales, los protistas parecidos a animales, o **protozoarios,** son unicelulares. Los protozoarios se clasifican en cuatro grupos, según la forma en que se mueven y viven.

▲ El moho de limo amarillo que escurre de la hoja es un protista parecido a un hongo.

Figura 3
Amibas

Las amibas son sarcodinas que viven en el agua o el suelo. Se alimentan de bacterias y protistas más pequeños.

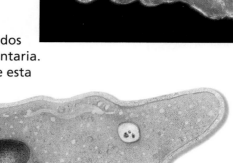

Seudópodo
Una amiba usa los seudópodos para moverse y alimentarse. Los seudópodos se forman cuando el citoplasma fluye hacia un sitio y el resto de la amiba lo sigue.

Vacuola alimentaria
Cuando los extremos de dos seudópodos se funden, forman una vacuola alimentaria. El alimento se descompone dentro de esta vacuola en el citoplasma.

Citoplasma

Núcleo
El núcleo controla las funciones de la célula y participa en la reproducción. Las amibas suelen reproducirse por fisión binaria.

Vacuola contráctil
La vacuola contráctil recoge el exceso de agua del citoplasma y lo expulsa de la célula.

Membrana celular
Dado que la membrana celular es muy delgada y flexible, la forma de una amiba cambia constantemente.

Go Online
active art

Para: Actividad de amibas y paramecios, disponible en inglés.
Visita: PHSchool.com
Código Web: cep-1031

Protozoarios y seudópodos Las amibas de la Figura 3 pertenecen al grupo de los protozoarios llamados sarcodinos. Los sarcodinos se mueven y alimentan formando **seudópodos:** protuberancias temporales en la célula. La palabra *seudópodo* significa "pie falso". Los seudópodos se forman cuando el citoplasma fluye hacia un sitio y el resto del organismo lo sigue. Los seudópodos permiten que los sarcodinos se muevan. Por ejemplo, las amibas se valen de los seudopodos para alejarse de la luz brillante. Los sarcodinos también usan a los seudópodos para captar alimento. El organismo extiende un seudópodo a cada lado de la partícula de alimento. Los dos seudópodos se unen después, atrapando dentro la partícula.

Los protozoarios que viven en agua dulce, como las amibas, tienen un problema. Las partículas pequeñas, como las del agua, atraviesan fácilmente la membrana celular hasta el citoplasma. Si se acumulara agua en exceso dentro de la célula, la amiba reventaría. Por fortuna, las amibas tienen una **vacuola contráctil** que recoge el exceso de agua y luego lo expulsa de la célula.

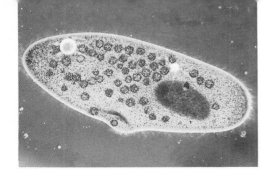

FIGURA 4
Paramecio

Los paramecios son ciliados que viven principalmente en agua dulce. Como las amibas, los paramecios se alimentan de bacterias y protistas más pequeños.

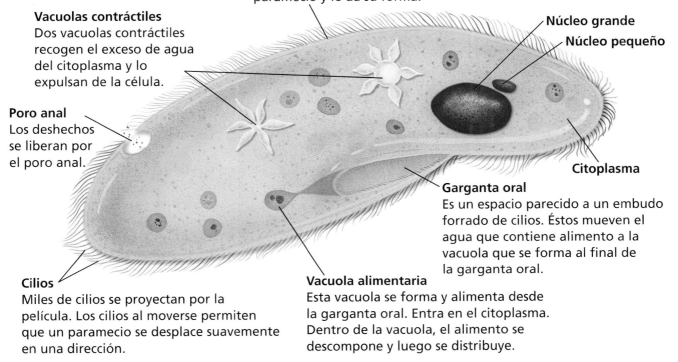

Película
Una cubierta dura pero flexible, llamada película, rodea al paramecio y le da su forma.

Vacuolas contráctiles
Dos vacuolas contráctiles recogen el exceso de agua del citoplasma y lo expulsan de la célula.

Poro anal
Los deshechos se liberan por el poro anal.

Núcleo grande

Núcleo pequeño

Citoplasma

Garganta oral
Es un espacio parecido a un embudo forrado de cilios. Éstos mueven el agua que contiene alimento a la vacuola que se forma al final de la garganta oral.

Cilios
Miles de cilios se proyectan por la película. Los cilios al moverse permiten que un paramecio se desplace suavemente en una dirección.

Vacuola alimentaria
Esta vacuola se forma y alimenta desde la garganta oral. Entra en el citoplasma. Dentro de la vacuola, el alimento se descompone y luego se distribuye.

Protozoarios con cilios El segundo grupo de protistas parecidos a animales son los ciliados. Los ciliados tienen estructuras llamadas **cilios,** proyecciones en forma de cabello de las células que se mueven en un movimiento ondular. Los ciliados usan sus cilios para moverse y obtener alimento. Los cilios actúan en cierta forma como diminutos remos que desplazan al ciliado. Su movimiento barre el alimento hacia el interior del organismo.

Las células de los ciliados, como el paramecio de la Figura 4, son complejas. Observa que el paramecio tiene dos vacuolas contráctiles que expulsan el agua de la célula. También tiene más de un núcleo. El núcleo grande controla las tareas cotidianas de la célula. El núcleo pequeño actúa en la reproducción.

Los paramecios suelen reproducirse asexualmente por fisión binaria. Sin embargo, a veces los paramecios se reproducen por conjugación. Esto ocurre cuando dos paramecios se unen e intercambian parte de su material genético.

 **Verifica tu lectura** ¿Qué son los cilios?

FIGURA 5
Giardias
Cuando uno bebe de arroyos y lagos de agua dulce, puede contraer la enfermedad del excursionista. La *Giardia intestinalliss* (óvalo) es el protozoario responsable de esta enfermedad. **Inferir** *¿Por qué es importante que los excursionistas filtren el agua de un arroyo?*

Protozoarios con flagelos El tercer grupo de protozoarios son los flagelos, protistas que usan flagelos largos y en forma de látigos para desplazarse. Un flagelado puede tener uno o más flagelos.

Algunos de estos protozoarios viven dentro del cuerpo de otros organismos. Por ejemplo, un tipo de flagelado vive en los intestinos de las termitas. Ahí, digieren la madera que ellas consumen, produciendo azúcares para sí y para las termitas. A su vez, las termitas protegen a los protozoarios. La interacción entre estas dos especies es un ejemplo de **simbiosis,** una relación estrecha en la que al menos una de las especies se beneficia. Cuando ambas partes se benefician de vivir juntas, la relación es un tipo de simbiosis llamada **mutualismo.**

Sin embargo, en ocasiones un protozoario perjudica a su huésped. Por ejemplo, la *Giardia* es un parásito de los seres humanos. Los animales salvajes, como los castores, depositan *Giardias* en los arroyos, ríos y lagos de agua dulce. Cuando alguien bebe agua que contiene *Giardias*, estos protozoarios atacan el intestino de la persona, en donde se alimentan y reproducen. La persona desarrolla una afección intestinal grave llamada enfermedad del excursionista.

Protozoarios que son parásitos El cuarto tipo de protozoarios se caracteriza más por la forma en que vive que por la forma en que se mueve. Todos estos son parásitos que se alimentan de las células y los flujos corporales de sus huéspedes. Estos protozoarios se mueven de diversas maneras. Unos tienen flagelos y otros dependen de sus huéspedes para transportarse. Hay uno incluso que produce una capa de limo que le permite deslizarse de un lugar a otro.

Muchos de estos parásitos tienen más de un huésped. Por ejemplo, el *Plasmodium* es un protozoario que ocasiona la malaria, una enfermedad de la sangre. En el ciclo de vida del *Plasmodium* actúan dos huéspedes: los seres humanos y una especie de mosquito que se encuentra en las zonas tropicales. La enfermedad se propaga cuando un mosquito sano pica a una persona enferma de malaria, se infecta y luego pica a otra persona sana. Entre los síntomas de la malaria se hallan fiebres elevadas que se alternan con escalofríos graves. Estos síntomas duran varias semanas, luego desaparecen, sólo para reaparecer al cabo de unos meses.

Verifica tu lectura ¿Qué es la simbiosis?

FIGURA 6
Mosquito de la malaria
Los mosquitos *Anopheles* portan el protozoario parásito *Plasmodium*, que ocasiona la malaria en las personas.

Protistas parecidos a plantas

Los protistas parecidos a plantas, a los que por lo común se les llama **algas**, son sumamente diversos. **Como las plantas, las algas son autótrofas.** En su mayoría usan la energía del sol para elaborar su propio alimento.

Las algas desempeñan una función significativa en muchos ambientes. Por ejemplo, las algas que viven cerca de la superficie de los estanques, los lagos y los mares son una fuente de alimento importante para otros organismos en el agua. Además, buena parte del oxígeno en la atmósfera de la Tierra la producen estas algas.

El tamaño de las algas varía mucho. Unas son unicelulares, mientras que otras son multicelulares. Otras más son grupos de organismos unicelulares que viven juntos en colonias. Las colonias van de unas cuantas células a miles de ellas. En una colonia, casi todas las células realizan todas las funciones. Pero, algunas células se especializan en la realización de ciertas funciones, como la reproducción.

Las algas existen en diversos colores porque contienen muchos tipos de **pigmentos,** sustancias químicas que producen color. Dependiendo de sus pigmentos, las algas pueden ser verdes, amarillas, rojas, cafés, anaranjadas o incluso negras.

Diatomeas Las diatomeas son protistas unicelulares con hermosas paredes celulares en forma de pasto. Unas flotan cerca de la superficie de los lagos o los mares. Otras se pegan a objetos como las piedras en el agua poco profunda. Las diatomeas son una fuente de alimento para los heterótrofos en el agua. Muchas diatomeas se desplazan irradiando sustancias químicas por hendiduras que tienen en sus paredes celulares. Luego se deslizan en el limo.

Cuando las diatomeas mueren, sus paredes celulares se acumulan en el fondo de los mares o lagos. Con el tiempo, forman capas de una sustancia gruesa llamada diatomita. La diatomita es un buen agente pulidor y se emplea en productos de limpieza caseros. Se emplea incluso como insecticida, las filosas paredes celulares de las diatomeas pican el cuerpo de los insectos.

Dinoflagelados Los dinoflagelados son algas unicelulares rodeadas de placas duras parecidas a una armadura. Como tienen distintas cantidades de pigmentos verdes, anaranjados y de otro tipo, hay dinoflagelados de diversos colores.

Todos los dinoflagelados tienen dos flagelos en unas hendiduras que hay entre sus placas. Cuando los flagelos se baten, los dinoflagelados giran como trompos de juguete al moverse por el agua. Muchos brillan en la oscuridad. Iluminan la superficie del mar cuando los perturba un barco o nadador al pasar.

Lab zone **Actividad** Inténtalo

Cómo observar a los protistas

En esta actividad observarás la interacción entre el paramecio, un protista parecido a un animal, y *Chlorella*, un protista parecido a una planta.

1. Usa un gotero de plástico para poner 1 gota de cultivo de paramecio en el portaobjetos de un microscopio. Agrega algunas fibras de algodón para reducir los paramecios.
2. Usa el objetivo de baja potencia del microscopio para hallar algunos paramecios.
3. Agrega 1 gota de *Chlorella* al cultivo de paramecio en tu portaobjetos.
4. Pasa a alta potencia y localiza un paramecio. Observa lo que pasa. Luego, lávate las manos.

Inferir ¿Qué evidencias tienes de que los paramecios sean heterótrofos, y de que *Chlorella* sean autótrofas?

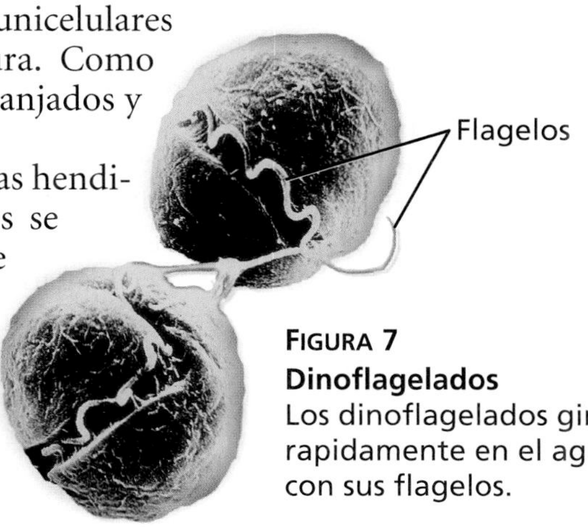

Flagelos

FIGURA 7
Dinoflagelados
Los dinoflagelados giran rapidamente en el agua con sus flagelos.

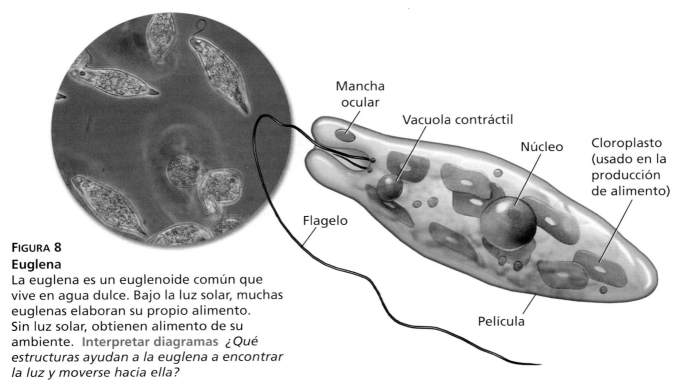

FIGURA 8
Euglena
La euglena es un euglenoide común que vive en agua dulce. Bajo la luz solar, muchas euglenas elaboran su propio alimento. Sin luz solar, obtienen alimento de su ambiente. **Interpretar diagramas** *¿Qué estructuras ayudan a la euglena a encontrar la luz y moverse hacia ella?*

Mancha ocular

Vacuola contráctil

Núcleo

Cloroplasto (usado en la producción de alimento)

Flagelo

Película

Lab zone Actividad Destrezas

Predecir

Predice lo que sucederá si viertes un cultivo de euglenas en una caja de Petri y luego cubres la mitad de la caja de Petri con papel aluminio. Razona tu predicción.

Luego, haz el experimento con el cultivo de euglenas en una caja de Petri de plástico. Cubre la mitad de la caja de Petri con papel aluminio. Después de 10 minutos, descubre la caja de Petri. ¿Qué observas? ¿Tu predicción fue correcta? Explica por qué las euglenas se comportaron de esa forma.

Euglenoides Los euglenoides son algas unicelulares verdes que se encuentran en su mayor parte en agua dulce. A diferencia de otras algas, los euglenoides tienen una característica de los animales: son heterótrofos en ciertas condiciones. Cuando disponen de luz solar, la mayoría de los euglenoides son autótrofos que producen su propio alimento. Sin embargo, cuando no disponen de luz solar, los euglenoides actúan como heterótrofos y obtienen el alimento de su ambiente. Algunos euglenoides viven completamente como heterótrofos.

En la Figura 8, se aprecia una euglena, que es un euglenoide común. Observa el largo flagelo parecido a un látigo que ayuda al organismo a moverse. Localiza la mancha ocular cerca del flagelo. Aunque esta mancha no es en realidad un ojo, contiene pigmentos que son sensibles a la luz y ayudan a la euglena a reconocer la dirección de la fuente luminosa. Imagina lo importante que es esta respuesta para un organismo que necesita la luz para elaborar alimento.

Algas rojas Casi todas las algas rojas son algas marinas multicelulares. Los buzos han encontrado algas rojas que crecen a más de 260 metros por debajo de la superficie del mar. Sus pigmentos rojos son especialmente buenos para absorber la pequeña cantidad de luz que logra llegar a las aguas marítimas profundas.

La gente usa las algas rojas de diversas maneras. El carragahen y el agar, sustancias extraídas de las algas rojas, se usan en productos como helados y acondicionadores para el cabello. Para muchas culturas asiáticas, las algas rojas son un alimento rico en nutrientes que se come fresco, seco o tostado.

Algas verdes Las algas verdes, que contienen pigmentos verdes, son muy diversas. La mayor parte de ellas son unicelulares. Sin embargo, algunas forman colonias y unas cuantas son multicelulares. La mayoría de las algas verdes vive en agua dulce o salada. Las pocas que viven en la tierra se encuentran en las piedras, en las grietas de la corteza de los árboles o en suelos húmedos.

Las algas verdes en realidad están relacionadas estrechamente con las plantas que viven en la tierra. Las algas verdes y las plantas contienen el mismo tipo de pigmento verde y comparten otras semejanzas importantes. De hecho, algunos científicos consideran que las algas verdes pertenecen al reino de las plantas.

Algas pardas Muchos de los organismos a los que por lo común se les llama algas marinas son algas pardas. Además de su pigmento café, las algas pardas también contienen pigmentos verdes, amarillos y anaranjados. Como puedes ver en la Figura 10, un alga parda típica tiene muchas estructuras parecidas a las de las plantas. Los zarcillos la anclan a las piedras. Los tallos sostienen sus hojas, que son las estructuras de las algas parecidas a las hojas de las plantas. Muchas algas pardas también tienen sacos llenos de gas llamados vejigas que permiten que las algas floten derechas en el agua.

Las algas pardas florecen en aguas frías y rocosas. Las algas pardas llamadas fucos viven a lo largo de la costa atlántica de América del Norte. Los kelps gigantes, que crecen hasta 100 metros, viven en algunas aguas costeras del Pacífico. Los kelps gigantes forman grandes "bosques" submarinos en los que viven muchos organismos, incluidas las nutrias y los abalones marinos.

Algunas personas comen algas pardas. Además, las sustancias llamadas alginas se extraen de las algas pardas y se usan como espesantes en budines y otros alimentos.

 Verifica tu lectura ¿De qué colores son los pigmentos de las algas pardas?

FIGURA 10
Algas pardas
Los kelps gigantes son algas pardas que tienen muchas estructuras parecidas a las de las plantas.
Interpretar diagramas *¿A qué estructuras de las plantas se parecen los zarcillos y las hojas del kelp?*

Hoja

Vejiga

Tallo

Zarcillo

Protistas parecidos a hongos

El tercer grupo de protistas son los protistas parecidos a hongos. Recuerda del Capítulo 1 que entre los hongos se hallan organismos como los champiñones y la levadura. Hasta que aprendas más sobre los hongos en la Sección 3, piensa en ellos como los organismos "parecidos a". Los hongos son "parecidos a" animales porque son heterótrofos. Son "parecidos a" plantas porque sus células tienen paredes celulares. Además, casi todos los hongos usan esporas para reproducirse. Una **espora** es una diminuta célula capaz de convertirse en un nuevo organismo.

Como los hongos, los protistas parecidos a hongos son heterótrofos, tienen paredes celulares y usan esporas para reproducirse. Todos los protistas parecidos a hongos pueden moverse en algún momento de su vida. Se agrupan en tres tipos: el moho del limo, el moho del agua y el mildeu aterciopelado.

Moho del limo Los mohos del limo a menudo tienen colores brillantes. Viven en el suelo de los bosques y en lugares húmedos y sombreados. Rezuman de las superficies de los materiales en descomposición, alimentándose de bacterias y otros microorganismos. Algunos son tan pequeños que necesitas un microscopio para verlos. Otros pueden cubrir un área de varios metros.

Los mohos del limo inician su ciclo de vida como diminutas células individuales parecidas a las amibas. Las células usan seudópodos para alimentarse y arrastrarse. Después, las células crecen más grandes o se unen hasta formar una masa gigante parecida a gelatina. En algunas especies, la masa gigante es multicelular y se forma cuando escasea el alimento. En otras, la masa gigante es en realidad una enorme célula con muchos núcleos.

La masa rezuma de una sola unidad. Si las condiciones ambientales son difíciles, surgen estructuras productoras de esporas de la masa y liberan esporas. Al final las esporas se convierten en una nueva generación de mohos del limo.

FIGURA 11
Mohos del limo
El moho del limo tubo de chocolate forma primero una masa como la tapioca (arriba). Si las condiciones son difíciles, la masa genera tallos productores de esporas (derecha) o "tubos de chocolate", cubiertos de millones de esporas cafés.

Mohos del agua y mildeus aterciopelados La mayor parte de los mohos del agua y los mildeus aterciopelados viven en el agua o en lugares húmedos. Estos organismos suelen crecer como diminutas hebras parecidas a pelusas. La Figura 12 muestra un pez atacado por un moho del agua y una hoja cubierta de mildeu aterciopelado.

Los mohos del agua y los mildeus aterciopelados atacan a muchos cultivos alimenticios, como las papas, el maíz y las uvas. Un moho del agua influyó en la historia al destruir los cultivos de papa en Irlanda en 1845 y 1846. Esta pérdida generó hambruna. Más de un millón de personas murieron en Irlanda, y muchas otras emigraron a Estados Unidos y otros países.

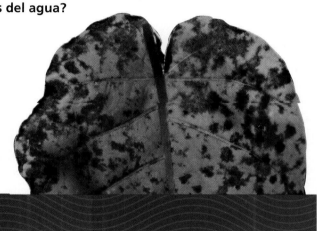

▲ **Moho del agua en un pez**

▼ **Mildeu aterciopelado en una hoja de vid**

 Verifica tu lectura ¿En qué ambientes se hallan los mohos del agua?

FIGURA 12
Mohos del agua y mildeus aterciopelados
Muchos mohos del agua son descomponedores de organismos acuáticos muertos. Otros son parásitos de peces y otros animales. Los mildeus aterciopelados son parásitos de muchos cultivos alimenticios.

Sección 1 Evaluación

Destreza clave de lectura Hacer un esquema Usa tu esquema de protistas para responder a las preguntas.

Repasar los conceptos clave

1. a. **Hacer una lista** Enumera los cuatro tipos de protistas parecidos a animales. ¿Cómo se mueve o vive cada uno?
   b. **Comparar y contrastar** ¿En qué se parecen estos cuatro tipos de protistas a los animales? ¿En qué son diferentes?
   c. **Clasificar** Supón que observas un protista parecido a un animal bajo el microscopio. No tiene estructuras parecidas al cabello o látigo. Se mueve formando protuberancias temporales de citoplasma. ¿Cómo clasificarías a este protista?
2. a. **Repasar** ¿En qué se parecen a las plantas las diatomeas, los dinoflagelados y otros protistas parecidos a plantas?
   b. **Hacer generalizaciones** ¿Por qué es importante la luz solar para los protistas parecidos a plantas?
   c. **Emitir un juicio** ¿Clasificarías a la euglena como un protista parecido a un animal o a una planta? Explica.
3. a. **Hacer una lista** ¿Cuáles son los tres tipos de protistas parecidos a hongos?
   b. **Describir** ¿En qué son similares a los hongos los protistas parecidos a hongos?

Lab zone **Actividad En casa**

Cacería de algas Junto con un familiar, busca en tu casa productos que contengan sustancias elaboradas a partir de algas. Busca en los artículos alimenticios y no alimenticios. Antes de empezar, dile a tu familiar que sustancias como la diatomita, las alginas y la carragenina son productos que provienen de las algas. Haz una lista de los productos y el ingrediente derivado de las algas que tengan. Comparte tu lista con la clase.

Multiplicación de las algas

Avance de la lectura

Conceptos clave

• ¿Cuáles son las causas y los efectos de las floraciones de algas de agua salada y agua dulce?

Términos clave

• floración de algas
• marea roja
• eutrofización

Destreza clave de lectura

Comparar y contrastar Mientras lees, compara y contrasta los dos tipos de floraciones de algas en una tabla como la siguiente.

Floraciones de algas

Propiedad	Floraciones de agua salada	Floraciones de agua dulce
Causas	Aumento en los nutrientes o en la temperatura	
Efectos		

Lab zone | **Actividad** Descubre

¿Cómo influye el crecimiento de las algas en la vida de un estanque?

1. Vierte agua en una caja de Petri de plástico hasta que se llene a la mitad. La caja de Petri representará un estanque.
2. Rocía una cucharadita de papel picado verde en el agua para representar algas verdes que crecen en un estanque.
3. Rocía dos cucharaditas más de papel picado para representar un ciclo de reproducción de las algas.
4. Rocía cuatro cucharaditas más de papel picado en el agua para representar el siguiente ciclo de reproducción de las algas.

Reflexiona

Predecir ¿Cómo influyen las algas que crecen cerca de la superficie en los organismos que viven en la profundidad de un estanque?

En un año, durante un período de cinco semanas, la corriente depositó los cuerpos de 14 ballenas jorobadas en las playas en Cape Cod, Massachusetts. No mostraban signos externos de enfermedad. Sus estómagos tenían alimento. Su cuerpo tenía abundante grasa para aislarlas de cambios en la temperatura del agua. ¿Qué hizo que murieran estos animales en apariencia saludables?

Cuando los biólogos examinaron el tejido de las ballenas muertas, identificaron la causa de su desconcertante muerte. Las células de las ballenas tenían una toxina mortal producida por el dinoflagelado *Alexandrium tamarense*. La población de estas algas creció rápidamente en las aguas por las que emigraban las ballenas. Cuando las ballenas se alimentaron de las algas productoras de toxinas o de peces que habían ingerido las algas, las toxinas alcanzaron un nivel mortal y las mataron.

Las algas son comunes en mares, lagos y estanques. Flotan cerca de la superficie de las aguas y usan la luz solar para elaborar alimento. El rápido crecimiento de una población de algas se llama **floración de algas.** Ocurren en ambientes de agua salada y agua dulce. **En general, las floraciones de algas se dan cuando los nutrientes aumentan en el agua.**

◄ Ballena jorobada

Floración en agua salada

En la Figura 13, se ve una floración de algas en el agua del mar. Estas floraciones se llaman **mareas rojas** porque las algas que crecen rápidamente contienen a menudo pigmentos rojos y tiñen el agua de rojo. Pero las mareas rojas no siempre se ven rojas. Algunas son cafés, verdes o incluso sin color, dependiendo de la especie de algas que florezcan. Los dinoflagelados y las diatomeas son dos algas que florecen a menudo en las mareas rojas.

Causas de las mareas rojas Los científicos dudan de por qué algunas poblaciones de algas de agua salada aumentan a veces rápidamente. Pero las mareas rojas se dan más a menudo cuando hay un incremento de los nutrientes en el agua. Algunas ocurren en forma regular en ciertas estaciones. Por ejemplo, las capas inferiores frías del mar contienen muchos nutrientes y cuando se mezclan con las aguas superficiales, los organismos de la superficie disponen de más nutrientes. Con mayores concentraciones de nutrientes presentes en las aguas superficiales, ocurren las floraciones de algas. Los aumentos en la temperatura del mar debidos a los cambios climáticos influyen en la incidencia de las mareas rojas.

Efectos de las mareas rojas **Las mareas rojas son peligrosas cuando las toxinas que producen las algas se concentran en el cuerpo de los organismos que consumen las algas.** Los mariscos, como almejas, mejillones y los peces se alimentan de las algas y almacenan las toxinas en sus células. Cuando la gente u otros organismos grandes se alimentan de estos mariscos y peces, pueden sufrir enfermedades graves o incluso la muerte. Los funcionarios de salud pública cierran las playas en las zonas de las mareas rojas para impedir que se pesquen o recojan mariscos.

 **Verifica tu lectura** ¿Qué determina el color de las floraciones de agua salada?

FIGURA 13
Marea roja
El rápido crecimiento de las algas ha ocasionado una marea roja en esta pequeña bahía de la costa de California. Las floraciones de dinoflagelados tóxicos como *Gymnodinium* (óvalo) puede tener consecuencias graves.
Relacionar causa y efecto ¿A qué organismos afectan las mareas rojas?

Go Online
SciLINKS NSTA

Para: Vínculos sobre las algas, disponible en inglés.
Visita: www.SciLinks.org
Código Web: scn-0132

Floraciones de agua dulce

¿Has visto un estanque o lago cubierto por una capa de pintura verde o suciedad? La capa verdosa consiste por lo general en grandes cantidades de algas verdes.

Los lagos y estanques sufren procesos naturales de cambio con el tiempo. La **eutrofización** es un proceso en el que se forman nutrientes, como el nitrógeno y el fósforo, en un lago o estanque con el paso del tiempo, lo que genera un aumento en el crecimiento de las algas.

Causas de la eutrofización Ciertos sucesos naturales y actividades humanas aumentan la tasa de eutrofización. Por ejemplo, cuando los agricultores y vecinos esparcen fertilizantes en campos y pastos, algunos de los nutrientes van a parar a los lagos y estanques cercanos. Las plantas de tratamiento de aguas negras pueden filtrar aguas residuales en el suelo. Los nutrientes en las aguas residuales se abren camino en el suelo hasta el agua que llega a lagos y estanques. Estos sucesos generan un aumento rápido en el crecimiento de las algas. Si se eliminan las fuentes de nutrientes y se utilizan los nutrientes, la eutrofización disminuye a su tasa natural.

Efectos de la eutrofización **La eutrofización desencadena una serie de sucesos que tienen consecuencias graves.** Primero, la capa de algas impide que la luz solar llegue a las plantas y otras algas que hay debajo de la superficie. Estos organismos mueren y se hunden en el fondo. Luego aumenta la cantidad de descomponedores, como las bacterias, que desarticulan el cuerpo de los organismos muertos. Pronto las bacterias consumen el oxígeno en el agua. Sin oxígeno, mueren los peces y otros organismos del agua. Sólo sobreviven las algas de la superficie.

FIGURA 14
Eutrofización
La delgada capa de algas en la superficie de un estanque puede amenazar a otros organismos en el agua.

 **Verifica tu lectura** ¿Qué procesos naturales ocurren con el tiempo en un estanque o en un lago?

Sección **2** Evaluación

Destreza clave de lectura Comparar y contrastar Usa la información de tu tabla sobre el florecimiento de algas para responder a las siguientes preguntas.

Repasar los conceptos clave

1. a. Definir ¿Qué es un florecimiento de algas?
   b. Comparar y contrastar ¿Qué hace que ocurra un florecimiento de algas en el mar? ¿Y en un lago? ¿En qué influye un florecimiento de algas en los organismos que viven en cada uno de estos medios?
   c. Predecir ¿Sería más sencillo controlar los florecimientos de agua salada o de agua dulce? Explica.

Escribir en ciencias

Informe noticioso Algo extraño ha pasado en el estanque local. Está cubierto de una capa de verdín y hay peces muertos flotando. Has entrevistado a científicos para averiguar las posibles causas. Escribe un informe noticioso para explicar al público lo ocurrido.

Una explosión de vida

Problema

¿Cómo influye la cantidad de fertilizante en el crecimiento de las algas?

Destrezas aplicadas

controlar variables, sacar conclusiones, predecir

Materiales

- 4 tarros de vidrio con tapa
- marcador
- agua de llave reposada
- agua para peceras
- cilindro graduado
- fertilizante líquido

Procedimiento

1. Lee los pasos del procedimiento. Luego escribe una predicción en la que describas lo que piensas que pasará en cada uno de los cuatro tarros.

2. Copia la tabla de datos en tu cuaderno. Asegúrate de dejar las líneas suficientes para hacer las entradas para un período de dos semanas.

3. Clasifica los tarros como A, B, C y D. Llena cada tarro hasta la mitad con agua de la llave reposada.

4. Agrega agua para peceras a cada uno hasta llenar tres cuartas partes de los tarros.

5. Agrega 3 mL de fertilizante líquido al tarro B, 6 mL al tarro C y 12 mL al tarro D. No agregues fertilizante al tarro A. Cierra sin apretar la tapa de cada tarro. Coloca todos los tarros en un sitio soleado en el que reciban la misma cantidad de luz solar directa.

6. Observa los tarros diariamente durante dos semanas. Compara el color del agua en los cuatro tarros. Registra tus observaciones.

Analiza y concluye

1. **Observar** ¿En qué se parece el color de los cuatro tarros al final de las dos semanas? ¿Tus observaciones coinciden con tu predicción?

2. **Controlar variables** ¿Cuál fue el propósito del tarro A? Explica tu respuesta.

3. **Sacar conclusiones** ¿Cómo explicas cualquier diferencia de color entre los cuatro tarros? ¿Qué proceso y organismos fueron responsables de ese cambio de color?

4. **Predecir** Predice lo que hubiera sucedido si hubieras colocado los cuatro tarros en un sitio oscuro y no bajo la luz del sol. Explica tu predicción.

5. **Comunicar** Escribe una etiqueta de advertencia para que se coloque en una bolsa de fertilizante. En ella, explica lo que les sucedería a los peces y otros organismos si el fertilizante entrara en una masa de agua dulce. Además, resume las medidas que pueden adoptar los consumidores para impedir estos problemas.

Diseña un experimento

Algunos detergentes contienen fosfatos, que también se encuentran en muchas clases de fertilizantes. Diseña un experimento para comparar cómo el detergente regular y el bajo en fosfato influyen en el crecimiento de las algas. *Obtén la autorización de tu maestro antes de realizar tu investigación.*

Tabla de datos				
	Observaciones			
Día	Tarro A (sin fertilizante)	Tarro B (3 mL de fertilizante)	Tarro C (6 mL de fertilizante)	Tarro D (12 mL de fertilizante)
Día 1				
Día 2				

Sección 3

Hongos

Avance de la lectura

Conceptos clave

- ¿Qué características comparten los hongos?
- ¿Cómo se reproducen los hongos?
- ¿Qué funciones desempeñan los hongos en la naturaleza?

Términos clave

- hongos • hifas
- órgano fructífero • gemación
- liquen

Destreza clave de lectura

Formular preguntas Antes de leer, revisa los encabezados en rojo. En un organizador gráfico como el que sigue, formula una pregunta *qué* o *cómo* para cada encabezado. Mientras lees, escribe las respuestas a tus preguntas.

Hongos

Pregunta	Respuesta
¿Qué son los hongos?	Los hongos son...

Lab zone Actividad Descubre

¿Se parecen todos los mohos?

1. Tu maestro te dará dos bolsas de plástico transparentes cerradas herméticamente: una con pan enmohecido y la otra con fruta enmohecida. **PRECAUCIÓN**: *No abras las bolsas cerradas en ningún momento.*

2. En tu cuaderno, describe lo que veas.

3. Luego, con una lupa examina cada moho. Dibuja cada moho en tu cuaderno y haz una lista de sus características.

4. Regrésale las bolsas cerradas herméticamente a tu maestro. Lávate las manos.

Reflexiona

Observar ¿En qué se parecen los mohos? ¿En qué difieren?

Inadvertidamente, una brizna de polvo aterriza en el lomo de un grillo. Pero no es un polvo cualquiera: está vivo. Del polvo surgen diminutos hilos brillantes que empiezan a crecer en el cuerpo húmedo del grillo. Al crecer, los hilos liberan sustancias químicas que lentamente disuelven los tejidos del grillo. Al cabo de unos días, el cuerpo del grillo es poco más que una concha vacía llena de un amasijo de hilos mortales. Luego, los hilos empiezan a crecer y salir del grillo muerto. Producen largos tallos con botones en las puntas. Al abrirse uno de los botones, libera miles de briznas parecidas a polvo, que el viento transporta hasta nuevas víctimas.

¿Qué son los hongos?

El extraño organismo asesino de grillos es miembro del reino de los hongos. Aunque quizá no hayas oído hablar de un hongo asesino de grillos antes, tal vez estás familiarizado con otras clases de hongos. Por ejemplo, los mohos que crecen en el pan añejo y los champiñones que brotan en los jardines son hongos.

Un grillo atacado por un hongo asesino. ▶

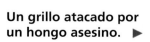

Casi todos los hongos comparten varias características. **Los hongos son eucariotas con paredes celulares, son heterótrofos que se alimentan absorbiendo su alimento y usan esporas para reproducirse.** Necesitan lugares húmedos, como la corteza húmeda de los árboles, los pastos cubiertos de rocío, el suelo húmedo de los bosques y los mosaicos húmedos de los baños.

Estructura celular Los hongos varían en tamaño: desde levaduras unicelulares diminutas hasta grandes hongos multicelulares. El organismo más grande que se conoce es un hongo subterráneo tan grande como mil campos de fútbol.

Las células de los hongos se rodean de paredes celulares. Excepto en los hongos más simples, como las levaduras unicelulares, la mayoría de sus células se ordenan en estructuras llamadas hifas. Las **hifas** son los tubos ramificados parecidos a hilos que forman el cuerpo de los hongos multicelulares. Algunas hifas son hilos continuos de citoplasma con muchos núcleos. Las sustancias se desplazan con rapidez y libertad por las hifas.

La apariencia de un hongo depende de cómo estén ordenadas sus hifas. Algunos hongos tienen hifas parecidas a hilos que se entrecruzan con libertad, como los mohos de apariencia vellosa que crecen en los alimentos viejos. En otros hongos, las hifas se apiñan tanto que parecen sólidas, como los tallos y el sombrerete de los champiñones que se aprecian en la Figura 15. Sin embargo, bajo la tierra, las hifas de los champiñones forman un laberinto de hilos sueltos en el suelo.

Protists and Fungi

Video Preview
▶ Video Field Trip
Video Assessment

 **¿En qué consisten los cuerpos de los hongos multicelulares?**

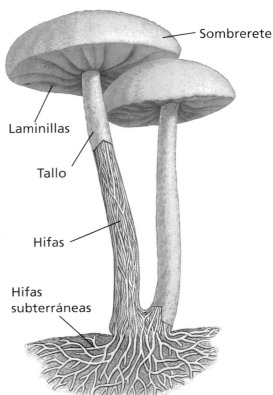

Sombrerete

Laminillas

Tallo

Hifas

Hifas subterráneas

FIGURA 15
Estructura de un hongo
Las hifas que hay en el tallo y el sombrerete de un champiñón se apiñan tanto que forman estructuras muy firmes. Las hifas subterráneas se extienden con libertad. *Inferir ¿Qué función podrían desempeñar las hifas subterráneas?*

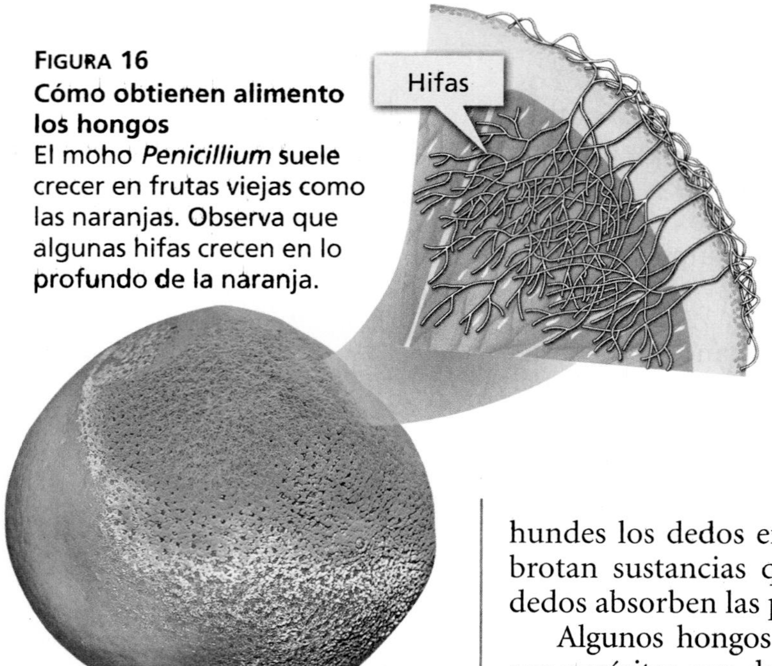

FIGURA 16
Cómo obtienen alimento los hongos
El moho *Penicillium* suele crecer en frutas viejas como las naranjas. Observa que algunas hifas crecen en lo profundo de la naranja.

Hifas

Obtención de alimento Aunque los hongos son heterótrofos, no ingieren el alimento en su cuerpo como tú, sino que lo absorben mediante hifas que crecen en la fuente de alimento. En la Figura 16 se muestra cómo se alimenta un moho de una naranja.

Primero, los hongos desarrollan hifas en la fuente de alimento. Luego, sustancias químicas digestivas rezuman de las hifas en el alimento. Las sustancias químicas descomponen el alimento en pequeñas sustancias que absorben las hifas.

A manera de analogía, imagina que hundes los dedos en un pastel de chocolate y que de las yemas brotan sustancias químicas digestivas. Luego, imagina que tus dedos absorben las partículas de pastel digeridas.

Algunos hongos se alimentan de organismos muertos. Otros son parásitos que descomponen las sustancias químicas en los organismos vivos.

Reproducción en los hongos

Nos guste o no, los hongos están por todas partes. La forma en que se reproducen garantiza su supervivencia y propagación. **Los hongos se reproducen normalmente formando esporas. Las esporas livianas están rodeadas por una cubierta protectora y el aire o el agua las transportan con facilidad a otros sitios.** Los hongos producen millones de esporas, más de las que sobreviven. Sólo unas cuantas caerán en donde las condiciones sean adecuadas para su crecimiento.

Los hongos producen esporas en estructuras reproductivas llamadas **órganos fructíferos.** La apariencia de estos órganos varía de un hongo a otro. En el caso de algunos hongos, como los champiñones y los bejines, la parte del hongo que ves es el órgano fructífero. En otros, como el moho del pan, los órganos fructíferos son diminutas hifas parecidas a hilos que crecen hacia arriba en relación con el resto de las hifas. Una caja parecida a un botón en la punta de cada tallo contiene las esporas.

Reproducción asexual Casi todos los hongos se reproducen en forma asexual y sexual. Cuando hay humedad y alimento adecuados, los hongos generan esporas asexualmente. Las células en las puntas de sus hifas se dividen y forman esporas. Éstas se convierten en hongos genéticamente idénticos a la madre.

Las células de la levadura unicelular sufren una forma de reproducción asexual llamada **gemación.** En ésta, no se producen esporas, sino que una pequeña célula de la levadura crece a partir del cuerpo de una célula madre de manera más o menos similar a como se forma un brote en la rama de un árbol. La nueva célula luego se desprende y vive por su cuenta.

FIGURA 17
Gemación de las células de la levadura
La gemación es una forma de reproducción asexual.
Aplicar conceptos *¿En qué se parece la célula de una levadura nueva formada por reproducción asexual a su célula madre?*

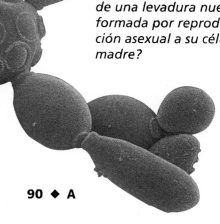

Reproducción sexual La mayor parte de los hongos también puede reproducirse sexualmente, sobre todo cuando las condiciones de crecimiento son desfavorables. En la reproducción sexual, las hifas de dos hongos crecen juntas e intercambian material genético. Al final, una nueva estructura reproductiva crece de la unión de las hifas y produce esporas. Éstas se convierten en hongos que difieren genéticamente de cada uno de sus padres.

Clasificación de los hongos La Figura 18 muestra los tres principales grupos de hongos. La denominación de los grupos se da en función de la apariencia de sus estructuras reproductivas. Los otros grupos son las especies acuáticas que producen esporas con flagelos y las que forman asociaciones estrechas con las raíces de las plantas.

Verifica tu lectura ¿Qué es la gemación?

FIGURA 18
Clasificación de los hongos

Los tres principales grupos de hongos son los hongos ascomicetos, los hongos basidiomicetos y los hongos ficomicetos. **Comparar y contrastar** *¿En qué se parecen las estructuras productoras de esporas de los ascomicetos y los basidiomicetos?*

Hongos ascomicetos ▶
Los hongos ascomicetos producen esporas en estructuras parecidas a sacos largos, como los que se ven en las puntas de estas hifas. Este grupo es el más grande de los hongos e incluye las levaduras, las colmenillas moras, las trufas y algunos hongos que ocasionan enfermedades a las plantas. También incluyen hongos que forman líquenes.

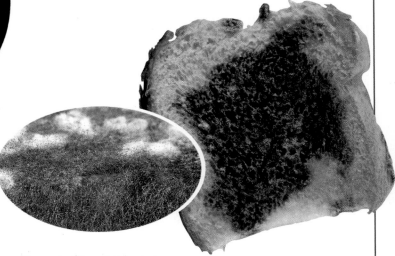

Hongos basidiomicetos ▲
Los hongos basidiomicetos producen esporas en estructuras microscópicas parecidas a las mazas. Incluyen a los champiñones, los hongos yesqueros y las royas. También incluyen a los bejines como éstos, uno de los cuales está liberando sus esporas. Los hongos yesqueros más venenosos son los hongos basidiomicetos.

Hongos ficomicetos ▲
Los hongos ficomicetos producen esporas muy resistentes que sobreviven a condiciones ambientales duras. Incluyen muchos mohos de la fruta y el pan comunes, como este *Rhizopus*, y mohos que atacan y matan a los insectos.

FIGURA 19
Trufas
Los cerdos suelen usarse para buscar trufas, un manjar muy apreciado. Las trufas (óvalo) son los órganos fructíferos redondos de los hongos que crecen entre las raíces de ciertos árboles. Algunas trufas son muy raras y pueden venderse en varios miles de dólares por kilogramo.

Lab zone Actividad Inténtalo

Propagar esporas

Ahora harás un modelo de un órgano fructífero.

1. Divide un trozo de algodón en cinco pelotas pequeñas.
2. Introdúcelas en un globo.
3. Repite los pasos 1 y 2 hasta que el globo esté casi lleno.
4. Infla el globo y hazle un nudo. Pega con cinta adhesiva el extremo del globo a una vara.
5. Coloca la vara en forma vertical en un montículo de plastilina.
6. ✂ Pincha el globo con un alfiler y observa lo que sucede.

Hacer modelo Dibuja un diagrama del modelo que hiciste. Clasifica el tallo, el saco de esporas y las esporas. Úsalo para explicar por qué hay hongos en casi todas partes.

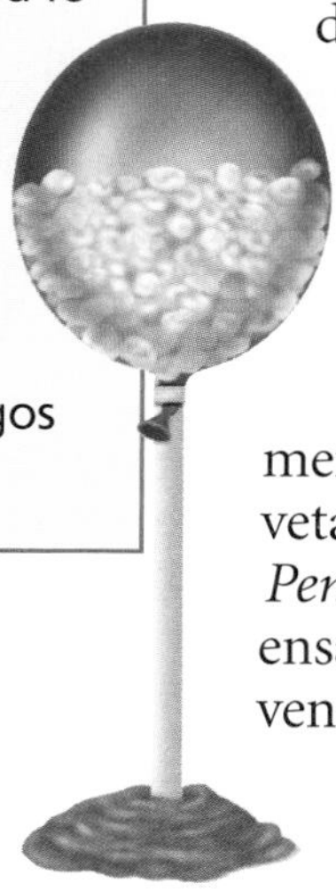

Los hongos en la naturaleza

Los hongos influyen en los seres humanos y en otros organismos de muchas formas. **Los hongos desempeñan funciones importantes como descomponedores y recicladores en la Tierra. Muchos hongos constituyen una fuente de alimento para las personas. Algunos ocasionan enfermedades y otros las combaten. Algunos viven en simbiosis con otros organismos.**

Reciclaje ambiental Como las bacterias, muchos hongos son descomponedores: organismos que desarticulan las sustancias químicas en los organismos muertos. Por ejemplo, muchos hongos viven en el suelo y descomponen las sustancias químicas en la materia de las plantas muertas. Este proceso devuelve importantes nutrientes al suelo. Sin hongos y bacterias, la Tierra quedaría enterrada bajo plantas y animales muertos.

Alimento y hongos Cuando te comes una rebanada de pan, te beneficias del trabajo de la levadura. Los panaderos agregan levadura a la masa del pan para que suba. Las células de la levadura usan el azúcar en la masa para alimentarse y al hacerlo producen dióxido de carbono. El gas forma burbujas, que hacen que el pan suba. Estas burbujas las ves como orificios en una rebanada de pan. Sin levadura, el pan estaría plano y duro. La levadura también se usa para hacer vino de las uvas. Las células de la levadura se alimentan de los azúcares de las uvas y producen dióxido de carbono y alcohol.

Otros hongos también son importantes fuentes de alimento. Los mohos se usan en la producción de alimentos. Las vetas azules del queso azul, por ejemplo, son brotes del moho *Penicillium roqueforti*. La gente disfruta comer champiñones en ensaladas, sopas y pizza. Pero como algunos hongos son muy venenosos, nunca debes recoger o consumir hongos silvestres.

Hongos que combaten enfermedades En 1928, el biólogo escocés Alexander Fleming examinaba cajas de Petri en las que cultivaba bacterias. Para su sorpresa, Fleming observó un punto de moho azul verdoso que crecía en la caja de Petri. Curiosamente, no crecían bacterias cerca del moho. Fleming desarrolló la hipótesis de que el moho, un hongo llamado *Penicillium*, produjo una sustancia que mató las bacterias cercanas.

El trabajo de Fleming contribuyó al desarrollo del primer antibiótico, la penicilina. Ésta le ha salvado la vida a millones de personas que sufren infecciones bacterianas. Desde el descubrimiento de la penicilina, se han aislado muchos antibióticos más a partir de los hongos y las bacterias.

Hongos que ocasionan enfermedades Varios hongos son parásitos que ocasionan enfermedades graves en las plantas. El hongo ascomiceto que ocasiona la grafiosis del olmo es responsable de matar a millones de olmos en América del Norte y Europa. La tizón del maíz y la roya del trigo son dos hongos basidiomicetos que ocasionan enfermedades en cosechas alimenticias importantes. Las enfermedades micóticas de las plantas también afectan a otros cultivos como arroz, algodón y soja, lo que genera enormes pérdidas de cultivos cada año.

Algunos hongos también ocasionan enfermedades en los seres humanos. El pie de atleta genera irritación entre los dedos. La tiña, otra enfermedad micótica, causa una erupción circular irritante en la piel. Como los hongos que generan estas enfermedades producen esporas en el lugar de la infección, tales padecimientos se propagan fácilmente de una persona a otra. Ambas enfermedades se tratan con medicamentos antimicóticos.

 **Verifica tu lectura** **¿Cuál es una de las formas en que los hongos ayudan a combatir las enfermedades?**

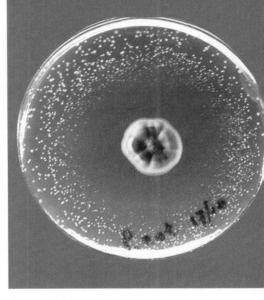

FIGURA 20
Penicilina
En el centro de esta caja de Petri, crece el moho *Penicillium*. Este moho produce el antibiótico penicilina, que impide que las diminutas colonias blancas de bacterias crezcan en el área circundante.

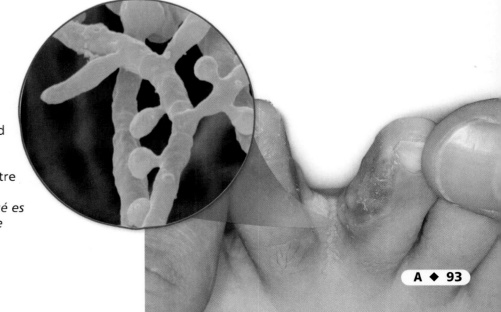

FIGURA 21
Pie de atleta
El pie de atleta es una enfermedad ocasionada por el hongo *Trichophyton mentagrophytes* (óvalo). El hongo se desarrolla entre los dedos de los pies.
Relacionar causa y efecto *¿Por qué es difícil controlar la propagación de enfermedades micóticas?*

Hongos y árboles

Un biólogo realizó un experimento para ver la influencia de los hongos asociados con raíces en el crecimiento de cuatro especies de árboles. Cada especie se dividió en dos grupos: árboles sembrados con hongos asociados con raíces y árboles sembrados sin hongos.

1. **Leer gráficas** ¿Cómo midió el biólogo el crecimiento de los árboles?

2. **Interpretar datos** En cada especie, ¿qué grupo de árboles mostró mayor crecimiento?

3. **Calcular** ¿Cuál es la diferencia de altura promedio entre los árboles de naranjas ácidas que crecieron con hongos asociados con raíces y los que crecieron sin hongos? ¿Cuál es la diferencia de altura entre los árboles de aguacate con y sin hongos?

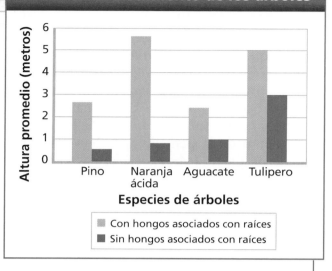

Efecto de los hongos asociados con raíces en el crecimiento de los árboles

Altura promedio (metros) / Especies de árboles: Pino, Naranja ácida, Aguacate, Tulipero

- Con hongos asociados con raíces
- Sin hongos asociados con raíces

4. **Sacar conclusiones** Según el experimento, ¿cómo influyen los hongos asociados con raíces en el crecimiento de los árboles?

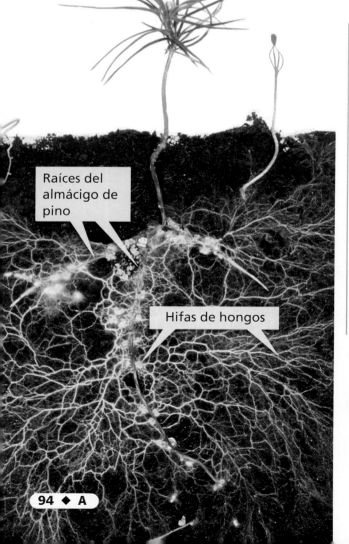

Raíces del almácigo de pino

Hifas de hongos

Asociaciones entre hongos y raíces Algunos hongos ayudan a las plantas a crecer más grandes y saludables cuando sus hifas crecen bajo, o en, las raíces de las plantas. Las hifas se propagan por debajo de la tierra y absorben agua y nutrientes del suelo para la planta. Con más agua y nutrientes, la planta crece más grande que sin su hongo asociado. La planta no es la única que se beneficia de esta asociación. Los hongos obtienen el alimento extra que la planta elabora y almacena. En la Figura 22 puedes ver la asociación entre un hongo y un almácigo de pino.

Casi todas las plantas tienen hongos asociados. Muchas dependen tanto de los hongos que no pueden sobrevivir sin ellos. Por ejemplo, las semillas de las orquídeas no pueden desarrollarse sin sus hongos asociados.

✓ Verifica tu lectura ¿Cómo ayudan los hongos al crecimiento de las plantas?

FIGURA 22
Asociaciones entre hongos y raíces de plantas
Un sistema extenso de hifas ha crecido en asociación con las raíces del almácigo de pino en medio. **Clasificar** ¿Qué tipo de simbiosis manifiestan estos dos organismos?

FIGURA 23
Líquenes
El liquen de los renos consta de un hongo y una alga. El círculo muestra lo entrelazada que está el alga entre las hifas del hongo.

Alga

Hongo

Líquenes Un **liquen** consiste en un hongo y un alga o una bacteria autótrofa que viven juntos en una relación mutua. Los líquenes son como parches irregulares, planos y crujientes que crecen en la corteza de los árboles y las piedras. El hongo se beneficia del alimento producido por el alga o bacteria, los cuales a su vez obtienen refugio, agua y minerales del hongo.

Los líquenes también se llaman organismos "pioneros" porque son los primeros en aparecer en las piedras desnudas donde ha habido una erupción volcánica, un incendio o un deslizamiento de rocas. Luego, los líquenes convierten la piedra en tierra, donde crecen otros organismos. Son útiles como indicadores de la contaminación del aire, pues son sensibles a los contaminantes y mueren cuando éstos se elevan. Los científicos evalúan la calidad del aire supervisando el crecimiento de los líquenes.

 Verifica tu lectura ¿Qué dos organismos forman un liquen?

Go Online
SciLINKS NSTA

Para: Vínculos sobre hongos, disponible en inglés.
Visita: www.SciLinks.org
Código Web: scn-0133

Sección 3 Evaluación

Destreza clave de lectura Formular preguntas Usa las respuestas a las preguntas que escribiste sobre los encabezados para responder a las siguientes preguntas.

Repasar los conceptos clave

1. a. Hacer una lista Haz una lista de las características que comparte un moho del pan con un champiñón.
   b. Comparar y contrastar ¿Cómo se distribuyen las células de un moho del pan? ¿Y de un champiñón?
   c. Resumir ¿Cómo le ayuda su estructura celular a un hongo a obtener alimento?

2. a. Repasar ¿Qué función desempeñan las esporas en la reproducción de los hongos?
   b. Ordenar en serie Resume los pasos en que los hongos producen esporas por reproducción sexual.
   c. Inferir ¿Qué ventaja tienen para un hongo producir millones de esporas?

3. a. Identificar Menciona seis funciones que desempeñan los hongos en la naturaleza.
   b. Predecir Supón que desaparecieran todos los hongos de un bosque. ¿Cómo sería el bosque sin hongos?

Escribir en ciencias

Cartel "Se busca" Dibuja un cartel "Se busca" sobre un moho que está arruinando el alimento en tu cocina. Preséntalo como un "criminal de la cocina". Incluye descripciones detalladas de sus características físicas, qué necesita para crecer, cómo crece y otros detalles que ayuden a tu familia a identificar a este moho. Propón formas de impedir que crezcan nuevos mohos en tu cocina.

¿Qué hay para el almuerzo?

Problema

¿Cómo influye la presencia de azúcar o sal en la actividad de la levadura?

Destrezas aplicadas

medir, inferir, sacar conclusiones

Materiales

• 5 botellas de plástico de cuello estrecho
• 5 globos redondos • 5 popotes de plástico
• levadura en polvo seca • azúcar • sal
• agua caliente (40° a 45 °C) • marcador
• vaso de precipitados • cilindro graduado
• regla métrica • cordel

Procedimiento

1. Copia la tabla de datos en tu cuaderno. Luego lee todo el procedimiento para ver cómo probarás la actividad de las células de la levadura en las botellas A a E. Escribe una predicción sobre lo que sucederá en cada botella.

2. Con cuidado estira cada globo para que se infle fácilmente.

3. Con el marcador, clasifica las botellas como A, B, C, D y E.

4. Usa un vaso de precipitados llena cada botella con la misma cantidad de agua caliente. **PRECAUCIÓN:** *El vidrio es frágil. Maneja el vaso de precipitados con cuidado para que no se rompa. No toques vidrios rotos.*

5. Pon 25 mL de sal en la botella B.

6. Pon 25 mL de azúcar en las botellas C y E.

7. Pon 50 mL de azúcar en la botella D.

8. Pon 6 mL de levadura en polvo en la botella A y agita la mezcla con un popote limpio. Retira el popote y elimínalo.

9. De imediato coloca un globo sobre la boca de la botella A. Asegúrate de que la apertura del globo cierre estrechamente el cuello de la botella.

10. Repite los pasos 8 y 9 con la botella B, la botella C y la botella D.

Tabla de datos

Botella	Predicción	Observaciones	Circunferencia			
			10 min	20 min	30 min	40 min
A (Levadura sola)						
B (Levadura y 25 ml de sal)						
C (Levadura y 25 ml de azúcar)						
D (Levadura y 50 ml de azúcar)						
E (Sin levadura y 25 mL de azúcar)						

11. Coloca un globo sobre la botella E sin agregar levadura a la botella.

12. Coloca las cinco botellas en un lugar cálido lejos de cualquier corriente de aire. Cada diez minutos durante 40 minutos, mide la circunferencia de cada globo colocando un cordel alrededor del globo en su parte más ancha. Registra tus mediciones en la tabla de datos.

Analiza y concluye

1. **Medir** ¿Qué globos cambiaron de tamaño durante este ejercicio? ¿Cómo cambiaron?

2. **Inferir** Explica por qué el globo cambió de tamaño en algunas botellas y no en otras. ¿Qué generó el cambio de tamaño?

3. **Interpretar datos** ¿Qué muestran los resultados de la botella C en comparación con los de la botella D? ¿Por qué se incluye la botella E en esta investigación?

4. **Sacar conclusiones** ¿La levadura usa la sal o el azúcar como fuente de alimento? ¿Cómo lo sabes?

5. **Comunicar** Resume lo que aprendiste de esta investigación. Sustenta cada una de tus conclusiones con las evidencias que reuniste.

Diseña un experimento

Desarrolla una hipótesis sobre si la temperatura influye en la actividad de las células de la levadura. Luego diseña un experimento para probar tu hipótesis. *Obtén la autorización de tu maestro antes de realizar tu investigación.*

Para: Compartir datos, disponible en inglés.
Visita: PHSchool.com
Código Web: ced-1033

① Protistas

Conceptos clave

- Como los animales, los protistas parecidos a animales son heterótrofos y la mayoría se mueve de un lugar a otro para obtener alimento.
- Como las plantas, las algas son autótrofas.
- Como los hongos, los protistas parecidos a hongos son heterótrofos, tienen paredes celulares y usan esporas para reproducirse.

Términos clave

protista
protozoario
seudópodo
vacuola contráctil
cilios
simbiosis
mutualismo
algas
pigmento
espora

② Multiplicación de las algas

Conceptos clave

- En general, las floraciones de algas se dan cuando los nutrientes aumentan en el agua.
- Las mareas rojas son peligrosas cuando las toxinas que producen las algas se concentran en el cuerpo de los organismos que consumen las algas.
- La eutrofización desencadena una serie de sucesos que tienen consecuencias graves.

Términos clave

floración de algas
marea roja
eutrofización

③ Hongos

Conceptos clave

- Los hongos son eucariotas con paredes celulares, son heterótrofos que se alimentan absorbiendo su alimento y usan esporas para reproducirse.
- Los hongos se reproducen normalmente formando esporas. Las esporas livianas están rodeadas por una cubierta protectora y el aire o el agua las transportan con facilidad a otros sitios.
- Los hongos desempeñan funciones importantes como descomponedores y recicladores en la Tierra. Muchos hongos constituyen una fuente de alimento para las personas. Algunos ocasionan enfermedades y otros las combaten. Algunos viven en simbiosis con otros organismos.

Términos clave

hongos
hifas
órgano fructífero
gemación
liquen

Repaso y evaluación

Go Online
PHSchool.com

Para: Una autoevaluación, disponible en inglés.
Visita: PHSchool.com
Código Web: cea-1030

Organizar la información

Ordenar en serie Copia el diagrama de flujo sobre los cambios en un lago en una hoja de papel. Luego, complétalo y agrégale un título. (Para más información sobre ordenar en serie, consulta el Manual de destrezas.)

El exceso de nutrientes fluye a un lago.

↓

a. _____ ?

↓

b. _____ ?

↓

c. _____ ?

↓

Mueren lo peces y otros organismos del lago.

Repasar los términos clave

Elige la letra de la mejor respuesta.

1. ¿Cuál de las siguientes características describe a todos los protistas?
   a. Son unicelulares.
   b. Pueden verse a simple vista.
   c. Sus células tienen núcleos.
   d. No pueden moverse por sí solos.

2. A la estructura de un protista que recoge agua y la expele de la célula se le llama
   a. seudópodo.
   b. vacuola contráctil.
   c. cilios.
   d. espora.

3. La interacción de dos especies en la que al menos una de ellas se beneficia se llama
   a. eutrofización.   **b.** hifas.
   c. simbiosis.   **d.** gemación.

4. Una sobrepoblación de algas de agua salada se llama
   a. pigmento.   **b.** liquen.
   c. marea roja.   **d.** eutrofización.

5. Un liquen es una asociación simbiótica entre
   a. hongos y raíces de plantas.
   b. algas y hongos.
   c. algas y bacterias.
   d. protozoarios y algas.

Si la oración es verdadera, escribe *verdadera*. Si es falsa, cambia la palabra o palabras subrayadas para hacer verdadera la oración.

6. Los ciliados usan <u>flagelos</u> para moverse.
7. Los protistas parecidos a plantas se llaman <u>protoozarios</u>.
8. La <u>eutrofización</u> es el proceso por el cual se forman nutrientes en un lago con el tiempo.
9. Casi todos los hongos están formados por estructuras parecidas a hilos llamadas <u>esporas</u>.
10. Los hongos producen esporas en estructuras llamadas <u>órganos fructíferos</u>.

Escribir en ciencias

Panfleto informativo Crea un panfleto para enseñar a los niños de corta edad sobre los hongos. Explica dónde viven los hongos, cómo se alimentan y las funciones que desempeñan. Incluye también ilustraciones.

Discovery CHANNEL SCHOOL

Protists and Fungi
Video Preview
Video Field Trip
▶ Video Assessment

Repaso y evaluación

Verificar los conceptos

11. Describe el proceso por el cual las amibas obtienen alimento.

12. Describe las diferencias entre las algas en términos de su tamaño.

13. Compara cómo obtienen alimento los protistas parecidos a animales, a plantas y a hongos.

14. ¿Qué son las floraciones de algas? ¿Qué problemas ocasionan en las aguas de la Tierra?

15. ¿Cómo ocurre la reproducción sexual en los hongos?

16. Explica cómo se benefician de su relación simbiótica los dos organismos que forman un liquen.

Pensamiento crítico

17. **Comparar y contrastar** Identifica los siguientes organismos. Describe el método por el cual obtiene alimento cada uno. ¿Qué estructuras participan?

18. **Predecir** Si desaparecieran de pronto todas las algas de las aguas de la Tierra, ¿qué les sucedería a los seres vivos en la Tierra? Explica tu respuesta.

19. **Emitir un juicio** Supón que ves el anuncio de un nuevo fungicida eficaz que garantiza que mata al contacto a la mayoría de los hongos. ¿Qué debería considerar la gente antes de optar por comprar este fungicida?

20. **Relacionar causa y efecto** Supón que ves cierto material verde parecido a suciedad que crece en las paredes de tu pecera de agua dulce en casa. Haz una lista de las posibles razones por las que se dio este brote.

21. **Resolver un problema** ¿Cuáles son algunas de las medidas que deben emprender los propietarios de casas para desalentar el crecimiento de moho en sus sótanos? Explica por qué estas medidas ayudarían a resolver el problema.

Aplicar destrezas

Usa la gráfica para responder a las siguientes preguntas 22 a 25.

Al agregar levadura a la masa de pan, las células de la levadura producen dióxido de carbono, y la masa se levanta. La gráfica siguiente muestra la influencia que la temperatura ejerce en la cantidad de dióxido de carbono que se produce.

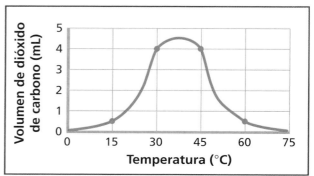

Temperatura y producción de dióxido de carbono

22. **Interpretar datos** Según la gráfica, ¿a qué temperatura produce la levadura más dióxido de carbono?

23. **Inferir** Usa la gráfica para explicar por qué se disuelve la levadura en agua caliente y no en agua fría cuando se usa para preparar pan.

24. **Predecir** Según la gráfica, ¿esperarías que la masa de pan se elevara si se colocara en un refrigerador (entre 2° y 5 °C)? Explica tu respuesta.

25. **Sacar conclusiones** Explica cómo influye la temperatura en la cantidad de dióxido de carbono que producen las células de la levadura.

Lab zone Proyecto del capítulo

Evaluación del desempeño Crea un cartel que resuma tu experimento para la clase. En tu cartel, incluye tu hipótesis y describe las condiciones que produjeron el mejor crecimiento de champiñones. Usa diagramas y gráficas para mostrar tus resultados. ¿El proyecto te genera preguntas nuevas sobre los champiñones? Si es así, ¿cómo responderías a esas preguntas?

Sugerencia para hacer la prueba

Leer todas las opciones de respuesta

Lee siempre *todas* las opciones de respuesta en una pregunta de opción múltiple antes de elegir la que consideres correcta. Si dejas de leer tan pronto como halles una respuesta que parezca correcta, quizá no observes otra opción que sea más completa o precisa. O bien quizá no te des cuenta de que "todas las anteriores" se da como una de las opciones de respuesta.

Pregunta de ejemplo

¿Cuál de las siguientes opciones es verdadera en relación con un liquen que está compuesto de un hongo y una alga?

 A El alga proporciona alimento al hongo.
 B El hongo proporciona refugio, agua y minerales al alga.
 C El hongo es un heterótrofo y no realiza la fotosíntesis.
 D todas las anteriores

Respuesta

La opción **D** es la respuesta correcta porque todas las opciones son correctas. El hongo y el alga que forman un liquen dependen uno de otro. El hongo depende del alga para alimentarse. A su vez, el hongo proporciona al alga agua, minerales y un lugar para vivir.

Elige la letra de la mejor respuesta.

1. Roberto llena una caja de Petri con agua de un estanque que contiene una mezcla de protozoarios y algas. Cubre la mitad de la caja de Petri con papel aluminio y la coloca en el apoyo de una ventana soleada. Predice lo que Roberto podría observar después de varios días.
 A Los protozoarios y las algas se distribuirían uniformemente en toda la caja de Petri.
 B Los protozoarios y las algas se encontrarían sólo en la mitad cubierta de la caja de Petri.
 C Se hallarían más algas en la mitad descubierta de la caja de Petri.
 D Los protozoarios pueden elaborar ahora su propio alimento.

2. ¿Cuál de las oraciones siguientes sobre la reproducción de los hongos es verdadera?
 F Los hongos se reproducen sexualmente por gemación.
 G Los hongos se reproducen generando esporas.
 H Los hongos se reproducen asexualmente cuando dos hifas se unen e intercambian material genético.
 J Los hongos no se reproducen sexualmente.

3. ¿Cuál de las oraciones siguientes sobre los paramecios es correcta?
 A Tienen dos vacuolas contráctiles que eliminan el exceso de agua del citoplasma.
 B Usan cilios para moverse.
 C Tienen dos núcleos.
 D todas las anteriores

4. ¿Qué estructura te indica que la euglena que se aprecia abajo es un autótrofo?

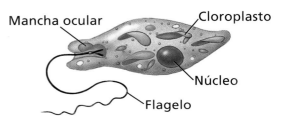

 F mancha ocular
 G flagelo
 H núcleo
 J cloroplasto

5. ¿Cuál de las opciones siguientes es verdadera en relación con las floraciones de algas?
 A Sólo se dan en agua dulce.
 B Sólo se dan en agua salada.
 C Se dan cuando aumentan los nutrientes en el agua.
 D Las generan los protistas parecidos a animales.

Respuesta estructurada

6. Durante una excursión por un parque estatal, observas algunos champiñones que crecen en un tronco. Describe de qué manera usan los champiñones el tronco como fuente de alimento. Incluye información sobre las estructuras de los champiñones que desempeñan una función importante en el proceso y la secuencia de sucesos que ocurren.

Los helechos y otras plantas crecen junto a los arroyos de los bosques. ▶

Lab zone™ Proyecto del capítulo

Diseñar y crear una exposición interactiva

Algodón, medicamentos y papel son sólo algunos de los productos provenientes de las plantas. ¿Qué plantas son la fuente de estos productos y cómo se hacen los productos? En este proyecto, harás una exposición para enseñar a niños de corta edad cómo las plantas se vuelven un producto útil.

Tu objetivo Crear una exposición interactiva que muestre cómo una determinada planta se transforma en un producto útil

Para completar con éxito este proyecto debes

- elegir un producto de origen vegetal e investigar de dónde proviene
- diseñar una exposición interactiva que muestre cómo se elabora el producto
- crear tu exposición y pedir a algunos niños que la critiquen
- usar las opiniones de los niños para rediseñar tu exposición
- seguir las reglas de seguridad del Apéndice A

Haz un plan Piensa en una forma creativa de enseñar a los niños sobre el producto de origen vegetal que elijas. Luego, bosqueja el diseño de tu exposición y obtén la aprobación de tu maestro para crearla. Además, identifica a algunos niños que puedan darte su opinión.

1

El reino vegetal

Avance de la lectura

Conceptos clave

- ¿Qué características comparten todas las plantas?
- ¿Qué necesitan las plantas para vivir exitosamente en la tierra?
- ¿En qué difieren las plantas no vasculares de las vasculares?
- ¿Cuáles son las diferentes etapas del ciclo de vida de las plantas?

Términos clave

- fotosíntesis • tejido
- cloroplasto • vacuola
- cutícula • tejido vascular
- fecundación • cigoto
- planta no vascular
- planta vascular • clorofila
- esporofito • gametofito

Destreza clave de lectura

Desarrollar el vocabulario Una definición plantea el significado de una palabra o frase pues indica su característica o función más importante. Después de leer la sección, vuelve a leer los párrafos que contienen definiciones de términos clave. Usa toda la información que aprendiste para escribir una definición de cada término clave con tus propias palabras.

Lab zone Actividad Descubre

¿Qué revelan las hojas sobre las plantas?

1. Tu maestro te dará dos hojas de plantas que crecen en dos ambientes muy distintos: un desierto y una zona con lluvia promedio.

2. Observa con cuidado el color, tamaño, forma y textura de las hojas. Toca las superficies de cada hoja. Examina cada una con una lupa. Registra tus observaciones en tu cuaderno.

3. Al terminar, lávate las manos a conciencia con jabón y agua.

Reflexiona

Inferir Usa tus observaciones para determinar qué planta vive en el desierto y cuál no. Da al menos una razón que apoye tu inferencia.

En el mundo hay algunas plantas muy extrañas. Hay plantas que atrapan animales, otras que florecen cada treinta años y algunas con flores que huelen a carne podrida. Quizá no veas esas plantas tan inusuales todos los días, pero seguramente miras plantas a diario. Te encuentras con plantas cada vez que ves musgo en el tronco de un árbol, al cruzar por un prado o cuando recoges tomates maduros en una huerta. Y todas las plantas, tanto las no familiares como las familiares, tienen mucho en común.

¿Qué es una planta?

Los miembros del reino de las plantas comparten varias características. **Casi todas las plantas son organismos autótrofos que producen su propio alimento. Todas las plantas son eucariotas que contienen muchas células. Además, todas las células de las plantas están rodeadas por paredes celulares.**

Las plantas son autótrofas Piensa en cualquier planta común como si fuera una fábrica de alimentos impulsada por el Sol. La luz solar proporciona la energía para este proceso de elaboración de alimento, llamado **fotosíntesis.** Durante la fotosíntesis, la planta usa dióxido de carbono y agua para elaborar alimento y oxígeno. En la Sección 2, aprenderás más sobre la fotosíntesis.

Células de ▼ una planta

Las plantas son multicelulares No necesitas un microscopio para ver las plantas porque son multicelulares. Las plantas varían mucho en tamaño, por supuesto. Tanto el diminuto musgo como el enorme árbol de secoya son plantas.

Al margen de qué tan grande o pequeña sea una planta, sus células están organizadas en **tejidos:** grupos de células similares que realizan una determinada función en un organismo. Por ejemplo, casi todas las plantas que viven sobre la tierra tienen tejidos que transportan materiales por su cuerpo.

Células de las plantas Si vieras las células de una planta bajo el microscopio, verías que las plantas son eucariotas. Pero a diferencia de las células de algunas otras eucariotas, las de una planta están encerradas por una pared celular. La pared celular rodea la membrana celular y separa a la célula del ambiente. Las paredes celulares de una planta contienen celulosa, un material que hace que las paredes sean rígidas. Las paredes celulares son lo que hacen que las manzanas y las zanahorias sean crujientes. Como sus paredes celulares son rígidas, las células de las plantas parecen cajas pequeñas.

Las células de las plantas también contienen muchas otras estructuras, como se aprecia en la Figura 1. Los **cloroplastos**, que parecen caramelos de goma, son las estructuras en las que se elabora el alimento. La palabra griega *cloro* significa "verde". Una **vacuola** es una gran bolsa de almacenamiento que se expande y contrae como un globo. La vacuola almacena muchas sustancias, como agua, desechos y alimento. Una planta se marchita cuando es demasiada el agua que abandona sus vacuolas.

Cloroplasto · Núcleo

Pared celular

Vacuola

Membrana celular · ▲ Célula de una planta aislada

FIGURA 1
Estructuras celulares de las plantas

Como todas las plantas, este árbol de arce es multicelular. Las plantas tienen células eucariotas que están encerradas por una pared celular.
Relacionar diagramas y fotos *¿Qué estructuras celulares ves en la foto circular de las células de una planta?*

Go Online
active art

Para: Actividad sobre las estructuras celulares de las plantas, disponible en inglés.
Visita: PHSchool.com
Código Web: cep-1041

 Verifica tu lectura · **¿Cuál es la función de la vacuola en la célula de una planta?**

Adaptaciones para la vida en la tierra

Casi todas las plantas viven en la tierra. ¿En qué difiere vivir en la tierra de vivir en el agua? Imagina unas algas multicelulares flotando en el mar. Las algas obtienen agua y otros materiales directamente del agua que las rodea. El agua hace que su cuerpo apunte hacia la luz solar. El agua también ayuda en la reproducción, ya que permite que los espermatozoides naden hacia los óvulos.

Ahora imagina las plantas que viven en la tierra. ¿Qué adaptaciones les ayudan a satisfacer sus necesidades sin que haya agua a su alrededor? **Para que las plantas sobrevivan en la tierra, deben obtener de alguna forma agua y otros nutrientes de su entorno, retener el agua, transportar materiales por su cuerpo, sostener su cuerpo y reproducirse.**

Obtención de agua y otros nutrientes Recuerda que todos los organismos necesitan agua para sobrevivir. Obtenerla es fácil para las algas porque el agua las rodea. Sin embargo, para vivir en la tierra, las plantas necesitan adaptaciones que les permitan obtener agua del suelo. Las plantas también deben contar con formas de obtener otros nutrientes del suelo.

Retención de agua Las plantas deben almacenar de alguna forma el agua que obtienen. De lo contrario, se secarían con facilidad debido a la evaporación. Cuando hay más agua en las células de las plantas que en el aire, el agua abandona a la planta y entra en el aire. Una adaptación que ayuda a las plantas a reducir la pérdida de agua es una capa grasa impermeable llamada **cutícula** que cubre las hojas de casi todas las plantas.

FIGURA 2
Retención del agua
Las plantas tienen adaptaciones que las ayudan a retener el agua. La cutícula brillante e impermeable de esta hoja reduce el ritmo de evaporación.

Matemáticas ▶ Analizar datos

Pérdida de agua en las plantas

La gráfica muestra cuánta agua pierde cierta planta durante las horas que se muestran.

1. **Leer gráficas** ¿Qué variable está representada en cada eje?

2. **Interpretar datos** Según la gráfica, ¿durante qué parte del día perdió más agua la planta? ¿Durante qué parte perdió menos agua?

3. **Sacar conclusiones** ¿Qué podría explicar el patrón de pérdida de agua que se muestra?

4. **Predecir** ¿Cómo esperarías que se viera la gráfica de las 10:00 p.m. a las 8:00 a.m.? Explica tu razonamiento.

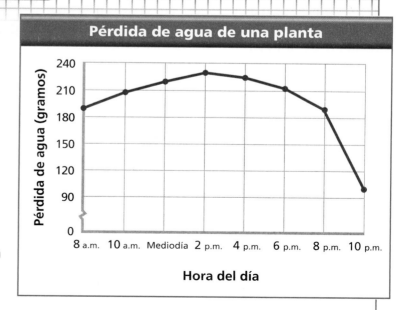

Pérdida de agua de una planta

FIGURA 3
Transporte y sustento
Para que sobreviva esta palmera, debe transportar agua, minerales y alimento a largas distancias. También debe sostener su cuerpo para que sus hojas estén expuestas a la luz solar. **Relacionar causa y efecto** *¿Qué estructuras permiten que las plantas transporten materiales?*

Agua y minerales

Alimento

Transporte de materiales Una planta necesita transportar agua, minerales, alimento y otros materiales de una parte de su cuerpo a otra. En general, el agua y los minerales suben desde la parte inferior de la planta, mientras que el alimento se elabora en la parte superior. Pero todas las células de la planta necesitan agua, minerales y alimento.

En las plantas pequeñas, los materiales pueden moverse simplemente de una célula a la siguiente. Pero las plantas más grandes necesitan una forma más eficaz para transportar los materiales más lejos, de una parte de la planta a otra. Estas plantas tienen un tejido de transporte llamado tejido vascular. El **tejido vascular** es un sistema de estructuras tubulares dentro de la planta y a través de los cuales se desplazan agua, minerales y alimento.

Sustento Una planta sobre la tierra debe sostener su propio cuerpo. El sustento no es problema para las plantas pequeñas que crecen a poca distancia del suelo. Pero para que sobrevivan las plantas más grandes, las partes que elaboran su alimento deben estar expuestas a tanta luz solar como sea posible. Las paredes celulares rígidas y el tejido vascular se fortalecen y sustentan los largos cuerpos de estas plantas.

Reproducción Todas las plantas experimentan la reproducción sexual que supone la fecundación. La **fecundación** ocurre cuando un espermatozoide se une a un óvulo. El óvulo fecundado se llama **cigoto.** Para las algas y algunas otras plantas, la fecundación sólo ocurre si hay agua en el ambiente. Esto se debe a que los espermatozoides de estas plantas nadan por el agua hasta los óvulos. Sin embargo, otras plantas tienen una adaptación que permite la fecundación en ambientes secos. En el Capítulo 5 aprenderás más sobre esta adaptación.

 **Verifica tu lectura** ¿Por qué las plantas necesitan adaptaciones para impedir la pérdida de agua?

FIGURA 4
Clasificación de las plantas

Las cientos de miles de plantas que existen ahora se clasifican como plantas no vasculares y vasculares. Las plantas no vasculares son pequeñas y viven en los ambientes húmedos. Las plantas vasculares crecen altas y viven en diversos hábitats.

Clasificar *¿Cuáles son los tres grupos de plantas vasculares?*

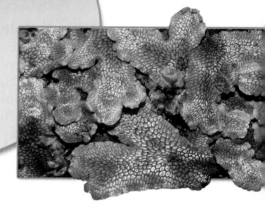

Plantas no vasculares

Las plantas no vasculares no tienen un verdadero tejido vascular de sustento o transporte. Crecen a poca distancia del suelo.

◄ Los musgos crecen en lugares húmedos y sombreados.

Las hepáticas crecen en suelo y piedras húmedos. ►

Clasificación de las plantas

Los científicos agrupan informalmente a las plantas en dos grupos principales: plantas no vasculares y plantas vasculares.

Plantas no vasculares Las plantas que carecen de un sistema bien desarrollado de tubos para transportar el agua y otros minerales se conocen como **plantas no vasculares.** Estas plantas son de crecimiento lento y no tienen raíces para absorber el agua del suelo. Más bien, obtienen de manera directa el agua y los minerales de su entorno. Los materiales pasan después simplemente de una célula a la siguiente. Esto significa que los materiales no viajan muy lejos o muy rápido. Este lento método de transporte ayuda a explicar por qué la mayoría de las plantas no vasculares vive en lugares húmedos y sombreados.

Casi todas las plantas no vasculares tienen paredes celulares delgadas para sostenerse. Ésta es una de las razones por las que estas plantas crecen sólo unos cuantos centímetros de alto.

Plantas vasculares Las plantas con un verdadero tejido vascular se llaman **plantas vasculares** y están mejor adaptadas para la vida en zonas secas que las no vasculares. Su tejido vascular bien desarrollado resuelve el problema de transporte, desplazando materiales rápida y eficazmente por todo el cuerpo.

El tejido vascular también proporciona fortaleza, estabilidad y sustento a la planta. Así, las plantas vasculares pueden crecer muy altas.

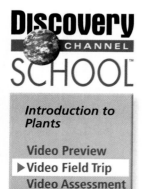

Discovery
CHANNEL
SCHOOL

Introduction to Plants

Video Preview
► Video Field Trip
Video Assessment

Plantas vasculares sin semillas

Las plantas vasculares sin semillas se reproducen generando esporas.

◄ El helecho cuerno de alce produce esporas en las puntas de sus hojas en forma de asta. Este helecho se aferra a la corteza de los árboles en las zonas tropicales.

Gimnospermas

Las gimnospermas son plantas vasculares que se reproducen por medio de semillas. No forman flores o frutos.

◄ Los árboles gingko producen semillas carnosas parecidas a frutos pero que no lo son. ¡Las semillas huelen a vómito!

▲ El pino de conos erizados puede vivir más de 4,000 años.

Angiospermas

Las angiospermas son plantas vasculares que florecen y producen semillas rodeadas por frutos.

El nopal del castor produce flores de colores brillantes. ▼

El trigo ha sido un cultivo alimenticio importante durante miles de años. Los granos, o frutos, se muelen para hacer harina. ►

Piedra con dos plantas fósiles. ▶

FIGURA 5
Plantas antiguas y modernas
Los fósiles de plantas antiguas ayudan a los científicos a entender el origen de las plantas. Estos fósiles son de dos plantas que vivieron hace unos 300 millones de años. Observa las similitudes entre los helechos y las colas de caballo fósiles y modernos.

Origen de las plantas ¿Qué organismos fueron los ancestros de las plantas actuales? En busca de respuestas, los biólogos estudiaron los fósiles, los rastros de las antiguas formas de vida preservadas en piedra y otras sustancias. Los fósiles vegetales más antiguos tienen unos 400 millones de años y demuestran que incluso en esa época tan remota tenían muchas adaptaciones para la vida en la tierra, incluido el tejido vascular.

Los mejores indicios del origen de las plantas provienen de la comparación de las sustancias químicas de las plantas modernas con las de otros organismos. En concreto, los biólogos estudiaron un pigmento verde llamado **clorofila,** que está en los cloroplastos de plantas, algas y algunas bacterias. Las plantas terrestres y las algas verdes contienen las mismas formas de clorofila. Esta evidencia hizo que los biólogos infirieran que las antiguas algas verdes fueron los ancestros de las actuales plantas terrestres. Otras comparaciones del material genético demostraron con claridad que plantas y algas verdes tienen una relación muy estrecha. De hecho, algunos científicos consideran que las algas verdes deberían clasificarse en el reino de las plantas.

 ¿Qué es la clorofila?

Ciclos de vida complejos

Las plantas tienen ciclos de vida complejos que incluyen dos etapas diferentes, la etapa de esporofito y la etapa de gametofito. En la etapa de **esporofito** la planta produce esporas, diminutas células que se convierten en nuevos organismos. Una espora se desarrolla en la otra etapa de la planta, llamada gametofito. En la etapa de **gametofito** la planta produce dos clases de células sexuales: espermatozoides y óvulos.

La Figura 6 muestra el ciclo de vida de una planta común. Un espermatozoide y un óvulo se unen y forman un cigoto. Éste se convierte en un esporofito, el cual produce esporas, que se convierten en el gametofito. Luego éste produce espermatozoides y óvulos, y el ciclo empieza de nuevo. El esporofito de una planta por lo general es muy diferente al gametofito.

 **¿Durante qué etapa produce esporas una planta?**

FIGURA 6
Ciclo de vida de una planta
Las plantas tienen ciclos de vida complejos que constan de dos etapas: la etapa de esporofito y la etapa de gametofito. **Interpretar diagramas** *¿Durante qué etapa se producen espermatozoides y óvulos?*

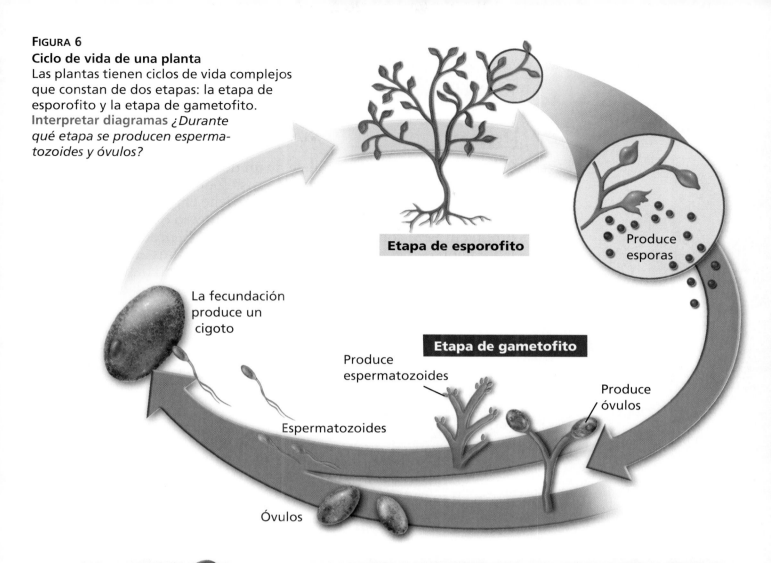

Etapa de esporofito

Produce esporas

La fecundación produce un cigoto

Etapa de gametofito

Produce espermatozoides

Produce óvulos

Espermatozoides

Óvulos

Sección 1 Evaluación

Destreza clave de lectura Desarrollar el vocabulario Usa tus oraciones para responder a las siguientes preguntas.

Repasar los conceptos clave

1. **a. Hacer una lista** Nombra tres características de las plantas.
   b. Comparar y contrastar Describe tres diferencias entre las células de las plantas y las células de algunas otras eucariotas.
   c. Predecir ¿En qué se vería afectada una planta que careciera de coloroplastos?
2. **a. Identificar** Indica cinco adaptaciones que necesitan las plantas para sobrevivir en la tierra.
   b. Inferir ¿Por qué la cutícula es una adaptación útil en las plantas pero no en las algas?
3. **a. Repasar** ¿En qué difieren las plantas no vasculares de las vasculares?
   b. Explicar Explica por qué las plantas vasculares se adaptadan mejor a la vida en las zonas secas.

   c. Clasificar ¿Esperarías que una planta del desierto alta fuera vascular? Explica.
4. **a. Describir** ¿Cuáles son las dos principales etapas del ciclo de vida de las plantas?
   b. Ordenar en serie Ordena y describe los principales sucesos en el ciclo de vida de una planta, empezando por el cigoto.

Escribir en ciencias

Guión para vídeo Supón que estás narrando un vídeo llamado *La vida en la Tierra*, que está escrito desde la perspectiva de una planta. Redacta un guión de una página de extensión para tu narración. Expón los retos que plantea la vida en la tierra para las plantas y cómo satisfacen sus necesidades.

Papel

¿Qué tienen en común un billete de un dólar, tu boleta de calificaciones y un libro de tiras cómicas? Todos están impresos en papel, por supuesto. Pero ¿de dónde viene el papel? Como aquí se aprecia, el papel se elabora en un proceso que por lo común empieza con la madera de los árboles. El proceso de elaboración de papel se inventó en China hace unos 2,000 años. Ahora, las fábricas de papel de todo el mundo dependen de máquinas poderosas que producen enormes cantidades de papel.

1 Se cultivan y cosechan los árboles.
El papel se produce principalmente de los árboles que se cultivan para este propósito específico.

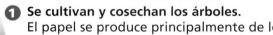

2 Los troncos se descortezan.
La descortezadora elimina la corteza de los troncos.

3 Se trocea la madera.
La troceadora corta la madera en pequeños trozos.

4 Se forma la pulpa.
El calor y las sustancias químicas descomponen los trozos en fibras llamadas pulpa.

Los beneficios del papel

El papel beneficia a la sociedad en muchas formas. Muchos artículos cotidianos están hechos a partir del papel: tejidos, vasos de papel y embalajes de cartón. Tal vez lo más importante, el papel es un recurso portátil y barato para imprimir palabras e imágenes. El papel ha permitido que la gente exprese sus pensamientos, registre la historia y comparta conocimientos. Además, la industria papelera emplea a muchas personas y garantiza ingresos a la economía.

El papel y el ambiente

El papel tiene efectos negativos en el ambiente. Cada etapa del proceso de elaboración de papel exige energía y genera desechos, algunos tóxicos, como las dioxinas que se forman al usar agua para retirar las sustancias químicas del papel. Los productos derivados del papel también generan mucha de la basura que hay en los basureros. Debido a los costos ambientales, los ingenieros trabajan en la creación de un nuevo tipo de "papel" llamado papel electrónico, o e-papel. En el futuro, quizás uses pantallas digitales flexibles y muy delgadas en lugar de papel.

5 Se agrega agua.
A la pulpa se le agrega agua para darle una consistencia acuosa. Esta pulpa acuosa se rocía después en amplias mamparas y el agua empieza a escurrirse.

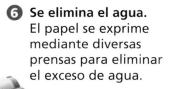

6 Se elimina el agua.
El papel se exprime mediante diversas prensas para eliminar el exceso de agua.

7 El papel se seca.
Rodillos calientes secan el papel, haciendo que se ponga plano y suave.

Evalúa el efecto

1. Identifica la necesidad
¿Cómo depende la sociedad del papel? ¿En qué sería diferente tu vida sin la invención del papel?

2. Analiza
Usa la Internet para investigar el e-papel, una nueva tecnología que puede reemplazar al papel tradicional. Haz una lista de usos potenciales del e-papel.

3. Escribe
Escribe un párrafo o dos en los que compares el e-papel y el papel común. Asegúrate de incluir los pros y los contras de ambas tecnologías según tu investigación.

Go Online
PHSchool.com

Para: Más información sobre el papel, disponible en inglés.
Visita: PHSchool.com
Código Web: ceh-1040

Fotosíntesis y luz

Avance de la lectura

Conceptos clave
- ¿Qué pasa cuando la luz choca con una hoja verde?
- ¿Cómo resumen los científicos el proceso de la fotosíntesis?

Términos clave
- transmisión
- reflexión
- absorción
- pigmento accesorio

Destreza clave de lectura

Examinar ayudas visuales Examina la Figura 9. Luego, escribe dos preguntas que tengas sobre el diagrama en un organizador gráfico como el siguiente. Mientras lees, responde a tus preguntas.

Proceso de la fotosíntesis

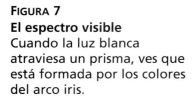

P.	¿Cómo participa la luz solar en la fotosíntesis?
R.	
P.	

¿Qué colores forman la luz solar?

1. Pega un pedazo de papel en blanco en la parte interna de una caja de zapatos.
2. Coloca la caja de lado cerca de una ventana o en el exterior en una zona soleada.
3. Sostén un espejo delante de la parte abierta de la caja. Ajusta el espejo hasta que refleje la luz solar en el papel que está dentro de la caja. **PRECAUCIÓN:** *No dirijas la luz solar hacia tus ojos.*
4. Coloca un prisma entre el espejo y la caja. Ajusta la ubicación del prisma de modo que la luz solar atraviese el prisma.
5. Describe lo que ves en el papel en la caja.

Reflexiona

Observar ¿Qué aprendiste sobre la luz en esta actividad?

Era el año de 1883. T. W. Engelmann, un biólogo alemán, trabajaba en su laboratorio. Miraba bajo el microscopio un alga en un portaobjetos. El microscopio tenía un prisma entre la fuente de luz y el alga. Mientras Engelmann observaba el alga, vio burbujas de gas formadas en el agua que había alrededor de algunas de las células. Curiosamente, no se formaban burbujas de gas alrededor de otras células. Aunque Engelmann no lo sabía en ese entonces, su experimento ofreció indicios sobre cuál es la participación de la luz en la fotosíntesis. Para comprender lo que observó Engelmann, necesitas saber más sobre la naturaleza de la luz.

FIGURA 7
El espectro visible
Cuando la luz blanca atraviesa un prisma, ves que está formada por los colores del arco iris.

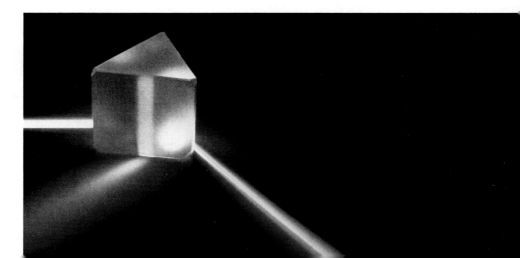

El limón refleja luz amarilla. Tú ves el limón de color amarillo.

La hoja refleja luz verde. Tú ves la hoja de color verde.

La naturaleza de la luz

El sol es la fuente de energía en la Tierra. Si sales a caminar en un día soleado, sientes la energía del sol cuando te calienta la piel. Ves la energía en forma de luz en los objetos que te rodean. La luz que ves se llama luz blanca. Pero cuando esta luz atraviesa un prisma como el de la Figura 7, ves que está formada por los colores del arco iris. Los científicos se refieren a estos colores (rojo, anaranjado, amarillo, verde, azul y violeta) como espectro visible.

Cuando la luz choca con los objetos Además de los prismas, la luz blanca choca con muchos otros objetos. Algunos, como el vidrio y otros materiales transparentes, permiten que la luz pase a través de ellos. Este proceso se llama **transmisión.** Cuando la luz choca con una superficie brillante, como un espejo, se refleja. Este proceso se llama **reflexión.** Cuando los objetos oscuros, como el pavimento de las calles, reciben la luz, el proceso se llama **absorción.**

Sin embargo, la mayor parte de los objetos reflejan algunos colores del espectro visible mientras que absorben otros colores. Cuando la luz blanca choca con el limón de la Figura 8, el limón absorbe la mayor parte de los colores de la luz. Sin embargo, el limón refleja la luz amarilla. El limón se ve amarillo porque tus ojos ven el color reflejado.

Las plantas y la luz Como sucede con los limones amarillos y casi todos los objetos, las plantas absorben algunos colores del espectro visible y reflejan otros. **Cuando la luz choca con las hojas verdes de una planta, se refleja casi toda la parte verde del espectro; la mayoría de los demás colores de la luz se absorben.**

Pigmentos de las plantas Cuando la luz choca con una hoja, la absorben los pigmentos que se encuentran en las células de la hoja. La clorofila, el pigmento más abundante en las hojas, absorbe la mayor parte de la luz azul y roja. Casi toda la luz verde, por otro lado, se refleja en lugar de absorberse. Esto explica por qué la clorofila parece de color verde y por qué las hojas suelen parecer verdes.

En las hojas también se encuentran otros pigmentos, llamados **pigmentos accesorios.** Estos pigmentos, que incluyen los pigmentos anaranjado y amarillo, absorben diferentes colores de luz que la clorofila. La mayoría de los pigmentos accesorios no son visibles en las plantas porque los oculta la clorofila.

> **Verifica tu lectura** ¿Cuál es el pigmento más abundante en las hojas?

Ciencias e historia

Revelación de los misterios de la fotosíntesis

¿Qué necesitan las plantas para elaborar su propio alimento? ¿Qué sustancias producen las plantas en la fotosíntesis? Con el tiempo, el trabajo de muchos científicos ha respondido estas preguntas.

1771
Joseph Priestley
Cuando Joseph Priestley, un científico inglés, puso una vela encendida en un tarro cubierto, la llama se apagó. Cuando puso una planta y una vela en un tarro cubierto, la vela siguió encendida. Concluyó que la planta liberó algo en el aire que mantuvo encendida la vela. Ahora sabemos que las plantas producen oxígeno, un producto de la fotosíntesis.

1779
Jan Ingenhousz
Este científico holandés puso unas ramas con hojas en agua. Bajo la luz solar, las hojas produjeron burbujas de oxígeno. En la oscuridad, las hojas no produjeron oxígeno. Ingenhousz concluyó que las plantas necesitan luz solar para producir oxígeno, un producto de la fotosíntesis.

1643
Jean-Baptiste Van Helmont
El científico holandés Jean-Baptiste Van Helmont sembró un sauce en un cuba con tierra. Al cabo de cinco años de agregarle sólo agua, el árbol aumentó 74 kilogramos. Van Helmont concluyó que los árboles necesitan sólo agua para crecer. Ahora sabemos que el agua es una de la materias primas de la fotosíntesis.

| 1650 | 1700 | 1750 |

El proceso de la fotosíntesis

Cuando la luz choca con las hojas de una planta, echa a andar el proceso conocido como fotosíntesis. Piensa en la fotosíntesis como un proceso de dos partes. Primero, la planta capta la energía del sol. Luego, usa esa energía para producir alimento.

Captación de la energía Como la luz es una forma de energía, una sustancia que absorbe la luz absorbe energía. Así como un auto necesita la energía de la gasolina para moverse, las plantas necesitan energía en forma de luz para activar la fotosíntesis. La fotosíntesis empieza cuando la luz choca con la clorofila en los cloroplastos de la planta. La energía luminosa que se absorbe activa la siguiente etapa del proceso de fotosíntesis.

Escribir en ciencias

Analizar y escribir Averigua más sobre uno de los científicos que se exponen en esta línea cronológica. Escribe el diálogo que podrías haber tenido con el científico. Expón cómo contribuyó el trabajo del científico a nuestra comprensión actual de la fotosíntesis.

1883
T. W. Engelmann
Basándose en el trabajo de Jan Ingenhousz, Engelmann estudió la influencia de los diferentes colores en la fotosíntesis de las algas verdes. Halló que las células bañadas en luz azul y roja tenían los índices de fotosíntesis más rápidos. Hoy, los científicos saben que la clorofila de las algas verdes y las plantas absorbe la mayoría de la luz azul y roja.

1948
Melvin Calvin
El científico estadounidense Melvin Calvin trazó la trayectoria química que sigue el carbono del dióxido de carbono durante la fotosíntesis. Al hacerlo, Calvin aprendió sobre las complejas reacciones químicas de la fotosíntesis.

1864
Julius Sachs
El biólogo alemán Julius Sachs observó las células de una hoja viva bajo el microscopio. Mientras observaba, probó las células en busca de la presencia de carbohidratos. Sachs descubrió que las plantas producen carbohidratos durante la fotosíntesis.

| 1850 | 1900 | 1950 |

La química de la fotosíntesis La energía luminosa es sólo una de las cosas que necesitan las plantas para realizar la fotosíntesis. Así como tú necesitas harina y huevos para hacer galletas, una planta también necesita materias primas para elaborar su propio alimento. Las plantas usan dióxido de carbono y agua como materias primas para la fotosíntesis.

Durante la etapa de fotosíntesis, las plantas usan la energía absorbida por la clorofila para activar una serie de reacciones químicas complejas. En estas reacciones, el dióxido de carbono del aire y el agua del suelo se combinan y producen azúcar, un tipo de carbohidrato. También se produce otro producto, el oxígeno. Los sucesos de la fotosíntesis se representan en la Figura 9.

FIGURA 9
El proceso de la fotosíntesis

En la fotosíntesis, la energía de la luz solar se usa para hacer azúcar y oxígeno a partir del dióxido de carbono y del agua. **Clasificar** *¿Qué sustancias son las materias primas de la fotosíntesis? ¿Cuáles son los productos?*

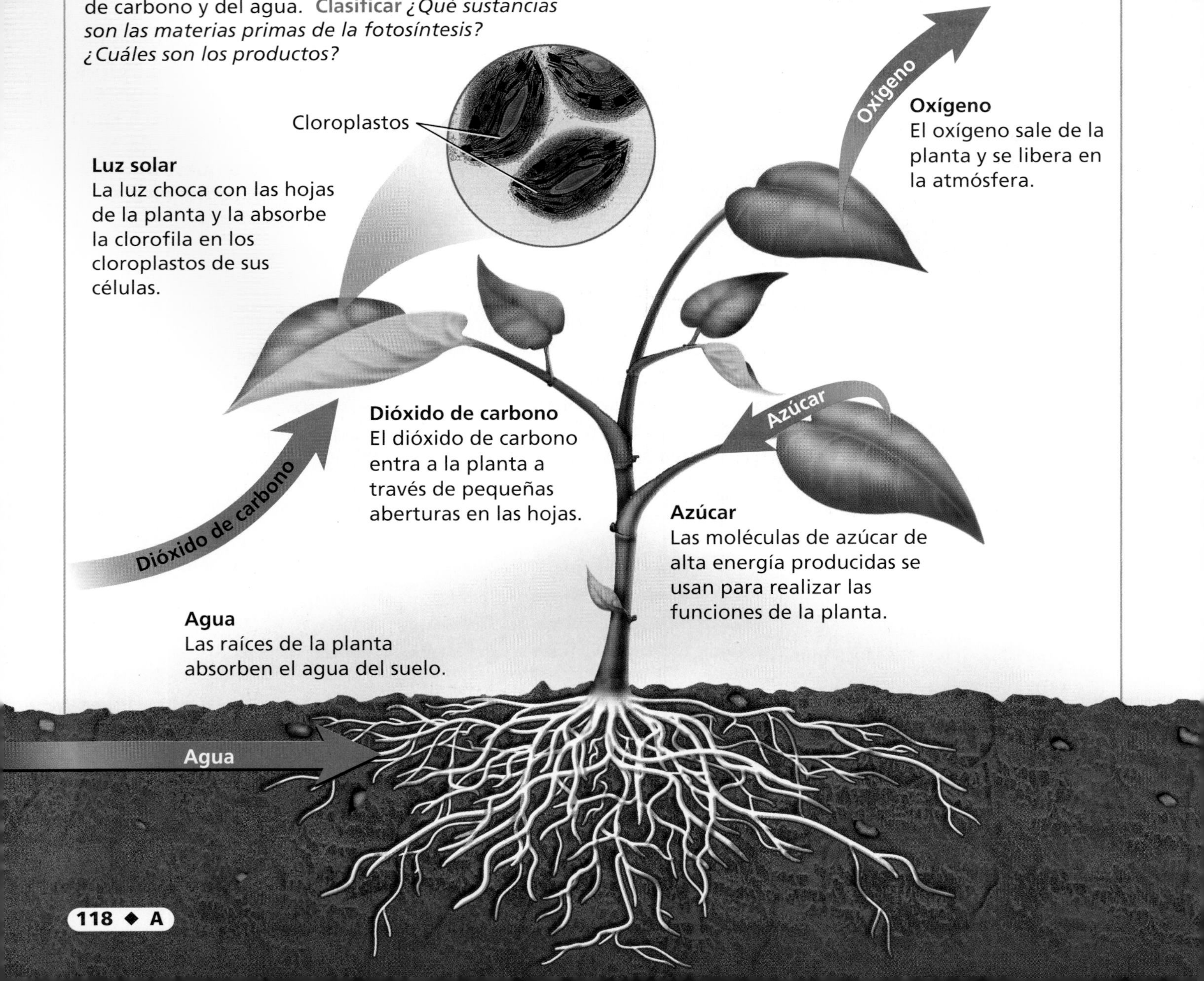

Cloroplastos

Luz solar
La luz choca con las hojas de la planta y la absorbe la clorofila en los cloroplastos de sus células.

Oxígeno
El oxígeno sale de la planta y se libera en la atmósfera.

Dióxido de carbono
El dióxido de carbono entra a la planta a través de pequeñas aberturas en las hojas.

Azúcar
Las moléculas de azúcar de alta energía producidas se usan para realizar las funciones de la planta.

Agua
Las raíces de la planta absorben el agua del suelo.

Agua

La ecuación de la fotosíntesis Los científicos escriben ecuaciones para describir reacciones químicas. Una ecuación química muestra materias primas y productos. **Las diversas reacciones químicas de la fotosíntesis se resumen en esta ecuación:**

$$\text{dióxido de carbono} + \text{agua} \xrightarrow{\text{energía luminosa}} \text{azúcar} + \text{oxígeno}$$
$$(CO_2) \qquad + (H_2O) \qquad\qquad\qquad (C_6H_{12}O_6) + \quad (O_2)$$

Lee esta ecuación como "el dióxido de carbono y el agua se combinan en presencia de la luz para producir azúcar y oxígeno". La fotosíntesis ocurre en las partes de la planta que contienen la clorofila.

Como todos los organismos, las plantas necesitan una provisión constante de energía para crecer y desarrollarse, responder y reproducirse. El alimento elaborado por las plantas durante la fotosíntesis proporciona la energía para estos procesos. Cualquier alimento en exceso que elaboren las plantas se almacena en sus raíces, tallos, hojas o frutos. Las zanahorias, por ejemplo, almacenan el alimento excedente en sus raíces. Cuando te comes una zanahoria, ingieres el alimento almacenado por la planta.

El otro producto de la fotosíntesis es el oxígeno. Casi todo el oxígeno producido durante la fotosíntesis sale de la planta y se integra al aire. Luego lo usan otros organismos para sus procesos corporales.

FIGURA 10
Alimento elaborado por las plantas
Puedes saborear los resultados de la fotosíntesis en una ensalada. Cuando comes pepinos, tomates y otros productos vegetales, estás comiendo el alimento elaborado y almacenado por las plantas.

 Verifica tu lectura ¿Cuáles son los productos de la fotosíntesis?

Sección 2 Evaluación

Destreza clave de lectura Examinar ayudas visuales Consulta tus preguntas y respuestas sobre la fotosíntesis para responder a la pregunta 2.

Repasar los conceptos clave

1. a. Hacer una lista ¿Cuáles son las cosas que podrían suceder con la luz cuando choca con un objeto?
   b. Relacionar causa y efecto ¿Qué pasa cuando la luz choca con una hoja verde? ¿Cómo explica esto que las hojas parecen verdes?
   c. Predecir Predice si una planta crecería mejor exponiéndola a la luz verde o a la luz azul. Explica tu respuesta.
2. a. Repasar ¿Cuál es la ecuación general de la fotosíntesis?

   b. Resumir En una oración, resume lo que pasa durante cada una de las dos etapas de la fotosíntesis.
   c. Aplicar conceptos Explica cómo influiría cada una de estas condiciones en la fotosíntesis de una planta: (a) tiempo nublado, (b) sequía, (c) luz solar brillante.

Lab zone Actividad En casa

Reflexión sobre la luz Con un familiar, busca en la cocina objetos que transmitan, reflejen y absorban la luz blanca. Explica lo que pasa con la luz blanca cuando choca con cada objeto. Luego, elige uno de los objetos y explica por qué se ve del color que tiene.

Échale un ojo a la fotosíntesis

Problema

¿Qué materias primas y condiciones conlleva la fotosíntesis?

Destrezas aplicadas

observar, controlar variables, diseñar experimentos

Materiales

- plantas *Elodea*
- agua (hervida, luego enfriada)
- recipiente de boca ancha
- solución de bicarbonato de sodio
- 2 tubos de ensayo
- lápiz de cera
- lámpara (opcional)

Procedimiento

PARTE 1 Observar la fotosíntesis

1. Usa un lápiz de cera para clasificar los dos tubos de ensayo como *1* y *2*. Llena el tubo 1 con la solución de bicarbonato de sodio. El bicarbonato de sodio constituye una fuente de dióxido de carbono para la fotosíntesis.

2. Llena el recipiente de boca ancha a tres cuartas partes de su capacidad con la solución de bicarbonato de sodio.

3. Pon el pulgar sobre la boquilla del tubo de ensayo 1. Voltea el tubo al revés e introdúcelo hasta el fondo del recipiente. No dejes entrar aire. Si es necesario, repite este paso para que el tubo de ensayo 1 no contenga burbujas de aire. **PRECAUCIÓN:** *Los tubos de ensayo de vidrio son frágiles. Manéjalos con cuidado. No toques vidrios rotos.*

4. Llena el tubo de ensayo 2 con la solución de bicarbonato de sodio. Pon una planta de *Elodea* en el tubo con el tallo cortado en el fondo. Pon el pulgar sobre la boquilla del tubo de ensayo e introdúcelo en el recipiente sin que entre aire. Lávate las manos.

5. Pon el recipiente con los dos tubos de ensayo bajo una luz brillante. Después de unos minutos, examina ambos tubos de ensayo en busca de burbujas.

6. Si se forman burbujas en el tubo de ensayo 2, observa el tallo de la *Elodea* para ver si produce burbujas. Las burbujas son oxígeno. La producción de oxígeno indica que está dándose la fotosíntesis.

7. Deja el conjunto bajo la luz brillante durante 30 minutos. Observa lo que le pasa a cualquiera de las burbujas que se formen. Registra tus observaciones.

PARTE 2 ¿Es necesario el dióxido de carbono para la fotosíntesis?

8. Tu maestro te proporcionará agua hervida y enfriada. El hervor elimina los gases que se disuelven en el agua, incluido el dióxido de carbono.

9. Según lo que aprendiste en la parte 1, diseña un experimento para demostrar si se necesita o no el dióxido de carbono en la fotosíntesis. Obtén la autorización de tu maestro antes de realizar tu experimento. Registra todas tus observaciones.

PARTE 3 ¿Qué otras condiciones son necesarias para la fotosíntesis?

10. Haz una lista de otras condiciones que influyan en la fotosíntesis. Por ejemplo, piensa en factores como la luz, el tamaño de la planta y la cantidad de hojas.

11. Elige un factor de tu lista. Luego, diseña un experimento que muestre la influencia de los factores en la fotosíntesis. Obtén la autorización de tu maestro antes de realizar tu experimento. Registra todas tus observaciones.

Analiza y concluye

1. **Observar** ¿Qué proceso produjo las burbujas que observaste en la parte 1?

2. **Controlar variables** En la parte 1, ¿cuál fue el propósito del tubo de ensayo 1?

3. **Diseñar experimentos** En los experimentos que realizaste en las partes 2 y 3, identifica la variable manipulada y la variable de respuesta. Explica si tus experimentos fueron experimentos controlados o no.

4. **Sacar conclusiones** Basándote en tus resultados de la parte 2, ¿es necesario el dióxido de carbono para la fotosíntesis?

5. **Plantear preguntas** ¿Qué pregunta sobre la fotosíntesis exploraste en la parte 3? ¿Qué aprendiste?

6. **Comunicar** En un párrafo, resume lo que aprendiste sobre fotosíntesis en esta investigación. Asegúrate de apoyar cada una de tus conclusiones con evidencias de tus experimentos.

Explora más

Un animal pequeño en un recipiente cerrado moriría, aunque tuviera agua y alimento suficientes. Un animal pequeño en un recipiente cerrado con una planta, agua y alimento no moriría. Usa lo que aprendiste en este experimento para explicar estos hechos.

3

Musgos, hepáticas y ceratofiláceas

Avance de la lectura

Concepto clave
- ¿Qué características comparten los tres grupos de plantas no vasculares?

Términos clave
- rizoide • ciénaga • turba

Destreza clave de lectura
Identificar ideas principales
Mientras lees esta sección, escribe la idea principal (la idea más importante) en un organizador gráfico como el siguiente. Luego escribe tres detalles de apoyo que den ejemplos de la idea principal.

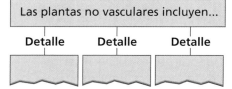

Idea principal

Las plantas no vasculares incluyen...

Detalle	Detalle	Detalle

Lab zone **Actividad** Descubre

¿Absorben agua los musgos?

1. Pon 20 mL de arena en un cilindro graduado de plástico. Pon 20 mL de musgo estagnal en otro cilindro graduado de plástico.

2. Predice lo que sucedería si viertes lentamente 10 mL de agua en cada uno de los dos cilindros graduados y luego esperas cinco minutos.

3. Para poner a prueba tu predicción, usa un tercer cilindro graduado y agrega lentamente 10 mL de agua en la arena. Luego añade 10 mL de agua al musgo. Al cabo de cinco minutos, registra tus observaciones.

Reflexiona
Predecir ¿En qué se parece tu predicción a los resultados? ¿Qué aprendiste sobre el musgo de esta investigación?

Supón que te detienes en tu excursión a ver el bosque que te rodea. Hasta donde puedes ver, te rodea una alfombra viva de musgos. Crecen por doquier: en los troncos de los árboles, en las piedras a las orillas del arroyo y en el suelo del bosque. Los musgos forman uno de los grupos de plantas no vasculares. **Los tres principales grupos de plantas no vasculares son los musgos, las hepáticas y las ceratofiláceas. Estas plantas de lento crecimiento viven en ambientes húmedos en los que absorben el agua y otros nutrientes directamente de su ambiente.** El entorno acuoso también permite que los espermatozoides naden hacia los óvulos durante la reproducción.

Musgos

¿Alguna vez has visto que crezcan musgos en las grietas de una acera o en un lugar sombreado? Con más de 10,000 especies, los musgos son con mucho el grupo de plantas no vasculares más diverso.

Estructura de un musgo Si observaras de cerca un musgo, verías una planta como la de la Figura 11. El musgo verde y velloso que te es tan familiar es la generación de gametofito de la planta. Las estructuras que se ven como diminutas hojas surgen de una estructura pequeña parecida a un tallo. Las estructuras delgadas y similares a raíces llamadas **rizoides** anclan al musgo y absorben agua y nutrientes. La generación de esporofito surge del gametofito. El esporofito genera un tallo largo y delgado con un cápsula en la punta. La cápsula contiene esporas.

Importancia de los musgos Muchas personas usan el musgo turba en la agricultura y la jardinería. Este musgo que emplean los jardineros contiene musgo esfagnal y crece en un tipo de pantano llamado **ciénaga,** o turbera. El agua estancada en una ciénaga es tan ácida que ahí los descomponedores no sobreviven. Así, cuando las plantas mueren, no se descomponen, sino que se acumulan en el fondo de la ciénaga. Con el tiempo, los musgos se comprimen en capas y forman un material café negruzco llamado **turba.** En América del Norte, Europa y Asia existen grandes depósitos de turba. En Europa y Asia, las personas usan la turba como combustible para calentar las casas y cocinar los alimentos.

Verifica tu lectura ¿Cómo se forma la turba?

FIGURA 11
Un musgo
El gametofito musgo tiene un crecimiento lento y estructuras parecidas a raíces, tallos y hojas. La generación de esporofito parecida a un tallo permanece unida al gametofito.
Interpretar diagramas
¿Qué estructuras anclan al gametofito?

Cápsula

Tallo

Esporofito

Estructura parecida a un tallo

Estructura parecida a una hoja

Gametofito

Rizoide

FIGURA 12

Hepáticas y ceratofiláceas
Las hepáticas (izquierda) tienen esporofitos demasiado pequeños como para verlos. Las estructuras parecidas a hojas y árboles forman parte de los gametofitos de las plantas. Las ceratofiláceas (derecha) tienen gametofitos que yacen planos en el suelo. Los esporofitos parecidos a cuernos tienen aproximadamente un centímetro de largo.

Go Online
SciLINKS NSTA

Para: Vínculos sobre las plantas no vasculares, disponible en inglés.
Visita: www.SciLinks.org
Código Web: scn-0143

Hepáticas y ceratofiláceas

La Figura 12 muestra ejemplos de otros dos grupos de plantas no vasculares: hepáticas y ceratofiláceas. Hay más de 8,000 especies de hepáticas. Este grupo de plantas recibe ese nombre por la forma corporal de la planta, que se parece al hígado humano. En su crecimiento, las hepáticas adquieren a menudo la forma de una corteza gruesa en las piedras o el suelo húmedos de las orillas de los arrollos.

Hay menos de 100 especies de ceratofiláceas. Si observas de cerca una ceratofilácea, verás estructuras delgadas y curvas parecidas a cuernos que surgen de los gametofitos. Estas estructuras córneas, que dan su nombre a estas plantas, son los esporofitos. A diferencia de los musgos o las hepáticas, las ceratofiláceas pocas veces se encuentran en las piedras o troncos de los árboles, sino que suelen vivir en el suelo húmedo, a menudo mezclados con el pasto.

 **Verifica tu lectura** ¿A qué se parece el esporofito de las ceratofiláceas?

Sección 3 Evaluación

Destreza clave de lectura Identificar ideas principales Usa tu organizador gráfico sobre las plantas no vasculares para responder a las siguientes preguntas.

Repasar los conceptos clave

1. a. **Describir** Describe dos características que comparten las plantas no vasculares.
   b. **Relacionar causa y efecto** Explica cómo se relacionan las dos características de las plantas no vasculares.
   c. **Comparar y contrastar** ¿En qué se parecen los musgos, las hepáticas y las ceratofiláceas? ¿En qué se diferencian?

Lab zone **Actividad** En casa

A la caza de musgos Junto con un familiar, ve a la caza de musgos en tu vecindario. Busca musgos en las grietas de las aceras, los árboles u otros objetos. En cada sitio en que halles musgos, observa y registra las condiciones de luz y humedad. Explica por qué los musgos crecen en los ambientes en que lo hacen.

Masas de musgos

Problema

¿Cómo se adapta un musgo para realizar sus actividades vitales?

Destrezas aplicadas

observar, medir

Materiales

- terrón de musgo
- lupa
- regla métrica
- palillos de dientes
- gotero de plástico
- agua

Procedimiento

1. Tu maestro te dará un terrón de musgo. Examínalo por todos lados. Dibuja un diagrama de lo que veas. Mide el tamaño de todo el terrón y sus partes principales. Registra tus observaciones.

2. Con ayuda de los palillos de dientes, separa con cuidado cinco musgos del terrón. Asegúrate de separarlos por completo para que puedas observar cada planta por separado. Si los musgos empiezan a secarse mientras trabajas, humedécelos con unas cuantas gotas de agua.

3. Mide la longitud de las estructuras parecidas a hojas, tallos y raíces de cada planta. Si hay presentes tallos y cápsulas cafés, mídelos. Halla la longitud promedio de cada estructura.

4. Haz el dibujo de un musgo. Clasifica las partes, indica sus tamaños y registra el color de cada parte. Al terminar de observar el musgo, regrésaselo a tu maestro. Lávate las manos a conciencia.

5. Obtén los promedios de la clase de los tamaños de las estructuras que mediste en el paso 3. Además, si el musgo que observaste tenía tallos y cápsulas cafés, comparte tus observaciones sobre esas estructuras.

Analiza y concluye

1. **Observar** Describe la apariencia general del terrón de musgo, incluyendo su color, tamaño y textura.

2. **Medir** ¿Cuál fue el tamaño común de la parte parecida a una hoja de los musgos, la altura común de la parte parecida a un tallo y la longitud común de la parte parecida a una raíz?

3. **Inferir** ¿En qué parte(s) del musgo se da la fotosíntesis? ¿Cómo lo sabes?

4. **Comunicar** Escribe un párrafo en el que expliques lo que aprendiste sobre los musgos en esta investigación. Incluye explicaciones de por qué los musgos no crecen altos y por qué viven en ambientes húmedos.

Explora más

Elige un musgo con tallos y cápsulas. Usa palillos de dientes para liberar algunas de las esporas, que pueden ser tan pequeñas como partículas de polvo. Examina las esporas bajo un microscopio. Haz un diagrama con clasificaciones de lo que viste.

Helechos, musgos con forma de bastón y colas de caballo

Avance de la lectura

Concepto clave
- ¿Cuáles son las principales características de las plantas vasculares sin semillas?

Término clave
- fronda

⟳ Destreza clave de lectura

Formular preguntas Antes de leer, examina los encabezados en rojo. En un organizador gráfico como el siguiente, formula una pregunta *qué, cómo* o *dónde* para cada encabezado. Mientras lees, responde a tus preguntas.

Helechos, licopodios y colas de caballo

Pregunta	Respuesta
¿Cuáles son las características de las plantas vasculares sin semillas?	Las plantas vasculares sin semillas tienen...

Lab zone — Actividad Descubre

¿Qué tan rápido sube el agua?

1. Ponte tus gafas de protección. Tu maestro te dará una caja de Petri de plástico y un tubo de vidrio estrecho abierto de ambos lados.
2. Llena de agua la mitad de la caja de Petri. Agrégale al agua una gota de colorante vegetal.
3. Coloca un extremo del tubo en el agua y sosténlo verticalmente. Observa lo que pasa y anótalo.

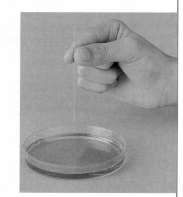

Reflexiona

Inferir ¿Por qué es una ventaja en el transporte de las células de las plantas tener una distribución en forma de tubo?

Supón que vivieras hace 340 millones de años, mucho antes de que hubiera dinosaurios. Estás en alguna parte en los bosques que cubrían la mayoría de la Tierra. Si pudieras recorrer esos antiguos bosques, te parecería muy extraño. Reconocerías los musgos y las hepáticas que cubrían el suelo húmedo. Pero sobre tu cabeza verías árboles altos y de apariencia extraña.

Entre la vegetación había helechos enormes del tamaño de árboles. Otros árboles parecían varas gigantescas con hojas de hasta un metro de largo. Las enormes hojas sobresalían de las ramas. Cuando las hojas caían, dejaban marcas en forma de diamante parecidas a las escamas que cubren a un pez.

Características de las plantas vasculares sin semillas

Las plantas de apariencia extraña en los antiguos bosques fueron los ancestros de tres grupos de plantas más pequeñas que viven en la actualidad. **Los helechos, los licopodios y las colas de caballo comparten dos características. Tienen tejido vascular verdadero y no producen semillas. En lugar de semillas, estas plantas se reproducen liberando esporas.**

Tejido vascular ¿Qué adaptaciones permitieron que los antiguos árboles crecieran tan altos? A diferencia de los musgos, los árboles eran plantas vasculares que crecen altas porque su tejido vascular proporciona una forma eficaz para el transporte de materiales por toda la planta.

El tejido vascular también fortalece el cuerpo de las plantas. Las células que forman el tejido vascular tienen paredes celulares fuertes. Imagina un manojo de pajillas unidas con ligas. El haz de pajillas es más fuerte y estable de lo que sería una sola pajilla. Dispuestas de manera similar, las fuertes estructuras tubulares de las plantas vasculares les dan a éstas fortaleza y estabilidad.

Esporas para la reproducción Los helechos, los licopodios y las colas de caballo necesitan crecer en entornos húmedos como los musgos. Esto se debe a que las plantas liberan esporas en su entorno, en el que se convierten en gametofitos. Cuando éstos producen óvulos y espermatozoides, debe haber suficiente agua disponible para que el esperma nade hacia los óvulos.

FIGURA 13
Un antiguo bosque
Los helechos, los licopodios y las colas de caballo gigantescos dominaban los antiguos bosques de la Tierra.

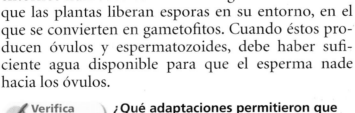 **Verifica tu lectura** ¿Qué adaptaciones permitieron que las plantas crecieran altas?

Examen de un helecho

1. Tu maestro te dará un helecho para que lo observes.

2. Dibuja un diagrama de la planta y clasifica las estructuras que veas.

3. Usa una lupa para observar las superficies superior e inferior de la hoja. Pasa el dedo por ambas superficies.

4. Con un gotero de plástico, agrega unas cuantas gotas de agua a la superficie superior de la hoja. Observa lo que sucede.

Inferir Usa tus observaciones para explicar cómo se adaptan los helechos a la vida en la tierra.

Helechos

Hoy en día viven más de 12,000 especies de helechos. Su tamaño va de diminutas plantas aproximadamente del tamaño de esta letra "M" a helechos arbóreos que crecen hasta 5 metros de alto.

Estructura de los helechos Como otras plantas vasculares, los helechos tienen tallos, raíces y hojas verdaderos. Los tallos de casi todos los helechos se encuentran bajo tierra. Las hojas crecen hacia arriba desde la punta de los tallos, en tanto que las raíces crecen hacia abajo desde la base de los tallos. Las raíces son estructuras que fijan al helecho al piso y absorben agua y nutrientes del suelo. Estas sustancias entran en el tejido vascular de las raíces y recorren el tejido por los tallos y las hojas.

La Figura 14 muestra la estructura de un helecho. Observa que sus hojas, o **frondas,** se dividen en muchas partes más pequeñas parecidas a pequeñas hojas. La superficie superior de cada fronda está cubierta por una cutícula que ayuda a la planta a retener el agua. En muchos helechos, las hojas en desarrollo al principio están enrolladas. Como se parecen a la voluta de un violón, a estas hojas jóvenes suele llamárseles volutas. Al madurar, las volutas se desenrollan.

Reproducción de los helechos El helecho familiar, con sus frondas visibles, es la etapa de esporofito de la planta. En la parte inferior de las frondas maduras, las esporas se convierten en diminutas cajas de esporas. El viento y el agua transportan las esporas a grandes distancias. Si una cae en suelo húmedo y sombreado, se convierte en un gametofito. Los gametofitos de los helechos son plantas diminutas que crecen debajo del suelo.

FIGURA 14
Una planta helecho
Casi todos los helechos tienen tallos subterráneos además de raíces. Las hojas, o frondas, crecen sobre la tierra.

Sacos de esporas en el interior de las frondas.

Fronda

Tallo

Raíz

Licopodios y colas de caballo

Como los helechos, los licopodios (o musgos con forma de bastón) y las colas de caballo tienen tallos, raíces y hojas verdaderos. También tienen un ciclo de vida similar. Sin embargo, en la actualidad viven relativamente pocas especies de licopodios y colas de caballo.

Que no te confunda el nombre *licopodio*. A diferencia de los musgos verdaderos, los licopodios tienen tejido vascular. Quizás estés familiarizado con el licopodio de la Figura 15. La planta, que se parece un poco a la rama pequeña de un pino, en ocasiones se le llama pinillo o hierba aromaticia. Los licopodios suelen crecer en bosques y cerca de los arroyos.

Actualmente, hay cerca de 30 especies de colas de caballo en la Tierra. Como ves en la Figura 15, los tallos de estas plantas están unidos. En un círculo que tienen en torno a la punta crecen ramas largas, gruesas y puntiagudas. Las pequeñas hojas crecen planas contra el tallo sobre cada unión. El patrón de crecimiento en forma de voluta se parece a la cola de caballo. Los tallos contienen sílice, una sustancia terrosa que también se encuentra en la arena. Durante la colonia, los estadounidenses usaban estas plantas para fregar ollas y cacerolas. Otro nombre común para las colas de caballo es rabo de mula.

FIGURA 15
Licopodios y colas de caballo
Los licopodios (izquierda) parecen pinos diminutos. Las colas de caballo (derecha) tienen ramas y hojas en círculo en torno a cada unión. **Inferir** *¿Qué crece más alto, el musgo o el licopodio?*

 Verifica tu lectura ¿Dónde suelen crecer los licopodios?

Sección 4 Evaluación

Destreza clave de lectura Formular preguntas Usa las respuestas a las preguntas que escribiste sobre los encabezados para responder a las siguientes preguntas.

Repasar los conceptos clave

1. **a. Hacer una lista** ¿Qué par de características comparten helechos, licopodios y colas de caballo?
   b. Comparar y contrastar ¿En qué difieren helechos, licopodios y colas de caballo de los musgos? ¿En qué se parecen a los musgos?
   c. Inferir Aunque los helechos tienen tejido vascular, viven en ambientes húmedos y sombreados. ¿Por qué?

Escribir en ciencias

Etiquetas de productos Crea una etiqueta de producto para pegarla a las macetas de helechos a la venta en un invernadero. Describe la estructura de los helechos y las instrucciones para su cuidado. Incluye otro tipo de información útil o diagramas.

① El reino vegetal

Conceptos clave

- Casi todas las plantas son organismos autótrofos que producen su propio alimento. Todas las plantas son eucariotas que contienen muchas células. Además, todas las células de las plantas están rodeadas por paredes celulares.

- Para que las plantas sobrevivan en la tierra, deben obtener de alguna forma agua y otros nutrientes de su entorno, retener el agua, transportar materiales por su cuerpo, sostener su cuerpo y reproducirse.

- Los científicos agrupan informalmente a las plantas en dos grupos principales: plantas no vasculares y plantas vasculares.

- Las plantas tienen un ciclo de vida complejo que incluye dos etapas diferentes, la etapa de esporofito y la etapa de gametofito.

Términos clave

fotosíntesis	cigoto
tejido	planta no vascular
cloroplasto	planta vascular
vacuola	clorofila
cutícula	esporofito
tejido vascular	gametofito
fecundación	

② Fotosíntesis y luz

Conceptos clave

- Cuando la luz choca con las hojas verdes de una planta, se refleja casi toda la parte verde del espectro; la mayoría de los demás colores de la luz se absorben.

- Las diversas reacciones químicas de la fotosíntesis se resumen en esta ecuación:

$$(CO_2) + (H_2O) \xrightarrow{\text{energía luminosa}} (C_6H_{12}O_6) + (O_2)$$

- El dióxido de carbono y el agua se combinan en presencia de la luz para producir azúcar y oxígeno.

Términos clave

transmisión	absorción
reflexión	pigmento accesorio

③ Musgos, hepáticas y ceratofiláceas

Concepto clave

- Los tres principales grupos de plantas no vasculares son los musgos, las hepáticas y las ceratofiláceas. Estas plantas de lento crecimiento viven en ambientes húmedos en los que absorben el agua y otros nutrientes directamente de su ambiente.

Términos clave

rizoide
ciénaga
turba

④ Helechos, musgos con forma de bastón y colas de caballo

Concepto clave

- Los helechos, los licopodios (musgos con forma de bastón) y las colas de caballo comparten dos características. Tienen tejido vascular verdadero y no producen semillas. En lugar de semillas, estas plantas se reproducen liberando esporas.

Término clave

fronda

Repaso y evaluación

Go Online
PHSchool.com

Para: Una autoevaluación, disponible en inglés.
Visita: PHSchool.com
Código Web: cea-1040

Organizar la información

Comparar y contrastar Copia el organizador gráfico sobre los musgos y los helechos en una hoja de papel. Luego, complétalo y agrégale un título. (Para más información sobre comparar y contrastar consulta el Manual de destrezas.)

Característica	Musgo	Helecho
Tamaño	a. ____?____	Pueden ser altos
Ambiente	Humedad	b. ____?____
Partes corporales	Estructuras parecidas a raíces, tallos y hojas	c. ____?____
Generación familiar	d. ____?____	Esporofito
¿Hay tejido vascular verdadero?	No	e. ____?____

Repasar los términos clave

Elige la letra de la mejor respuesta.

1. Musgos y árboles son
   a. plantas vasculares.
   b. plantas no vasculares.
   c. plantas con semillas.
   d. plantas.

2. Las estructuras de las células de las plantas en las que se elabora alimento se llaman
   a. cutículas.
   b. cloroplastos.
   c. vacuolas.
   d. tejidos vasculares.

3. Cuando la luz visible choca con una hoja verde, la mayor parte de la luz verde
   a. se refleja.
   b. se absorbe.
   c. se transmite.
   d. se almacena.

4. El musgo verde y rizado tan familiar es
   a. la fronda.
   b. el rizoide.
   c. el gametofito.
   d. el esporofito.

5. Las hojas de los helechos se llaman
   a. rizoides.
   b. esporofitos.
   c. frondas.
   d. cutículas.

Si la oración es verdadera, escribe *verdadera*. Si es falsa, cambia la palabra o palabras subrayadas para hacer verdadera la oración.

6. El <u>tejido vascular</u> es un sistema de estructuras tubulares por donde se mueve agua y alimento.

7. La capa grasa e impermeable que cubre las hojas de la mayoría de las plantas se llama <u>pared celular</u>.

8. Las hojas son verdes debido a los <u>pigmentos accesorios</u>.

9. Los azúcares y el oxígeno son productos de la <u>fecundación</u>.

10. Los musgos son plantas <u>vasculares</u>.

Escribir en ciencias

Informe directo Supón que eres un biólogo que ha estudiado la vida de las plantas en varios ambientes. Elige un ambiente y describe en detalle la vida de la planta que ahí encontraste. ¿Qué características permitieron que la planta sobreviviera?

DISCOVERY CHANNEL **SCHOOL**

Introduction to Plants
Video Preview
Video Field Trip
▶ Video Assessment

Repaso y evaluación

Verificar los conceptos

11. Menciona una adaptación que distingue a las plantas de las algas.

12. Describe brevemente el ciclo de vida de una planta común.

13. Explica por qué un autobús de escuela amarillo parece de color amarillo.

14. ¿Qué función desempeña la clorofila en el proceso de la fotosíntesis?

15. ¿Cuáles son dos funciones de los rizoides? ¿En qué plantas se encuentran?

16. ¿Cuáles son las dos formas en que es importante el tejido vascular para una planta helecho?

17. ¿En qué difieren musgos y licopodios? ¿En qué se parecen?

Pensamiento crítico

18. **Relacionar causa y efecto** Una vez que se limpia un área de tierra, suelen aparecer pequeñas plantas. Pronto, empiezan a crecer plantas ligeramente más altas y las pequeñas mueren. A las nuevas plantas pueden reemplazarlas otras aún más altas. ¿Qué papel desempeña la luz en estos cambios?

19. **Comprar y contrastar** ¿En qué difiere la generación de esporofito de una planta de la generación de gametofito?

20. **Predecir** Explica lo que le sucedería a la luz si chocara con cada uno de los siguientes objetos.

A   **B**

21. **Aplicar conceptos** Un amigo te dice que ha visto musgos que tienen unos 2 metros de alto. ¿Tu amigo está en lo correcto? Explica tu respuesta.

22. **Inferir** La gente ha observado que los musgos suelen crecer en el lado norte de un árbol y no en el lado sur. ¿Por qué sucede esto?

Aplicar destrezas

Usa la tabla de datos para responder a las preguntas 23 a 27.

Una científica expuso una planta verde a diferentes colores de luz. Luego midió cuánto absorbía la planta de cada luz.

Absorción de luz de una planta

Color de la luz	Porcentaje de luz absorbida
Rojo	55
Anaranjado	10
Amarillo	2
Verde	1
Azul	85
Violeta	40

23. **Hacer una gráfica** Crea una gráfica de barras con la información de la tabla de datos. (Para más información sobre cómo se crean gráficas de barras, consulta el Manual de destrezas.)

24. **Interpretar datos** ¿Qué color de luz absorbió más la planta?

25. **Sacar conclusiones** Haz una lista de los tres colores de la luz que son más importantes para la fotosíntesis en esta planta.

26. **Predecir** Si la planta se expusiera sólo a la luz amarilla, ¿cómo influiría esto en la planta? Explica tu respuesta.

27. **Inferir** Si una planta con hojas rojizas se usara en un experimento similar, ¿en qué diferirían los resultados? Explica tu respuesta.

Lab zone **Proyecto** del capítulo

Evaluación del desempeño Presenta tu exposición a tus compañeros. Describe tu exposición original y cómo la modificaste con base en la retroalimentación que recibiste. Explica lo que aprendiste al hacer este proyecto. ¿Qué factores son más importantes para crear una buena exposición educativa para niños?

Preparación para la prueba estandarizada

Sugerencia para hacer la prueba
Interpretar un diagrama
En las pruebas, pueden pedirte que respondas preguntas sobre un diagrama que represente un proceso. Examina las partes del diagrama. Asegúrate de comprender el significado de las clasificaciones y la dirección de las flechas. Piensa en lo que pasa en cada etapa del proceso. Estudia el diagrama del ciclo de vida de la siguiente planta y responde la pregunta de ejemplo.

Pregunta de ejemplo
Una espora se convierte en

A esporofito.

B gametofito.

C espermatozoide.

D óvulo.

Respuesta
La opción **B** es la correcta. Las flechas indican que las esporas se convierten en gametofitos. La opción **A** es incorrecta porque es el esporofito el que produce las esporas. Las opciones **C** y **D** pueden eliminarse porque los espermatozoides y los óvulos los produce el gametofito.

Elige la letra de la mejor respuesta.

1. Según el diagrama anterior, ¿cuál de estas oraciones sobre el ciclo de vida de una planta es verdadera?
   A Las plantas pasan parte de su vida produciendo esporas.
   B Las plantas pasan parte de su vida produciendo espermatozoides y óvulos.
   C Un cigoto se desarrolla en la etapa de producción de esporas de la planta.
   D todas las anteriores.

2. Examinas las células de una planta bajo un microscopio y observas muchos cuerpos redondos y verdes dentro de las células.

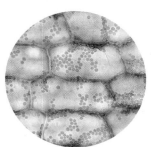

   Es muy probable que las estructuras verdes participen en
   F la dirección de las funciones de la célula.
   G la fotosíntesis.
   H el almacenamiento de alimento y agua.
   J la elaboración de proteínas.

3. Tanto musgos como helechos
   A tienen tejido vascular verdadero.
   B se reproducen con esporas.
   C tienen raíces, tallos y hojas.
   D sólo crecen hacia abajo en el suelo.

4. ¿Cuál de las oraciones siguientes explica mejor por qué los musgos y las hepáticas no crecen altos?
   F No tienen estructuras parecidas a raíces.
   G Las plantas más altas en su entorno liberan sustancias químicas que hacen más lento su crecimiento.
   H No pueden tomar oxígeno suficiente de su entorno.
   J No tienen un tejido vascular verdadero.

5. Una planta casera que no se ha regado durante varios días está mustia y marchita. ¿Qué infieres que les ha pasado a las células de la planta?
   A El agua ha llenado el núcleo de la planta.
   B El agua ha llenado las vacuolas contráctiles de la planta.
   C El agua ha llenado los cloroplastos de la planta.
   D El agua ha abandonado las vacuolas de la planta.

Respuesta estructurada

6. Describe tres adaptaciones que tienen las plantas para vivir en la tierra. Explica por qué cada adaptación es importante para que la planta pueda sobrevivir en la tierra.

Capítulo
5

Plantas con semilla

Interactive Textbook

La pasionaria produce flores delicadas y muy aromáticas. ▶

Lab zone™ **Proyecto** del capítulo

Ciclo de vida

¿Cuánto dura el ciclo de vida de una planta? Los árboles de secoya viven miles de años. Los tomates mueren al cabo de una estación. ¿Tienen algo en común organismos que parecen tan diferentes? En este capítulo, lo averiguarás. Algunas respuestas provendrán del proyecto del capítulo. En este proyecto, sembrarás plantas a partir de semillas y luego las cuidarás hasta que produzcan semillas.

Tu objetivo Cuidar y observar una planta durante su ciclo de vida

Para completar este proyecto, debes

- sembrar una planta a partir de su semilla
- observar y describir las partes clave del ciclo de vida de tu planta, como la germinación de semillas y la polinización
- cosechar y plantar las semillas que produce tu planta en desarrollo
- seguir las reglas de seguridad del Apéndice A

Haz un plan Observa las semillas que te dé tu maestro. En un grupo pequeño, analiza las condiciones que las semillas podrían necesitar para crecer. ¿Qué debes buscar después de plantar las semillas? ¿Qué cambios esperas que sufra tu planta durante su ciclo de vida? Cuando estés listo, planta tus semillas.

Características de las plantas con semilla

Avance de la lectura

Conceptos clave

- ¿Cuáles son las tres características que comparten las plantas con semilla?
- ¿Cómo se convierten las semillas en plantas nuevas?
- ¿Cuáles son las principales funciones de las raíces, los tallos y las hojas?

Términos clave

- floema • xilema • polen
- semilla • embrión
- cotiledón • germinación
- caliptra • cámbium
- estomas • transpiración

Destreza clave de lectura

Hacer un esquema Mientras lees, haz un esquema de las plantas con semilla que puedas usar como repaso. Usa los encabezados en rojo para las ideas principales y los encabezados en azul para las ideas de apoyo.

Características de las plantas con semilla
I. ¿Qué es una planta con semilla?
A. Tejido vascular
B.
II. ¿Cómo las semillas se vuelven plantas nuevas?
A.
B.

Lab zone — Actividad Descubre

¿Qué parte de la planta es?

1. Con un compañero, observa con cuidado los alimentos que tu maestro les dé.
2. Hagan una lista de ellos.
3. Por cada alimento, escribe el nombre de la parte de la planta (raíz, tallo u hoja) de la que pienses que se obtiene.

Reflexiona

Clasificar Clasifiquen los alimentos por grupos dependiendo de la parte de la planta de la que se obtienen. Comparen sus agrupaciones con las de sus compañeros de clase.

¿Alguna vez has plantado semillas en un jardín? Si es así, recordarás cómo parecía tardar una eternidad antes de que nacieran esos primeros brotes verdes. Después, viste una serie de hojas y luego otras. Luego, quizá haya aparecido una flor. ¿Te preguntaste de dónde provenían todas las partes de esa planta? ¿Cómo se desarrollaron a partir de una semilla tan pequeña? Sigue leyendo para enterarte.

¿Qué es una planta con semilla?

La planta que crecía en tu jardín era una planta con semilla, como casi todas las plantas en tu entorno. Las plantas con semilla superan en número a las plantas sin semilla en más de diez a uno. Comes muchas plantas con semilla: arroz, chícharos y calabazas. Quizá lleves puesta ropa hecha a partir de estas plantas, como algodón y lino. Tal vez vivas en una casa construida con esas plantas: roble, pino o arce. Además, las plantas con semilla producen buena parte del oxígeno que respiras.

Las plantas con semilla comparten dos características importantes: tienen tejido vascular y usan el polen y las semillas para reproducirse. Además, todas las plantas con semilla tienen planos corporales que incluyen raíces, tallos y hojas. Como las plantas sin semilla, las plantas con semilla tienen ciclos de vida complejos que incluyen las etapas de esporofito y de gametofito. En las plantas con semilla, lo que ves en las plantas son los esporofitos. Los gametofitos son microscópicos.

Tejido vascular Casi todas las plantas con semilla viven en la tierra. En el Capítulo 4 vimos que las plantas de tierra enfrentan muchos desafíos como permanecer verticalmente y abastecer a todas sus células de alimento y agua. Como los helechos, las plantas con semilla vencen estos dos desafíos con su tejido vascular. Las paredes gruesas de las células en el tejido vascular ayudan a sostener a las plantas. Además, el alimento, el agua y los nutrientes se transportan por las plantas en el tejido vascular.

Hay dos tipos de tejido vascular. El **floema** es el tejido vascular que transporta el alimento. Cuando éste se elabora en las hojas, entra al floema y viaja a otras partes de la planta. El agua y los minerales viajan por el tejido vascular llamado **xilema.** Las raíces absorben agua y minerales del suelo. Estos materiales entran en el xilema de las raíces y suben por los tallos y las hojas.

Polen y semillas A diferencia de las plantas sin semilla, las plantas con semilla viven en diversos ambientes. Recuerda que las plantas sin semilla necesitan agua en su entorno para que se dé la fecundación. Las plantas con semilla no necesitan agua para que los espermatozoides naden hasta los óvulos, sino que producen **polen,** estructuras diminutas que contienen las células que posteriormente se volverán espermatozoides. El polen suelta espermatozoides directamente cerca de los óvulos. Después de que los espermatozoides fecundan los óvulos, se desarrollan las semillas. Una **semilla** es una estructura que contiene una plántula dentro de una cubierta protectora. Las semillas protegen a la plántula para que no se seque.

 **Verifica tu lectura** ¿Qué material viaja por el floema? ¿Qué materiales viajan por el xilema?

FIGURA 1

Cosecha de arroz silvestre
Como todas las plantas con semilla, las plantas de arroz silvestre tienen tejido vascular y usan semillas para reproducirse. Las semillas se desarrollan en masas de agua poco profundas y las plantas crecen por encima de la superficie del agua. Estos hombres cosechan los granos de arroz maduro.

FIGURA 2

Estructura de la semilla

Aquí se muestran las estructuras de tres semillas diferentes.
Inferir ¿Cómo se usa el alimento almacenado?

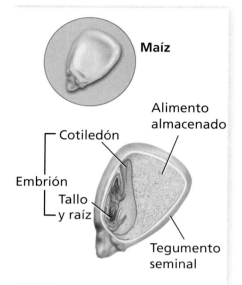

Maíz

Cotiledón

Alimento almacenado

Embrión

Tallo y raíz

Tegumento seminal

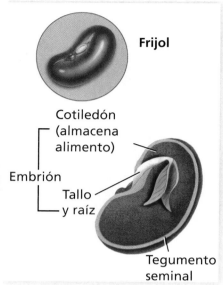

Frijol

Cotiledón (almacena alimento)

Embrión

Tallo y raíz

Tegumento seminal

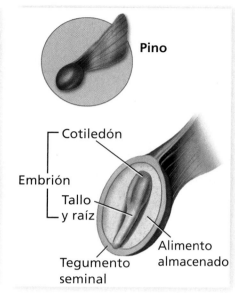

Pino

Cotiledón

Embrión

Tallo y raíz

Tegumento seminal

Alimento almacenado

Lab zone **Actividad** Inténtalo

Historia desde el interior de la semilla

1. Tu maestro te dará una lupa y dos semillas diferentes que se han remojado en agua.

2. Observa con cuidado el exterior de cada semilla. Dibuja lo que veas.

3. Retira con cuidado los tegumentos. Luego separa las partes de cada semilla. Usa una lupa para examinar el interior de cada semilla. Dibuja lo que veas.

Observar Basándote en tus observaciones, clasifica con una etiqueta las partes de cada semilla. Luego describe la función de cada parte junto a esta etiqueta.

Cómo las semillas se vuelven plantas nuevas

Todas las semillas comparten semejanzas importantes. **Dentro de una semilla hay una planta parcialmente desarrollada. Si una semilla cae en un zona en donde las condiciones son favorables, la planta brota de la semilla y empieza a crecer.**

Estructura de las semillas Una semilla tiene tres partes principales: embrión, alimento almacenado y tegumento seminal. La plántula que se desarrolla a partir del cigoto, u óvulo fecundado, se llama embrión. El **embrión** ya tiene los comienzos de las raíces, los tallos y las hojas. En las semillas de casi todas las plantas, el embrión deja de crecer siendo muy pequeño. Cuando el embrión empieza a crecer nuevamente, usa el alimento almacenado en la semilla hasta que puede elaborar su propio alimento por medio de la fotosíntesis. En todas las semillas, el embrión tiene una o más hojas germinales, o **cotiledones.** En algunas semillas, el alimento se almacena en los cotiledones. En otras, se almacena fuera del embrión. En la Figura 2 se compara la estructura de las semillas de maíz, frijol y pino.

La cubierta externa de una semilla se llama tegumento seminal. Éste es como la "piel" de las alubias y los cacahuates. El tegumento seminal actúa como si fuera una envoltura de plástico, impidiendo que el embrión y su alimento se sequen. Esto permite que la semilla permanezca inactiva por un período largo. En muchas plantas, las semillas están rodeadas por una estructura llamada fruto, que estudiarás en la Sección 3.

Dispersión de las semillas Después de que las semillas se han formado, suelen desperdigarse, en ocasiones lejos de donde se produjeron. A esto se le llama dispersión de las semillas. Las semillas se dispersan en muchas formas. Una de éstas depende de otros organismos. Por ejemplo, algunos animales consumen frutos, como cerezas o uvas. Las semillas dentro de los frutos pasan al aparato digestivo del animal y éste las deposita en zonas nuevas. Otras semillas están encerradas en estructuras parecidas a barbas que se enganchan en el pelo de un animal o en las ropas de una persona. Las estructuras se desprenden después del pelo o la ropa en una zona nueva.

Una segunda forma de dispersión es el agua. Ésta dispersa las semillas que caen en mares y ríos. Una tercera forma de dispersión depende del viento. Éste dispersa las semillas ligeras que tienen estructuras que captan el viento, como las de los dientes de león y de los árboles de arce. Algunas plantas sueltan sus semillas en una forma parecida a las palomitas de maíz. La fuerza dispersa las semillas en muchas direcciones.

Dispersión por viento: Frutos de diente de león con "paracaídas" ▶

FIGURA 3
Dispersión de las semillas
Las semillas de estas plantas están encerradas en frutos que tienen adaptaciones que les ayudan a dispersarse.

◀ **Dispersión por animales:** Frutos parecidos a barbas

Dispersión por agua: Fruto flotante de cocotero ▶

Seed Plants

Video Preview
▶ Video Field Trip
Video Assessment

Germinación Después de que se dispersa la semilla, puede permanecer inactiva durante un tiempo antes de germinar. La **germinación** se da cuando el embrión empieza a crecer de nuevo y expulsa la semilla para que éste empiece a absorber agua del ambiente. Luego el embrión usa su alimento almacenado para empezar a crecer. Como se ve en la Figura 4, las raíces del embrión crecen primero hacia abajo; luego su tallo y hojas crecen hacia arriba. Una vez que aparecen las hojas de la planta, a ésta se le llama semillero.

Una semilla que se dispersa lejos de la planta madre tiene más oportunidad de sobrevivir. Cuando una semilla no tiene que competir por luz solar, agua y nutrientes con la planta madre, tiene mayores posibilidades de convertirse en un semillero.

 **Verifica tu lectura** ¿Qué debe suceder para que empiece la germinación?

Raíces

¿Alguna vez has intentado arrancar del suelo una planta de diente de léon? ¿No es fácil verdad? Esto es porque la mayoría de las raíces están bien ancladas. Las raíces tienen tres funciones principales. **Las raíces fijan la planta al suelo, absorben agua y minerales, y a veces almacenan alimento.** Cuanta más área ocupa la raíz de una planta, más agua y minerales absorbe.

Tipos de raíces Los dos tipos principales de sistemas de raíces se muestran en la Figura 5. Un sistema de raíces fibrosas consta de muchas raíces de tamaño similar que forman una masa densa y enmarañada. Las plantas con raíces fibrosas jalan consigo más tierra cuando las desprendes del suelo. El pasto, el maíz y las cebollas tienen sistemas de raíces fibrosas. En comparación, un sistema de raíces principales tiene una raíz gruesa y larga que es la importante. De la raíz principal se ramifican muchas otras raíces más pequeñas. Es difícil desprender del suelo una planta con un sistema de raíz principal. Las zanahorias, los dientes de león y los cactos tiene sistemas de raíces principales.

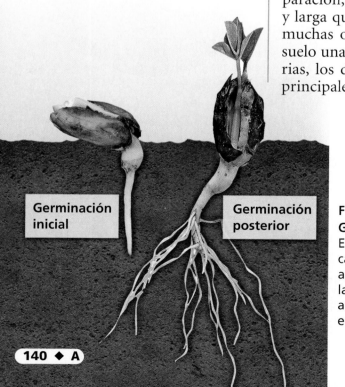

Germinación inicial

Germinación posterior

FIGURA 4
Germinación
El embrión de esta semilla de cacahuate usa su alimento almacenado para germinar. Primero, las raíces del embrión crecen hacia abajo. Luego, su tallo y hojas empiezan a crecer hacia arriba.

Estructura de una raíz En la Figura 5, ves la estructura de una raíz común. Observa que la punta de la raíz está redondeada y cubierta por una estructura llamada caliptra. La **caliptra** protege a la raíz para que las piedras no la dañen durante el crecimiento de la raíz por el suelo. Detrás de la caliptra están las células que se dividen para formar nuevas células germinales.

Los pelos radicales brotan de la superficie de la raíz. Estos diminutos pelos entran en los espacios que hay entre las partículas del suelo, en donde absorben agua y minerales. Al aumentar el área superficial de la raíz que toca el suelo, los pelos radicales ayudan a la planta a absorber grandes cantidades de sustancias. Los pelos radicales también ayudan a fijar la planta al suelo.

Localiza el tejido vascular en el centro de la raíz. El agua y los nutrientes que absorbe del suelo se mueven rápidamente por el xilema. De ahí, estas sustancias viajan hacia arriba hasta el tallo y las hojas de la planta.

El floema transporta el alimento elaborado en las hojas a la raíz. Los tejidos de la raíz pueden usar entonces el alimento para crecer y almacenarlo para que la planta lo use después.

Verifica tu lectura ¿Qué es la caliptra?

FIGURA 5
Estructura de la raíz

Las plantas tienen raíces fibrosas o principales. La estructura de una raíz está adaptada para absorber agua y minerales. Relacionar causa y efecto *¿Cómo ayudan los pelos radicales a absorber agua y minerales?*

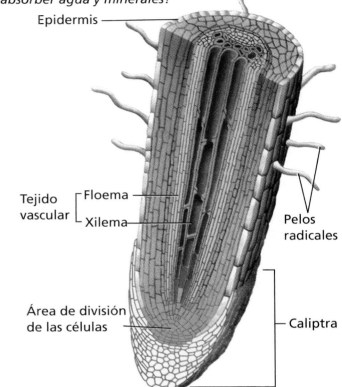

Epidermis

Tejido vascular — Floema — Xilema

Pelos radicales

Área de división de las células

Caliptra

Sistema de raíces fibrosas: cebolla

Sistema de raíces principales: diente de león

Calcular

En esta actividad, calcularás la rapidez a la que se mueve el agua por el tallo de un apio.

1.  Vierte cerca de 1 cm de agua en un recipiente de plástico alto. Revuelve varias gotas de colorante vegetal rojo.

2. Coloca el extremo carnoso del tallo de un apio en el agua. Apoya el tallo contra un lado del recipiente.

3. Después de 20 minutos, retira el apio. Usa una regla métrica para medir la altura del agua en el tallo.

4. Usa la medición y la fórmula siguiente para calcular con qué rapidez se desplazó el agua hacia arriba por el tallo.

$$\text{Rapidez} = \frac{\text{Altura}}{\text{Tiempo}}$$

Basándote en tu cálculo, predice cuánto se desplazará el agua en 2 horas. Luego pon a prueba tu predicción.

Tallos

El tallo de una planta tiene dos funciones principales. **El tallo transporta sustancias entre las raíces y las hojas de la planta. También sostiene la planta y levanta las hojas para que estén expuestas al sol.** Además, algunos tallos, como los de los espárragos, almacenan alimento.

Estructura de un tallo Los tallos pueden ser herbáceos o leñosos. Los tallos herbáceos no contienen madera y suelen ser ligeros. Las flores con conos y la pimienta tienen tallos herbáceos. En comparación, los tallos leñosos son duros y rígidos. Los árboles de arce y las rosas tienen tallos leñosos.

Los tallos herbáceos y leñosos constan de floema y xilema lo mismo que de muchas otras células de apoyo. La Figura 6 muestra la estructura interna de cualquier tipo de tallo herbáceo.

Como ves en la Figura 7, un tallo leñoso contiene varias capas de tejido. La capa externa es la corteza. Ésta incluye una capa protectora exterior y una capa interior de floema vivo, que transporta el alimento por el tallo. Luego se halla una capa de células llamada **cámbium**, que se divide y produce floema y xilema nuevos. Es el xilema el que forma la mayor parte de lo que se denomina "madera". La albura es el xilema activo que transporta agua y minerales por el tallo. El duramen más viejo y oscuro está inactivo pero da sostén.

Verifica tu lectura ¿Qué funciones desempeña la corteza de un tallo leñoso?

FIGURA 6
Tallo herbáceo

Los tallos herbáceos, como los de estas flores de equinácea, suelen ser ligeros. El detalle inferior muestra la estructura interna de un tipo de tallo herbáceo.

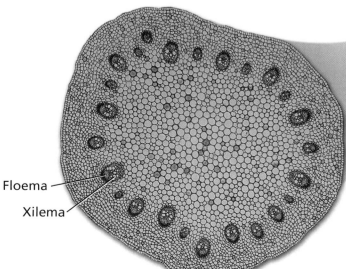

Floema

Xilema

Anillos anuales ¿Alguna vez al observar una cepa de árbol has visto un patrón de círculos parecido a un círculo de tiro al blanco? Los círculos se llaman anillos anuales porque representan el crecimiento anual del árbol. Los anillos están hechos de xilema. Las células del xilema que se forman en la primavera son grandes y tienen paredes delgadas porque crecen rápidamente. Producen un anillo de color café claro amplio. Las células del xilema que se forman en el verano crecen lentamente y, por tanto, son pequeñas y tienen paredes gruesas. Producen un anillo delgado y oscuro. Un par de anillos claro y oscuro representan el crecimiento de un año. Puedes estimar la edad de un árbol contando sus anillos.

La anchura de los anillos de crecimiento de un árbol proporcionan indicios importantes sobre las condiciones climáticas del pasado, como una lluvia. En los años lluviosos, se produce más xilema, de modo que los anillos anuales del árbol son anchos. En años secos, los anillos son estrechos. Al examinar los anillos de algunos árboles en el sudoeste de Estados Unidos, los científicos lograron inferir que hubo sequías graves en los años 840, 1067, 1379 y 1632.

FIGURA 7
Tallo leñoso

Los árboles como estos arces tienen tallos leñosos. Un tallo leñoso común está formado por muchas capas. Las capas de xilema forman anillos que revelan la edad del árbol y las condiciones de su crecimiento. **Interpretar diagramas** *¿Dónde se ubica el cámbium?*

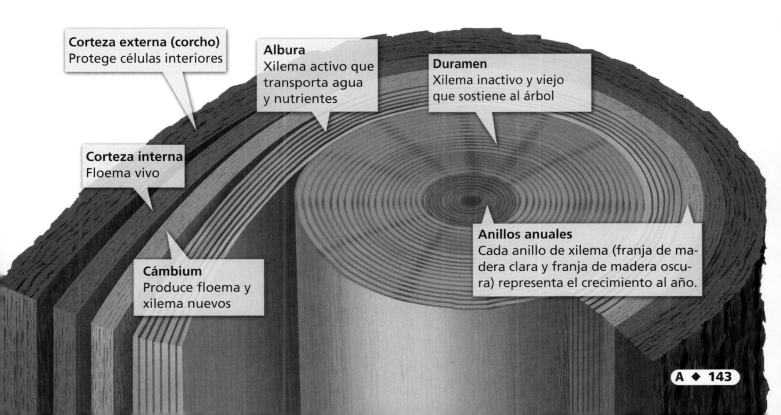

Corteza externa (corcho)
Protege células interiores

Albura
Xilema activo que transporta agua y nutrientes

Duramen
Xilema inactivo y viejo que sostiene al árbol

Corteza interna
Floema vivo

Cámbium
Produce floema y xilema nuevos

Anillos anuales
Cada anillo de xilema (franja de madera clara y franja de madera oscura) representa el crecimiento al año.

FIGURA 8

Estructura de la hoja

Una hoja es una fábrica de alimento bien adaptada. Cada estructura ayuda a la hoja a producir alimento.

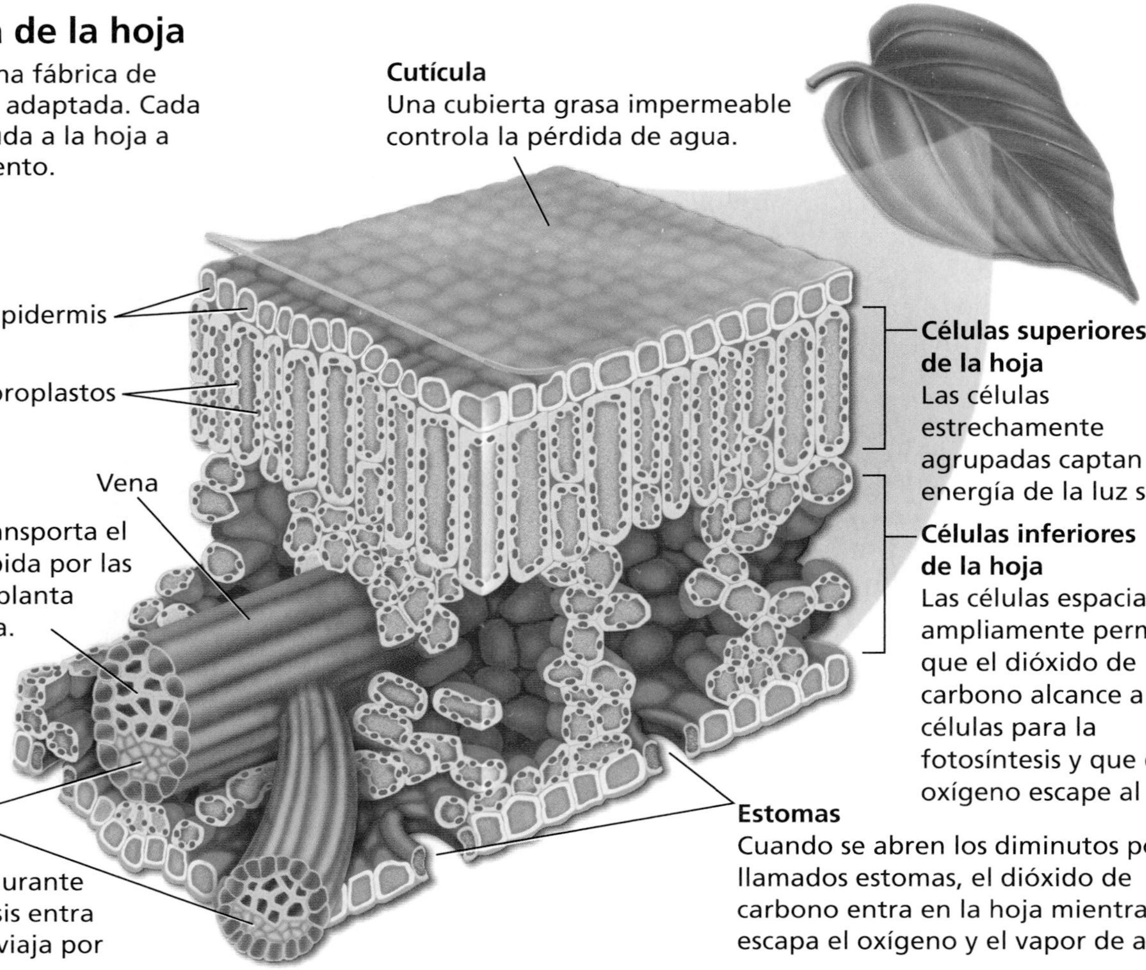

Cutícula
Una cubierta grasa impermeable controla la pérdida de agua.

Epidermis

Cloroplastos

Células superiores de la hoja
Las células estrechamente agrupadas captan la energía de la luz solar.

Células inferiores de la hoja
Las células espaciadas ampliamente permiten que el dióxido de carbono alcance a las células para la fotosíntesis y que el oxígeno escape al aire.

Vena

Xilema
El xilema transporta el agua absorbida por las raíces de la planta hasta la hoja.

Floema
El alimento elaborado durante la fotosíntesis entra al floema y viaja por la planta.

Estomas
Cuando se abren los diminutos poros llamados estomas, el dióxido de carbono entra en la hoja mientras escapa el oxígeno y el vapor de agua.

Hojas

Las hojas tienen tamaños y formas distintos. Los pinos, por ejemplo, poseen hojas en forma de aguja. Los abedules tienen pequeñas hojas redondeadas con orillas irregulares. Sin importar su forma, las hojas desempeñan una función importante en una planta. **Las hojas captan la energía solar y realizan el proceso de elaboración de alimento que es la fotosíntesis.**

Estructura de una hoja Si cortaras una hoja por la mitad y la observaras en un microscopio, verías las estructuras de la Figura 8. Las capas superficiales superior e inferior de la hoja protegen a las células internas. Entre las capas de células hay venas que contienen xilema y floema.

Las capas superficiales de la hoja tienen pequeñas aberturas, o poros, llamados **estomas.** La palabra griega *estoma* significa "boca", y los estomas parecen, en efecto, bocas pequeñas. Los estomas se abren y cierran para controlar la entrada y salida de gases en la hoja. Cuando los estomas están abiertos, el dióxido de carbono entra a la hoja, y el oxígeno y el vapor de agua escapan.

La hoja y la fotosíntesis La estructura de una hoja es ideal para realizar la fotosíntesis. Las células que contienen la mayor parte de los cloroplastos se ubican cerca de la superficie superior de la hoja, donde obtienen más luz. La clorofila en los cloroplastos atrapa la energía del sol.

El dióxido de carbono entra a la hoja por los estomas abiertos. El agua, que absorben las raíces de la planta, viaja por el tallo hasta la hoja a través del xilema. Durante la fotosíntesis, se producen azúcar y oxígeno a partir del dióxido de carbono y el agua. El oxígeno recorre la hoja a través de los estomas abiertos. El azúcar entra al floema y luego recorre la planta.

Control de la pérdida de agua Como un área tan grande de la hoja está expuesta al aire, el agua se evapora, o pierde, de la hoja rápidamente en el aire. El proceso por el cual se evapora el agua de las hojas de una planta se llama **transpiración.** Una planta llega a perder mucha agua a través de la transpiración. Por ejemplo, una planta de maíz, pierde casi 4 litros de agua un día de verano cálido. Si no tuviera la manera de reducir el proceso de transpiración, la planta se secaría y moriría.

Por fortuna, las plantas tienen formas de reducir la transpiración. Una de las formas en que las plantas retienen agua es cerrando los estomas. Los estomas a menudo se cierran cuando las hojas empiezan a secarse.

 Verifica tu lectura ¿Cómo entra el agua en una hoja?

FIGURA 9
Estomas
Los estomas se abren (arriba) y se cierran (abajo) para controlar la entrada y salida de gases de las hojas. **Relacionar causa y efecto** *¿Qué gases entran y salen cuando se abren los estomas?*

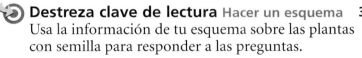

Sección 1 · Evaluación

Destreza clave de lectura Hacer un esquema Usa la información de tu esquema sobre las plantas con semilla para responder a las preguntas.

Repasar los conceptos clave

1. a. **Repasar** ¿Qué características comparten todas las plantas?
   b. **Relacionar causa y efecto** ¿Qué características permiten a las plantas con semilla vivir en diversos ambientes? Explica tu respuesta.
2. a. **Hacer una lista** Menciona las tres partes principales de una semilla.
   b. **Ordenar en serie** Haz una lista de la secuencia de pasos que deben ocurrir para que una semilla se convierta en una planta nueva.
   c. **Aplicar conceptos** Si la semilla de una cereza tuviera que echar raíces bajo el árbol progenitor, ¿qué desafíos enfrentaría la cereza?

3. a. **Identificar** ¿Cuáles son las principales funciones de las raíces, los tallos y las hojas de una planta?
   b. **Comparar y contrastar** Compara la trayectoria que sigue el agua en una planta con la que sigue el azúcar por la planta.
   c. **Aplicar conceptos** ¿Cómo están adaptadas las estructuras de las raíces y las hojas de un árbol para suministrarle agua y azúcar?

Escribir en ciencias

Etiqueta de producto Escribe la "etiqueta de embalaje" de una semilla. Incluye el nombre y la descripción de cada parte. Describe la función de cada parte en la producción de una planta nueva.

2

Gimnospermas

Avance de la lectura

Conceptos clave

- ¿Cuáles son las características de las gimnospermas?
- ¿Cómo se reproducen las gimnospermas?
- ¿Qué productos importantes provienen de las gimnospermas?

Términos clave

- gimnosperma • cono • óvulo
- polinización

Destreza clave de lectura

Examinar ayudas visuales Antes de leer, examina la Figura 11. Luego escribe dos preguntas que tengas sobre el diagrama en un organizador gráfico como el que sigue. Mientras lees, responde a las preguntas.

Ciclo de vida de una gimnosperma

P. ¿Cómo se da la polinización de la gimnosperma?
R.
P.

Lab zone | Actividad Descubre

¿Se parecen todas las hojas?

1. Tu maestro te dará una lupa, una regla y las hojas de algunas plantas de semilla.
2. Con ayuda de la lupa, examina cada hoja. Haz un bosquejo de cada hoja en tu cuaderno.
3. Mide la longitud y anchura de cada hoja. Anota tus mediciones en tu cuaderno.

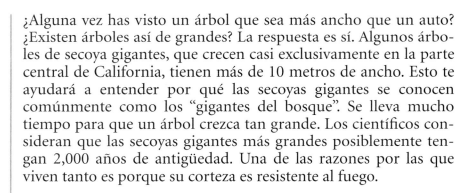

Reflexiona

Clasificar Según tus observaciones, divide las hojas en dos grupos. Explica por qué agrupaste las hojas de ese modo.

¿Alguna vez has visto un árbol que sea más ancho que un auto? ¿Existen árboles así de grandes? La respuesta es sí. Algunos árboles de secoya gigantes, que crecen casi exclusivamente en la parte central de California, tienen más de 10 metros de ancho. Esto te ayudará a entender por qué las secoyas gigantes se conocen comúnmente como los "gigantes del bosque". Se lleva mucho tiempo para que un árbol crezca tan grande. Los científicos consideran que las secoyas gigantes más grandes posiblemente tengan 2,000 años de antigüedad. Una de las razones por las que viven tanto es porque su corteza es resistente al fuego.

¿Qué son las gimnospermas?

Los árboles de secoya gigantes pertenecen a un grupo de plantas de semilla llamado gimnospermas. Una **gimnosperma** es una planta de semilla que produce semillas desnudas. Se dice que están expuestas o "desnudas" porque no las encierra un fruto protector.

Cada gimnosperma produce semillas desnudas. Además, muchas tienen hojas con forma de aguja o escamas y raíces que crecen profundamente. Las gimnospermas son el tipo de planta de semilla más antiguo que hay. Según indicios fósiles, las gimnospermas aparecieron en la Tierra hace unos 360 millones de años. Los fósiles también indican que había muchas más especies de gimnospermas en la Tierra en el pasado que ahora. Hoy en día existen cuatro grupos de gimnospermas.

Figura 10

Tipos de gimnospermas

Las gimnospermas son las plantas con
semilla más antiguas que existen. Las
cicadáceas, las coníferas, los ginkgos y
los gnetofitos son los únicos grupos que
existen ahora.

Gnetofito: ▲
Welwitschia

Ginkgo: ▲
Ginkgo biloba

Cicadácea: ▲
Cicas

Conífera: ▶
Secoya
gigante

Cicadáceas Hace unos 175 millones de
años, la mayor parte de las plantas eran
cicadáceas. Ahora, las cicadáceas crecen
principalmente en las zonas tropicales y
subtropicales. Se parecen a las palmeras con
conos. El cono de una cicadácea crece tan
grande como una pelota de fútbol.

Coníferas Las coníferas, o plantas portadoras de conos,
son el grupo más grande y diverso de gimnospermas en
la actualidad. La mayor parte de las coníferas, como pinos,
secoyas y enebros, son siempre verdes: plantas que conser-
van sus hojas, o agujas, todo el año. Cuando las agujas caen,
las reemplazan otras nuevas.

Ginkgos Los ginkgos también surgieron hace cientos de
millones de años, pero ahora, sólo existe una especie de
ginkgo, *Ginkgo biloba*. Probablemente sobrevivió sólo
porque los chinos y japoneses los cuidaron en sus jardines.
Ahora, los árboles ginkgo se plantan en las calles de las
ciudades porque toleran la contaminación del aire.

Gnetofitos Los gnetofitos viven en los desiertos cálidos y
en las selvas tropicales. Unos gnetofitos son árboles, algunos
son arbustos y otros son vides. *Welwitschia*, que se muestra
en la Figura 10, crece en los desiertos de África occidental y
vive durante más de 1,000 años.

 **Verifica
tu lectura** ¿Cuáles son los cuatro tipos de
gimnospermas?

Reproducción en las gimnospermas

La mayor parte de las gimnospermas tienen estructuras reproductoras llamadas **conos.** Los conos están cubiertos de escamas. Muchas gimnospermas producen dos tipos de conos: masculinos y femeninos. Una planta produce tanto conos masculinos como femeninos. Sin embargo, en ciertos tipos de gimnospermas, algunos árboles producen ya sea conos masculinos o femeninos. Unos cuantos tipos de gimnospermas no producen conos.

En la Figura 11, ves los conos masculinos y femeninos de un pino Ponderosa. Los conos masculinos producen diminutos granos de polen, el gametofito masculino. El polen contiene las células que posteriormente se volverán espermatozoides. Cada escama en un cono masculino produce miles de granos de polen.

El gametofito femenino se convierte en estructuras llamadas óvulos. Un **óvulo** es una estructura que contiene una célula huevo. Los conos femeninos contienen al menos un óvulo en la base de cada escama. Una vez que se da la fecundación, el óvulo se convierte en una semilla.

En la Figura 11 puedes seguir el proceso de la reproducción de las gimnospermas. **Primero, el polen cae de un cono masculino en un cono femenino. Más adelante, un esperamtozoide y una célula huevo se unen en un óvulo en el cono femenino.** Luego de la fecundación, la semilla se desarrolla en la escama del cono femenino.

Polinización La transferencia de polen de una estructura reproductora masculina a una femenina se llama **polinización.** En las gimnospermas, el viento suele transportar el polen de los conos masculinos a los femeninos. El polen lo recoge una sustancia pegajosa que produce cada óvulo.

Fecundación Una vez que se ha dado la polinización, el óvulo se cierra y conserva el polen. Las escamas también se cierran y un espermatozoide fecunda a una célula huevo dentro de cada óvulo. El huevo fecundado se desarrolla después en la parte embrionaria de la semilla.

Desarrollo de la semilla Los conos femeninos permanecen en el árbol mientras maduran las semillas. Mientras éstas se desarrollan, el cono femenino aumenta de tamaño. Pueden pasar hasta dos años para que maduren las semillas de algunas gimnospermas. Sin embargo, los conos masculinos suelen desprenderse del árbol después de esparcir su polen.

Dispersión de la semilla Cuando maduran las semillas, las escamas se abren. El viento sacude las semillas del cono y se las lleva. Sólo unas cuantas semillas caerán en lugares apropiados y se convertirán en plantas nuevas.

 Verifica tu lectura ¿Qué es el polen y dónde se produce?

FIGURA 11
Ciclo de vida de una gimnosperma

Los pinos Ponderosa tienen el ciclo de vida común de las gimnospermas. Sigue los pasos de la polinización, fecundación, desarrollo de las semillas y dispersión en el pino. **Interpretar diagramas** *¿Dónde se desarrollan las semillas del pino?*

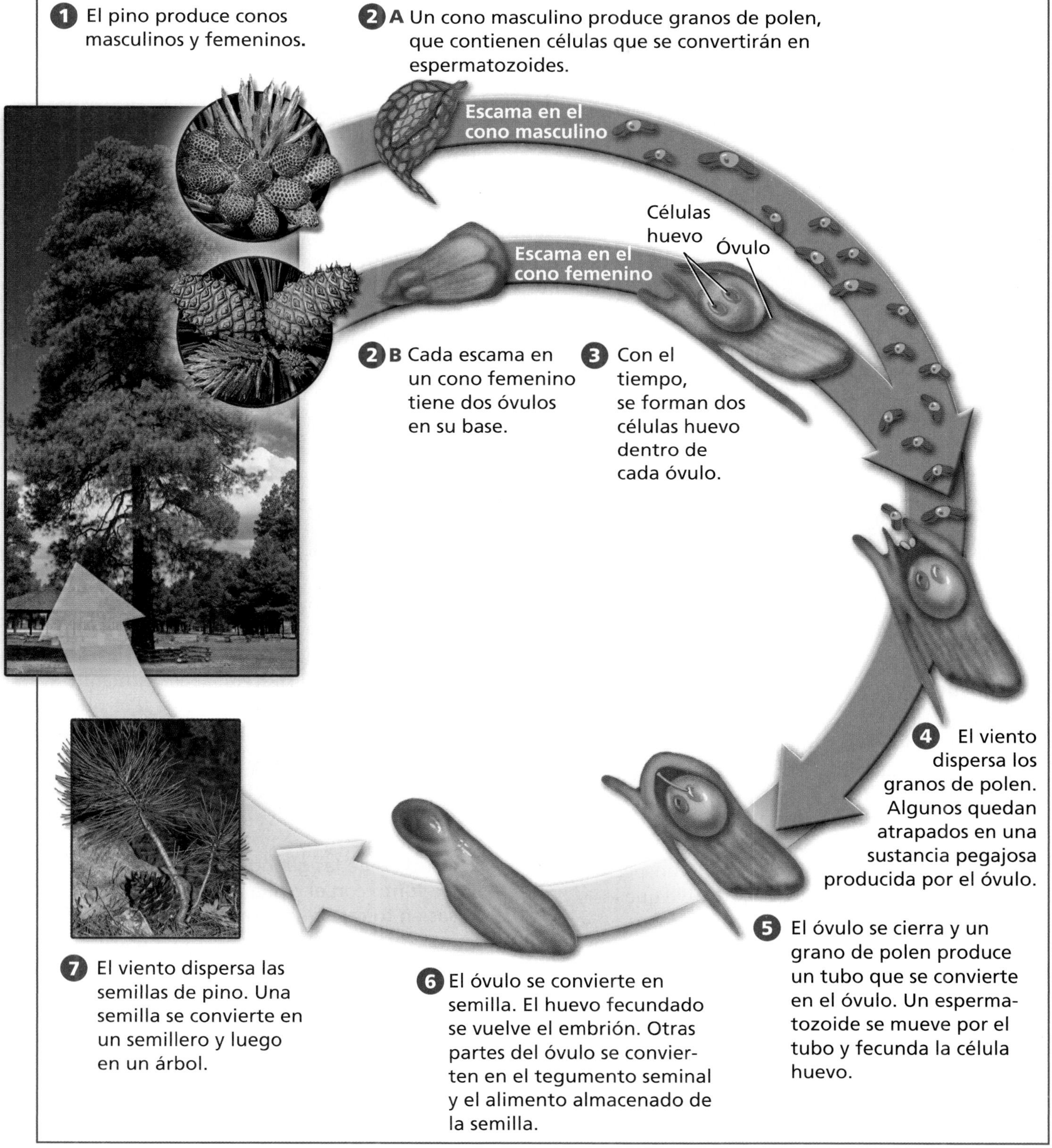

1 El pino produce conos masculinos y femeninos.

2 A Un cono masculino produce granos de polen, que contienen células que se convertirán en espermatozoides.

Escama en el cono masculino

Escama en el cono femenino

Células huevo

Óvulo

2 B Cada escama en un cono femenino tiene dos óvulos en su base.

3 Con el tiempo, se forman dos células huevo dentro de cada óvulo.

4 El viento dispersa los granos de polen. Algunos quedan atrapados en una sustancia pegajosa producida por el óvulo.

5 El óvulo se cierra y un grano de polen produce un tubo que se convierte en el óvulo. Un espermatozoide se mueve por el tubo y fecunda la célula huevo.

6 El óvulo se convierte en semilla. El huevo fecundado se vuelve el embrión. Otras partes del óvulo se convierten en el tegumento seminal y el alimento almacenado de la semilla.

7 El viento dispersa las semillas de pino. Una semilla se convierte en un semillero y luego en un árbol.

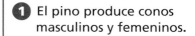

Las gimnospermas en la vida diaria

Las gimnospermas, sobre todo las coníferas, proporcionan muchos productos útiles. **El papel y otros productos, como la madera que se usa para construir casas, provienen de las coníferas.** Las fibras de rayón en la ropa y las envolturas de papel celofán de algunos productos alimenticios también provienen de las coníferas. Otros productos, como la trementina y la resina que usan los lanzadores de béisbol, los gimnastas y los músicos están hechas de la savia producida por algunas coníferas.

Como las coníferas son tan útiles para los seres humanos, se cultivan en grandes bosques controlados de muchas regiones de Estados Unidos. Cuando se talan los árboles adultos en esos bosques, se plantan árboles jóvenes para reemplazarlos. Ya que diferentes partes del bosque se talan normalmente en distintos momentos, siempre hay árboles adultos que pueden cosecharse. Estos esfuerzos de control ayudan a asegurar un abastecimiento confiable de estos importantes árboles.

FIGURA 12
Uso de las gimnospermas
Las coníferas proporcionaron la madera para construir esta casa nueva.

 **Verifica tu lectura** ¿Cuáles son los dos productos elaborados a partir de la savia de las coníferas?

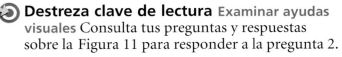

Sección 2 Evaluación

 **Destreza clave de lectura** Examinar ayudas visuales Consulta tus preguntas y respuestas sobre la Figura 11 para responder a la pregunta 2.

Repasar los conceptos clave

1. a. Hacer una lista ¿Qué características comparten todas las gimnospermas? ¿Qué otras características tienen muchas gimnospermas?
   b. Comparar y contrastar ¿En qué difieren las semillas de las gimnospermas de las semillas de maíz o frijol, que no son gimnospermas?
   c. Predecir ¿Piensas que es probable que los animales dispersen las semillas de las gimnospermas? ¿Por qué?

2. a. Repasar ¿Qué es un cono?
   b. Comparar y contrastar ¿Cuáles son los tipos diferentes de conos? ¿Qué función tiene cada cono en la reproducción de las gimnospermas?
   c. Ordenar en serie Describe los pasos en la reproducción de una gimnosperma.

3. a. Identificar Menciona dos productos importantes derivados de las coníferas.
   b. Emitir un juicio ¿Piensas que los bosques controlados garantizarán un abastecimiento confiable de coníferas en el futuro? ¿Por qué?

Lab zone Actividad En casa

Gimnospermas cotidianas Describe las características de las gimnospermas a un familiar. Junto con él o ella, haz una lista de las cosas en tu casa que están hechas de gimnospermas. Luego, haz una lista de las gimnospermas que crecen en donde vives.

Angiospermas

Avance de la lectura

Conceptos clave

- ¿Qué características comparten las angiospermas?
- ¿Cuál es la función de las flores de una angiosperma?
- ¿Cómo se reproducen las angiospermas?
- ¿En qué difieren las monocotiledóneas de las dicotiledóneas?

Términos clave

- angiosperma • flor • sépalo
- pétalo • estambre • pistilo
- ovario • fruto
- monocotiledónea
- dicotiledónea

Destreza clave de lectura

Desarrollar el vocabulario Usar una palabra en una oración te ayuda a explicar mejor la palabra. Después de leer la sección, vuelve a leer los párrafos que contienen definiciones de Conceptos clave. Usa toda la información que hayas aprendido para escribir una oración usando cada término clave.

Lab zone **Actividad** Descubre

¿Qué es un fruto?

1. Tu maestro te dará tres diferentes frutos cortados por la mitad.
2. Usa una lupa para observar con cuidado el exterior de cada fruto. De cada fruto, registra su color, forma, tamaño y otras características externas. Anota tus observaciones en tu cuaderno.
3. Observa con cuidado las estructuras internas de los frutos. Anota tus observaciones.

Reflexiona

Formular definiciones operativas Basándote en tus observaciones, ¿cómo definirías el término *fruto*?

Es probable que asocies la palabra *flor* con una planta de olor dulce que crece en un jardín. Desde luego no pensarías en algo que huele a carne podrida. Pero así es exactamente a lo que huele la flor cadáver, o rafflesia. Estas flores, que crecen en los viñedos en Asia, son enormes, miden como 1 metro de diámetro. De seguro no verás pronto una rafflesia en tu florería local.

La rafflesia pertenece al grupo de las plantas de semilla conocidas como **angiospermas. Todas las angiospermas, o plantas con flores, comparten dos características importantes. Primero, producen flores. Segundo, en comparación con las angiospermas, que producen semillas expuestas, las angiospermas producen semillas que están encerradas en frutos.**

Las angiospermas viven casi en cualquier lugar. Crecen en las zonas heladas del ártico, en las selvas tropicales y en los desiertos estériles. Algunas, como los árboles de mangle, pueden vivir a orillas del mar.

◄ **Rafflesia**

Capítulo 5 A ◆ 151

FIGURA 13

Estructura de una flor

Como la mayor parte de las flores, este lirio contiene estructuras reproductoras masculinas y femeninas.

Pistilos

Los pistilos son las partes reproductoras femeninas de una flor. Un pistilo consta de un estigma pegajoso, un tubo delgado llamado estilo y una estructura hueca, llamada ovario, en la base.

Estambres

Los estambres son las partes reproductoras masculinas de una flor. El polen se produce en la antera, que está en la punta del filamento en forma de tallo.

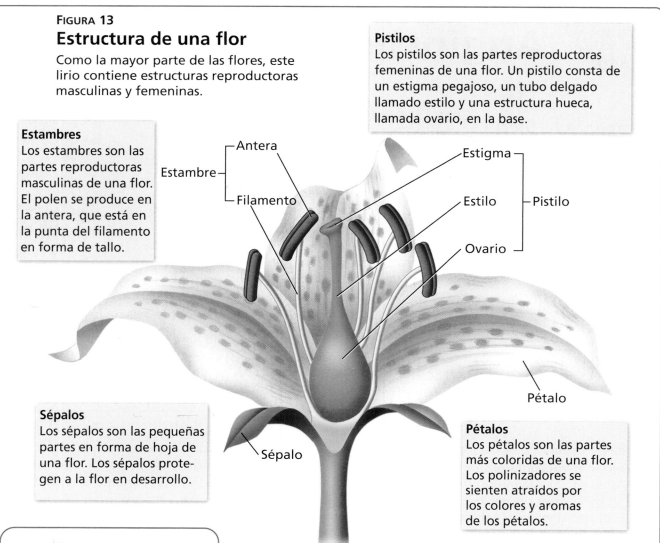

Estambre — Antera — Filamento

Estigma — Estilo — Ovario — Pistilo

Pétalo

Sépalos

Los sépalos son las pequeñas partes en forma de hoja de una flor. Los sépalos protegen a la flor en desarrollo.

Sépalo

Pétalos

Los pétalos son las partes más coloridas de una flor. Los polinizadores se sienten atraídos por los colores y aromas de los pétalos.

Go Online
active art

Para: Actividad sobre la estructura de una flor, disponible en inglés.
Visita: PHSchool.com
Código Web: cep-1053

La estructura de las flores

Las flores se dan en todo tipo de formas, tamaños y colores. Pero todas las flores, pese a sus diferencias, tienen la misma función: la reproducción. Una **flor** es la estructura reproductora de una angiosperma. La Figura 13 muestra las partes de una flor común. Al leer sobre estas partes, recuerda que algunas flores carecen de una o más de esas partes. Por ejemplo, unas sólo tienen partes reproductoras masculinas y otras carecen de pétalos.

Sépalos y pétalos Cuando una flor es aún un brote, la envuelven estructuras en forma de hojas llamadas **sépalos.** Éstos protegen a la flor en desarrollo y suelen ser de color verde. Cuando los sépalos se abren, revelan los coloridos **pétalos,** parecidos a las hojas de la flor. Los pétalos a menudo son las partes más coloridas de una flor. Las formas, tamaños y cantidad de los pétalos varían mucho de una flor a otra.

Estambres Dentro de los pétalos están las partes reproductoras masculinas y femeninas. Los **estambres** son las partes reproductoras masculinas. Localiza los estambres dentro de la flor en la Figura 13. El delgado tallo del estambre se llama filamento. El polen se produce en la antera, en la punta del filamento.

Pistilos Las partes femeninas, o **pistilos** se encuentran en el centro de la mayor parte de las flores. Algunas flores tienen uno o más pistilos; otras sólo tienen uno. La punta pegajosa del pistilo se llama estigma. Un tubo delgado, llamado estilo, conecta el estigma con una estructura hueca en la base de la flor. Esta estructura hueca es el **ovario,** que protege a las semillas cuando se desarrollan. Un ovario contiene uno o más óvulos.

Polinizadores Los colores y formas de la mayor parte de los pétalos y casi todos los aromas que producen las flores atraen a insectos y otros animales. Estos organismos aseguran que se dé la polinización. Entre los polinizadores se hallan las aves, los murciélagos e insectos como las abejas y las moscas. Las moscas polinizan a la flor rafflesia, sobre la que leíste al principio de la sección. A las moscas las atrae el fuerte olor a carne podrida que despide la rafflesia.

 Verifica tu lectura ¿Cuáles son las partes reproductoras masculina y femenina de una flor?

FIGURA 14
Polinizadores
A los polinizadores, como los insectos, las aves y los murciélagos, los atrae el color, la forma o el aroma de una flor **Inferir** *¿Cómo ayuda el color blanco de la flor del cacto a atraer a los murciélagos?*

◀ Una abeja cubierta por el polen de una flor anaranjada.

▲ Un colibrí poliniza una flor roja brillante.

Un murciélago poliniza ▶ la flor de una biznaga palmilla de San Pedro por la noche.

Reproducción en las angiospermas

En la Figura 16 puedes seguir el proceso de reproducción de las angiospermas. **Primero, el polen cae en el estigma de la flor. Luego, el espermatozoide y el huevo se unen en el óvulo de la flor. El cigoto se convierte en la parte embrionaria de la semilla.**

Polinización Una flor se poliniza cuando un grano de polen cae en el estigma. Como sucede con las gimnospermas, el viento poliniza a algunas angiospermas. Pero casi todas las angiospermas dependen de aves, murciélagos o insectos para la polinización. El néctar, un alimento rico en azúcares, se encuentra en lo profundo de la flor. Cuando un animal entra en una flor para obtener néctar, se roza contra las anteras y se cubre de polen. Parte del polen puede descender al estigma de la flor cuando el animal abandona la flor. El polen también puede rozar los estigmas pegajosos de la siguiente flor que visite el animal.

Fecundación Si el polen cae en el estigma de una planta similar, puede darse la fecundación. Un espermatozoide se une a una célula huevo en un óvulo dentro del ovario en la base de la flor. El cigoto se convierte en el embrión de la semilla. Otras partes del óvulo se convierten en el resto de la semilla.

Desarrollo del fruto y dispersión de las semillas Tras desarrollarse la semilla después de la fecundación, el ovario se transforma en un **fruto,** un ovario maduro y otras estructuras que encierran a una o más semillas. Las manzanas y las cerezas son frutos. También lo son muchos alimentos que sueles llamar verduras, como el tomate y la calabaza. Los frutos son los medios por los que se dispersan las semillas de las angiospermas. Los animales que comen frutos ayudan a dispersar sus semillas.

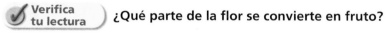
Verifica tu lectura ¿Qué parte de la flor se convierte en fruto?

FIGURA 15
Frutos
Las semillas de las angiospermas están encerradas en frutos, que protegen y ayudan a dispersar las semillas.

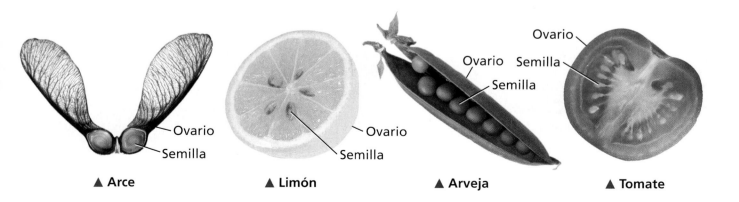

▲ Arce — Ovario, Semilla

▲ Limón — Ovario, Semilla

▲ Arveja — Ovario, Semilla

▲ Tomate — Ovario, Semilla

FIGURA 16

Ciclo de vida de una angiosperma

Todas las angiospermas tienen un ciclo de vida similar. Sigue los pasos de la polinización, fecundación, desarrollo y dispersión de la semillas de este manzano. **Interpretar diagramas** ¿*En qué parte de la planta se desarrolla el óvulo?*

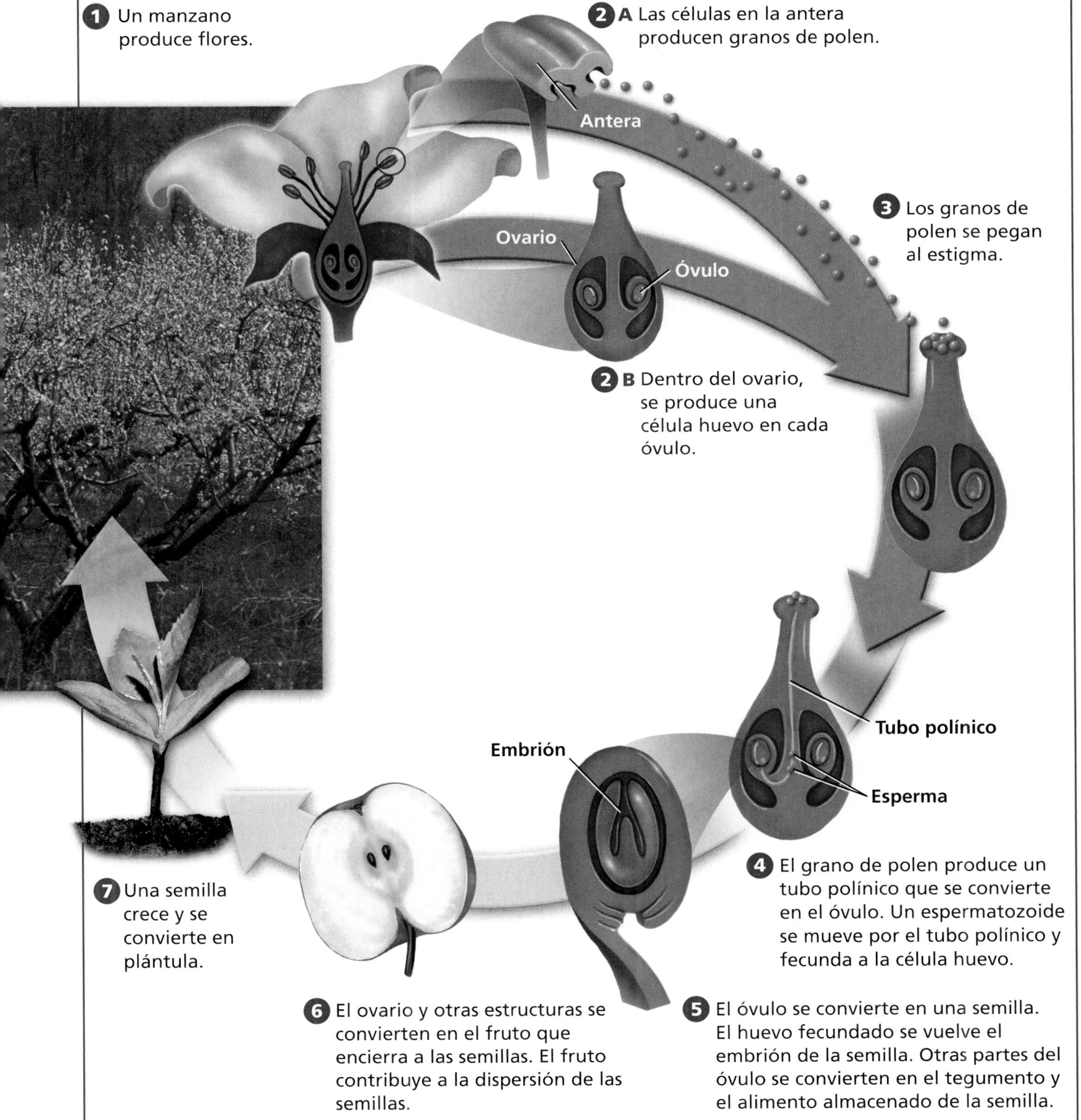

1 Un manzano produce flores.

2 A Las células en la antera producen granos de polen.

Antera

Ovario

Óvulo

3 Los granos de polen se pegan al estigma.

2 B Dentro del ovario, se produce una célula huevo en cada óvulo.

Tubo polínico

Embrión

Esperma

4 El grano de polen produce un tubo polínico que se convierte en el óvulo. Un espermatozoide se mueve por el tubo polínico y fecunda a la célula huevo.

7 Una semilla crece y se convierte en plántula.

6 El ovario y otras estructuras se convierten en el fruto que encierra a las semillas. El fruto contribuye a la dispersión de las semillas.

5 El óvulo se convierte en una semilla. El huevo fecundado se vuelve el embrión de la semilla. Otras partes del óvulo se convierten en el tegumento y el alimento almacenado de la semilla.

FIGURA 17
Monocotiledóneas y dicotiledóneas

Las monocotiledóneas y las dicotiledóneas difieren en cuanto a la cantidad de dicotiledones, el patrón de venas y tejido vascular y la cantidad de pétalos.

Interpretar tablas ¿En qué difieren las hojas de monocotiledóneas y dicotiledóneas?

Parte de la planta	Monocotiledóneas		Dicotiledóneas	
Semillas		Un cotiledón		Dos cotiledones
Hojas		Venas paralelas		Venas ramificadas
Tallos		Haces de tejido vascular dispersos por el tallo		Haces de tejido vascular dispuestos en anillo
Flores		Partes florales en grupos de tres		Partes florales en grupos de cuatro o cinco

Comparación de monocotiledóneas y dicotiledóneas

Matemáticas
Destrezas

Múltiplos

¿Una flor con 6 pétalos es una monocotiledónea? Para responder esta pregunta, necesitas determinar si 6 es múltiplo de 3. Un número es múltiplo de 3 si hay un número entero no cero que, al multiplicarlo por 3, te dé ese número.

En este caso, 6 es múltiplo de 3 porque puedes multiplicar 2 (un número entero no igual a cero) por 3 para obtener 6.

$$2 \times 3 = 6$$

Así, una flor con 6 pétalos es una monocotiledónea. Otros múltiplos de 3 incluyen 9 y 12.

Problema de práctica
¿Cuáles de estos números son múltiplos de 4?
6, 10, 12, 16

Tipos de angiospermas

Las angiospermas se dividen en dos principales grupos: mono-cotiledóneas y dicotiledóneas. En la Sección 1 vimos que los cotiledones proporcionan alimento al embrión *mono* significa "uno" y *di* significa "dos". Las **monocotiledóneas** son angiosper-mas que sólo tienen un cotiledón. Las **dicotiledóneas** producen semillas con dos cotiledones. En la Figura 17, puedes comparar las características de monocotiledóneas y dicotiledóneas.

Monocotiledóneas Los pastos, incluido el maíz, el trigo y el arroz, y plantas como los lirios y los tulipanes son monoco-tiledóneas. Las flores de una monocotiledónea tienen tres pétalos o múltiplos de tres pétalos. Las monocotiledóneas tienen hojas largas y delgadas con venas paralelas entre sí como las vías del tren. Los haces de tejido vascular en los tallos de las monoco-tiledóneas están dispersos por el tallo.

Dicotiledóneas Entre las dicotiledóneas se hallan plantas como las rosas y las violetas, así como los dientes de león. Tanto el roble como el arce son dicotiledóneas, lo mismo que plantas ali-menticias como los frijoles y las manzanas. Las flores de las di-cotiledóneas tienen cuatro o cinco pétalos o múltiplos de estos números. Las hojas normalmente son anchas, con venas que se ramifican varias veces. Los tallos de las dicotiledóneas suelen tener haces de tejido vascular dispuestos en forma de anillo.

 **Verifica tu lectura** ¿Difiere la cantidad de pétalos de las monocotiledóneas y las dicotiledóneas?

Las angiospermas en la vida diaria

Las angiospermas son una fuente importante de alimento, ropa y medicamentos para otros organismos. Los animales herbívoros, como las vacas, los elefantes y los escarabajos, comen plantas con flores como pastos y hojas de los árboles. Las personas comen verduras, frutos y cereales, y todos son angiospermas.

La gente también produce ropa y otros productos de las angiospermas. Por ejemplo, las semillas de las plantas de algodón, como las que ves en la Figura 18, están cubiertas de fibras de algodón. Los tallos de las plantas de lino proporcionan fibras de lino. La savia de los árboles de caucho se usa en la elaboración del hule para los neumáticos y otros productos. Los muebles se hacen con madera de arce, cerezo y roble. Algunos medicamentos importantes también provienen de las angiospermas. Por ejemplo, de las hojas de la planta dedalera se elabora un medicamento para el corazón.

FIGURA 18
Vainas de algodón
Las angiospermas, como esta planta de algodón, proveen muchos productos importantes. Las semillas de algodón, que se desarrollan en frutos llamados cápsulas, se cubren de una borra usada en la manufactura de tela de algodón.

 **Verifica tu lectura** ¿Cuáles son dos angiospermas a partir de las cuales se produce ropa?

Sección 3 Evaluación

Destreza clave de lectura Desarrollar el vocabulario Usa tus oraciones para responder a las siguientes preguntas.

Repasar los conceptos clave

1. **a.** Repasar ¿Cuáles son las dos características que comparten todas las angiospermas?
   b. Comparar y contrastar ¿Comparten las gimnospermas alguna de estas dos características con las angiospermas? Explica tu respuesta.

2. **a.** Identificar ¿Cuál es la función de las flores de una angiosperma?
   b. Describir Describe la función de sépalos, pétalos, estambres y pistilo de una flor.

3. **a.** Repasar ¿En qué parte de una flor debe caer el polen para que se dé la polinización?
   b. Ordenar en serie Describe la reproducción de una angiosperma, de la polinización a la dispersión de semillas.
   c. Emitir un juicio ¿Estás de acuerdo o en desacuerdo con la siguiente oración? Los animales son esenciales para que se dé la reproducción de las angiospermas. Explica tu respuesta.

4. **a.** Hacer una lista Menciona los dos principales grupos de angiospermas.
   b. Comparar y contrastar ¿En qué difieren las semillas, hojas, tallos y flores de estos dos grupos?
   c. Clasificar Las hojas de una planta tienen venas paralelas y cada una de sus flores posee seis pétalos. ¿A qué grupo pertenece? Explica tu respuesta.

Matemáticas Práctica

5. **Múltiplos** De los siguientes números, ¿cuáles son múltiplos de 3? ¿Cuáles son múltiplos de 4?

   5, 6, 8, 10, 12, 15

6. **Múltiplos** Supón que encuentras una flor con 12 pétalos. ¿Podrías saber por la cantidad de pétalos si la flor es monocotiledónea o dicotiledónea? Explica tu respuesta.

Un acercamiento a las flores

Problema

¿Cuál es la función de una flor y qué funciones realizan sus diferentes partes?

Destrezas aplicadas

observar, inferir, medir

Materiales

- toallas de papel
- gotero de plástico
- lupa
- microscopio
- portaobjetos
- flor grande
- cubreobjetos
- escalpelo
- cinta
- agua
- regla métrica
- papel transparente

Procedimiento

PARTE 1 Partes externas de la flor

1. Pega con cinta cuatro toallas de papel en tu área de trabajo. Tu maestro te dará una flor. Maneja la flor con cuidado y observa su forma y color. Usa la regla para medirla. Observa si los pétalos tienen algún punto o marca. ¿Tiene aroma la flor? Anota tus observaciones con dibujos y descripciones.

2. Observa los sépalos. ¿Cuántos hay? ¿Cómo se relacionan con el resto de la flor? (*Pista*: Los sépalos suelen ser verdes, pero no siempre.) Anota tus observaciones.

3. Usa un escalpelo para cortar con cuidado los sépalos sin dañar las estructuras que hay debajo de ellos. **PRECAUCIÓN:** *Los escalpelos son filosos. Corta en dirección contraria a ti.*

4. Observa los pétalos. ¿Cuántos hay? ¿Todos los pétalos son iguales o hay diferentes? Anota tus observaciones.

PARTE 2 Parte masculina de la flor

5. Jala con cuidado los pétalos para examinar la parte masculina de la flor. Procura no dañar las estructuras que hay debajo de ellos.

6. Observa los estambres. ¿Cuántos hay? ¿Qué forma tienen? ¿Qué tan altos son? Anota tus observaciones.

7. Usa un escalpelo para cortar cuidadosamente los estambres del resto de la flor sin dañar las estructuras que hay debajo de ellos. Coloca los estambres en la toalla de papel.

8. Consigue un portaobjetos y un cubreobjetos limpios. Sostén un estambre sobre el portaobjetos y con cuidado deja caer algunos granos de polen de la antera en el portaobjetos. Agrega una gota de agua al polen. Luego coloca el cubreobjetos sobre el agua y el polen.

9. Observa el polen bajo el objetivo de baja potencia y el objetivo de alta potencia de un microscopio. Dibuja y clasifica un grano de polen.

PARTE 3 Parte femenina de la flor

10. Usa un escalpelo para retirar el pistilo del resto de la flor. Mide la altura del pistilo. Examina su forma. Observa la punta del pistilo. Determina si esa superficie se pega y levanta un diminuto pedazo de papel transparente. Anota tus observaciones.

11. Pon el pistilo en la toalla de papel. Sosteniéndolo firmemente por la base, usa un escalpelo para cortar el pistilo por la mitad en su parte más ancha, como se muestra en el diagrama siguiente. **PRECAUCIÓN:** *Corta lejos de tus dedos.* ¿Cuántos compartimientos ves? ¿Cuántos óvulos ves? Anota tus observaciones.

Analiza y concluye

1. **Observar** Basándote en tus observaciones, describe cómo están dispuestos los sépalos, pétalos, estambres y pistilos de una flor.

2. **Inferir** ¿Cómo se relacionan los sépalos, pétalos, estambres y pistilo en el funcionamiento de esta flor?

3. **Medir** Basándote en tus mediciones de las alturas del pistilo y los estambres, ¿cómo piensas que se poliniza la flor que examinaste? Haz otras observaciones para apoyar tu respuesta.

4. **Clasificar** ¿Hallaste algún patrón en la cantidad de sépalos, pétalos, estambres u otras estructuras en tu flor? De ser así, describe ese patrón. ¿Tu flor es una monocotiledónea o una dicotiledónea?

5. **Comunicar** Escribe un párrafo en el que expliques todo lo que puedes aprender sobre una planta examinando una de sus flores. Usa las observaciones que hiciste en este ejercicio de laboratorio para sustentar tus conclusiones.

Explora más

Algunos tipos de flores no tienen todas las partes que se encuentran en la flor de este ejercicio. Consigue una flor diferente. Averigua qué partes tiene esa flor y qué partes le faltan. *Pide permiso a tu maestro antes de hacer tu investigación.*

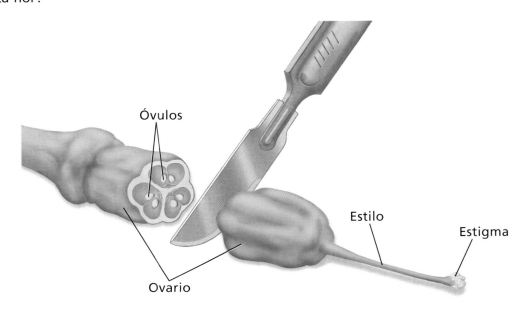

Óvulos

Estilo

Estigma

Ovario

Respuestas y crecimiento de las plantas

Avance de la lectura

Conceptos clave

- ¿Cuáles son los tres estímulos que producen respuestas en las plantas?
- ¿Cómo responden las plantas a los cambios de las estaciones?
- ¿Cuánto viven las diferentes angiospermas?

Términos clave

- tropismo • hormona
- auxina • fotoperiodicidad
- planta de día corto
- planta de día largo
- longitud nocturna crítica
- planta de día neutro • dormición
- anual • bienal • perenne

Destreza clave de lectura

Relacionar causa y efecto
Una causa hace que algo suceda. Un efecto es lo que sucede. Mientras lees los párrafos bajo el título "Hormonas y tropismos", identifica cuatro efectos de las hormonas de las plantas. Escribe la información en un organizador gráfico como el que sigue.

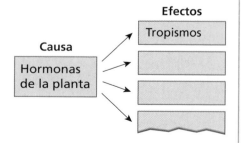

Causa

Efectos

Hormonas de la planta

Tropismos

Lab zone Actividad Descubre

¿Responde una planta al tacto?

1. Tu maestro te dará dos plantas. Observa la primera. Toca con cuidado una hoja con la punta de un lápiz. Observa lo que pasa durante los siguientes tres minutos. Anota tus observaciones.

2. Repite el paso 1 con la segunda planta. Anota tus observaciones.

3. Lávate las manos con agua y jabón.

Reflexiona
Inferir ¿Qué ventajas podría tener una planta si sus hojas respondieran al tacto?

La utricularia es una planta de agua dulce que tiene pequeñas flores amarillas. Unidas a sus tallos flotantes hay estructuras abiertas llamadas vejigas. Cuando una mosca de agua toca un filamento sensible en la vejiga, ésta se abre. Rápidamente, la mosca es absorbida hacia adentro y la vejiga se cierra. La planta entonces digiere a la mosca atrapada.

Una utricularia responde con rapidez, con mayor velocidad que muchos animales a un estímulo similar. Te sorprendería saber que algunas plantas dan respuestas tan rápidas como un rayo. Quizá hayas pensado que las plantas no responden en absoluto a los estímulos. Pero las plantas responden a algunos estímulos, aunque suelen hacerlo en forma más lenta que la utricularia.

Tropismos

Los animales suelen responder a los estímulos moviéndose. A diferencia de éstos, las plantas comúnmente responden creciendo hacia o en contra de un estímulo. La respuesta de crecimiento de una planta hacia o en contra de un estímulo se llama **tropismo.** Si la planta crece hacia el estímulo, se dice que manifiesta un tropismo positivo. Si crece en contra del estímulo, manifiesta un tropismos negativo. **El tacto, la luz y la gravedad son tres estímulos importantes hacia los cuales las plantas manifiestan respuestas de crecimiento, o tropismos.**

Tacto Algunas plantas, como la utricularia, muestran una respuesta al tacto llamada tigmotropismo. El prefijo *tigmo-* proviene de la palabra griega que significa "tacto". Los tallos de muchas parras, como las uvas y los dondiegos de día, manifiestan un tigmotropismo positivo. Cuando las vides crecen, se enroscan en cualquier objeto que tocan.

Luz ¿Alguna vez ha observado en un alféizar plantas cuyas hojas y tallos apuntan hacia el sol? Todas las plantas muestran una respuesta a la luz llamada fototropismo. Las hojas, los tallos y las flores de las plantas crecen hacia el sol, mostrando un fototropismo positivo. Cuando una planta crece hacia la luz, recibe más energía para la fotosíntesis.

Gravedad Las plantas también responden a la gravedad. Esta respuesta se llama gravitropismo. Las raíces muestran un gravitropismo positivo, crecen hacia abajo. Los tallos, por otro lado, muestran un gravitropismo negativo, pues crecen hacia arriba.

Hormonas y tropismos Las plantas responden al tacto, la luz y la gravedad porque producen hormonas. La **hormona** producida por una planta es una sustancia química que influye en el crecimiento y desarrollo de la planta.

Una hormona importante de las plantas es la llamada **auxina.** Ésta acelera el ritmo de crecimiento de la planta. Controla la respuesta de la planta a la luz. Cuando la luz brilla por un lado del tallo, la auxina se acumula en el lado sombreado del tallo. Las células del lado sombreado empiezan a crecer más rápido. Al final, éstas células son más largas que las del lado soleado. Así que el tallo se inclina hacia la luz.

Además de los tropismos, las hormonas de las plantas también controlan muchas otras actividades de la planta. Algunas de estas actividades son la germinación, la formación de flores, tallos y hojas, la muda de hojas y el desarrollo y maduración de los frutos.

 **Verifica tu lectura** ¿Cuál es una de las funciones de la hormona auxina de las plantas?

Figura 19

Tropismos

Tacto, luz y gravedad son tres estímulos a los que las plantas muestran respuestas de crecimiento o tropismos.

▲ **Tacto** Una vid que se enrosca en un alambre muestra un tigmotropismo positivo.

▲ **Luz** Los tallos y las flores de una planta que crecen hacia la luz muestran un fototropismo positivo.

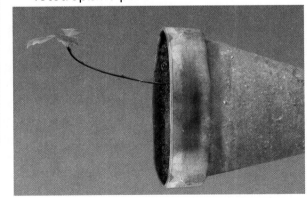

▲ **Gravedad** El tallo de una planta que crece hacia arriba, contra la fuerza de gravedad, muestra un gravitropismo negativo.

FIGURA 20

Plantas de día corto y día largo
Una planta de día corto florece cuando las noches son más largas que la longitud nocturna crítica. Una planta de día largo florece cuando las noches son más cortas que la longitud nocturna crítica. *Aplicar conceptos* *¿Qué planta, crisantemo o lirio, es más probable que florezca a principios del verano?*

Planta de día corto	
Noche más larga que la longitud nocturna crítica	Noche más corta que la longitud nocturna crítica
Crisantemo	Crisantemo

Planta de día largo	
Noche más larga que la longitud nocturna crítica	Noche más corta que la longitud nocturna crítica
Lirio	Lirio

Cambios de estación

Quizá hayas oído decir "en abril, aguas mil; en mayo flores", pero ¿te has preguntado si es verdad? ¿Se abren en mayo todas las flores? ¿Es realmente la lluvia la que hace que las flores se abran?

Desde hace mucho tiempo la gente ha observado que las plantas responden a los cambios de las estaciones. Algunas florecen a principios de la primavera, mientras que otras no lo hacen sino hasta el verano. Las hojas de algunos árboles cambian de color en otoño y luego caen en el invierno.

Fotoperiodicidad ¿Qué factor ambiental hace que una planta florezca? **La cantidad de oscuridad que recibe una planta determina su período de floración en muchos casos.** La respuesta de una planta a los cambios de estación en cuanto a la duración de la noche y el día se llama **fotoperiodicidad.**

Las plantas difieren en su respuesta a la longitud nocturna. Las **plantas de día corto** florecen cuando las noches son más cortas que una longitud crítica. Las **plantas de día largo** florecen cuando las noches son más cortas que una longitud crítica. Esta longitud crítica, llamada **longitud nocturna crítica,** es la cantidad de horas de oscuridad que determina si una planta florecerá o no. Por ejemplo, si una planta de día corto tiene una longitud nocturna crítica de 11 horas, florecerá sólo si las noches son de más de 11 horas.

Las plantas de día corto florecen en otoño o invierno, cuando las noches son cada vez más largas. Los crisantemos y las flores de pascua son plantas de día corto. En comparación, las plantas de día largo florecen en primavera o verano, cuando las noches son cada vez más cortas. Entre las plantas de día largo se hallan los lirios y la lechuga.

Otras plantas, como los dientes de león, el arroz y los tomates, son **plantas de día neutro.** Su ciclo de floración no es sensible a los períodos de luz y oscuridad.

FIGURA 21
Dormición invernal
Al aproximarse el invierno, las hojas de este arce de azúcar cambian de color y luego caen.

Dormición invernal Al acercarse el invierno, muchas plantas se preparan para pasar a un estado de dormición. La **dormición** es un período en el que se detiene el crecimiento o la actividad de un organismo. **La dormición ayuda a las plantas a sobrevivir a temperaturas de congelación y a la falta de agua líquida.**

En muchos árboles, el primer cambio consiste en el cambio de color en las hojas. El tiempo más frío y los días más cortos hacen que las hojas dejen de elaborar clorofila. Cuando la clorofila se descompone, aparecen pigmentos amarillos y anaranjados, y la planta empieza a producir nuevos pigmentos rojos. El resultado son los colores brillantes de las hojas de otoño.

En las siguientes semanas, toda el azúcar y agua restantes salen por las hojas del árbol. Luego caen las hojas al suelo y el árbol está listo para el invierno.

 Verifica tu lectura   ¿Qué es la dormición?

Matemáticas ▸ Analizar datos

Germinación y temperatura

Cien semillas de rábano se plantaron en dos bandejas de tierra idénticas. Una bandeja se mantuvo a 10 °C y la otra a 20 °C. Las bandejas recibieron cantidades iguales de agua y luz solar. La gráfica muestra cuántas semillas germinaron con el tiempo a cada temperatura.

1. **Leer gráficas** ¿Qué variable se trazó sobre el eje horizontal? ¿Qué variable se trazó sobre el eje vertical?

2. **Interpretar datos** ¿Cómo cambió la cantidad de semillas que germinaron entre los días 20 y 25 a 10 °C? ¿Y a 20 °C?

3. **Sacar conclusiones** Según la gráfica, ¿a qué temperatura germinaron finalmente más semillas? ¿A qué conclusión llegas sobre la relación entre la temperatura y la germinación?

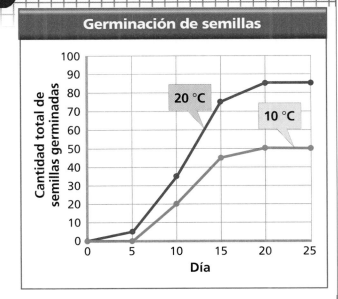

4. **Predecir** Predice cómo se vería la gráfica con una bandeja de 100 semillas de rábano mantenidas a 5 °C. Da una razón de tu predicción.

Capítulo 5   A ◆ 163

▲ **Anual:**
Dondiego de día

Bienal: ▶
Dedalera

FIGURA 22
Ciclo de vida de las angiospermas
Las anuales viven un año. Las bianuales viven dos años y las perennes viven muchos años.

▲ **Perenne:**
Peonía

Ciclo de vida de las angiospermas

Las angiospermas se clasifican en anuales, bienales y perennes según la duración de sus ciclos de vida. Las plantas con flores que completan un ciclo de vida en una temporada de crecimiento se llaman **anuales.** Casi todas las anuales tienen tallos herbáceos e incluyen a las caléndulas, las petunias, el trigo y los pepinos.

Las angiospermas que completan su ciclo de vida en dos años se llaman **bienales.** En el primer año, las bienales germinan y echan raíces, tallos muy cortos y hojas. Durante su segundo año, alargan sus tallos, echan hojas nuevas y luego producen flores y semillas. Una vez que las flores producen semillas, la planta muere. El perejil, el apio y la dedalera son bienales.

Las plantas con flores que viven más de dos años se llaman **perennes.** Casi todas las perennes florecen cada año. Algunas, como las peonías, tienen tallos herbáceos. Las hojas y los tallos de estas plantas mueren cada invierno y se reproducen otras nuevas cada primavera. La mayor parte de las perennes tienen tallos leñosos que soportan el invierno. Los arces son ejemplos de árboles perennes leñosos.

 Verifica tu lectura ¿Cuánto tiempo vive una bienal?

Sección 4 Evaluación

Destreza clave de lectura Relacionar causa y efecto Consulta tu organizador gráfico sobre las hormonas de las plantas para responder a la pregunta 1.

Repasar los conceptos clave

1. a. Describir Describe tres tropismos que se dan en las plantas.
 b. Explicar ¿Cómo controla la auxina la respuesta de la planta a la luz?
 c. Desarrollar hipótesis Los tallos de tus dondiegos de día han cubierto la cerca de tu jardín. Explica por qué sucedió esto.
2. a. Definir ¿Qué es la fotoperiodicidad? ¿Qué es la dormición invernal?
 b. Comparar y contrastar ¿En qué difieren las plantas de día corto y de día largo?
 c. Ordenar en serie Haz una lista ordenada de los cambios que sufre un árbol al aproximarse el invierno.

3. a. Definir ¿En qué difieren anuales, bienales y perennes?
 b. Aplicar conceptos ¿El pasto que crece en la mayor parte de los prados es anual, bienal o perenne? Explica tu respuesta.

Lab zone **Actividad** En casa

Buscar el sol Junto con un familiar, remoja algunos granos de maíz o habas en agua durante toda la noche. Luego métetelas suavemente en la tierra en un vaso de papel hasta que queden cubiertas. Mantén húmeda la tierra. Cuando veas que brotan los tallos de la tierra, coloca el vaso en una ventana soleada. Luego de unos días, explícale a tu familiar por qué crecieron las plantas en la dirección en que lo hicieron.

Alimentar al mundo

Avance de la lectura

Concepto clave
• ¿Qué tecnologías pueden ayudar a los agricultores a producir más cosechas?

Términos clave
• agricultura de precisión
• hidroponía
• ingeniería genética

Destreza clave de lectura
Identificar ideas principales
Mientras lees la sección, escribe la idea principal en un organizador gráfico como el que sigue. Luego, escribe tres detalles de apoyo que proporcionen ejemplos de la idea principal.

Idea principal

Entre las tecnologías que pueden ayudar a producir más alimento se hallan...

Detalle	Detalle	Detalle

Lab zone **Actividad** Descubre

¿Habrá lo suficiente?

1. Elige una etiqueta numerada de la bolsa que te proporcione tu maestro. Si eliges una etiqueta con el número *1* eres de un país rico. Si eliges una etiqueta con el número *2*, eres de un país de ingreso medio. Si eliges una etiqueta con el número *3*, eres de un país pobre.
2. Busca a tus compañeros de clase que tengan el mismo número que tú en su etiqueta. Siéntense en grupo.
3. Tu maestro le servirá a tu grupo una comida. La cantidad de alimento que recibas dependerá del número de tu etiqueta.
4. Al comer, observa a tus compañeros de grupo y a los de otros grupos. Después de comer, anota tus observaciones. Además, anota cómo te sentiste y qué pensabas durante la comida.

Reflexiona
Predecir Según esta actividad, predice qué efecto tendría un aumento de la población mundial en la provisión de alimento.

Actualmente, en la Tierra viven más de 6 mil millones de personas. Para el año 2050, la población podría llegar a unos 10 mil millones. Piensa en la cantidad de comida que se necesitará para alimentar a la creciente población. ¿Cómo lograrán los agricultores cultivar el alimento suficiente?

Los agricultores y científicos trabajan arduamente en tratar de hallar respuestas a esta pregunta. Los agricultores usan nuevas tecnologías que vuelven la agricultura más eficiente. La gente desarrolla métodos para cultivar en zonas con suelo pobre. Además, los científicos desarrollan plantas que son más resistentes a los insectos, las enfermedades y las sequías.

Mercado de ▶
Turquía

Figura 23
Agricultura de precisión
El mapa en la pantalla de esta computadora de tractor muestra la composición del suelo en los campos de una granja. El mapa se obtuvo por imágenes satelitales.
Relacionar causa y efecto ¿Cómo beneficia al ambiente la agricultura de precisión?

Agricultura de precisión

En las granjas del futuro, las imágenes de satélite y las computadoras serán tan importantes como los tractores y las cosechadoras. Tales tecnologías permitirán a los agricultores practicar la **agricultura de precisión,** un método agrícola en el que los agricultores gradúan la cantidad de agua y fertilizante que usan en función de las necesidades de un determinado campo.

Primero, se obtienen las imágenes satelitales de los campos de una granja. Luego, una computadora analiza las imágenes para determinar la composición del suelo en los diferentes campos. La computadora usa los datos para preparar el plan de riego o fertilización de cada campo.

La agricultura de precisión beneficia a los agricultores pues les ahorra tiempo y dinero. También aumenta la producción de los cultivos, ya que ayuda a los agricultores a mantener las condiciones ideales en todos los campos. La agricultura de precisión también beneficiaría al ambiente porque los agricultores usan sólo el fertilizante que necesita el suelo. Cuando se usa menos fertilizante, menos nutrientes se desprenden de la tierra para ir a parar a lagos y ríos. Como leíste en el Capítulo 3, reducir el uso de los fertilizantes es una de las formas de impedir que las floraciones de algas dañen las masas de agua.

Hidroponía

En algunas zonas no se cultiva porque el suelo es demasiado pobre. Por ejemplo, en algunas islas del océano Pacífico, el suelo contiene grandes cantidades de sal del mar circundante. Los cultivos alimenticios no crecen en suelo salino.

En estas islas, la gente puede usar la hidroponía para cultivar. La **hidroponía** es un método agrícola en el cual se siembran plantas en soluciones de nutrientes en lugar del suelo. Normalmente, las plantas se siembran en recipientes en los que sus raíces se fijan a grava o arena. La solución nutritiva se bombea por la grava o arena. **La hidroponía permite cultivar en zonas que tienen suelo pobre y ayudar a alimentar así a la creciente población.** Por desgracia, la hidroponía es un método de cultivo costoso.

 **Verifica tu lectura**) **¿Qué es la hidroponía?**

Diseño de mejores plantas

Actualmente las principales fuentes de alimento son el trigo, el maíz, el arroz y las papas. Para alimentar a más personas, debe aumentar la producción de estos cultivos. No es una tarea sencilla. Uno de los retos que enfrentan los agricultores es que estos cultivos sólo crecen en ciertos climas. Otro es el tamaño y la estructura de estas plantas, que limita la cantidad de alimento que producen.

Una técnica que los científicos usan para enfrentar estos retos se llama ingeniería genética. En la **ingeniería genética,** los científicos alteran el material genético de un organismo para producir otro organismo con cualidades que a las personas les resulten útiles.

Los científicos usan la ingeniería genética para producir plantas que puedan crecer en diversos climas. También diseñan plantas para que sean más resistentes al daño que ocasionan los insectos. Por ejemplo, los científicos han insertado material genético de una bacteria en plantas de maíz y jitomate. Esta bacteria es inofensiva para los seres humanos. Pero su material genético permite que las plantas produzcan sustancias que matan a insectos, como las orugas u otros bichos que muerden las hojas de las plantas. Hoy en día, los agricultores cultivan muchas clases de plantas diseñadas genéticamente.

Para: Vínculos sobre las plantas como alimento, disponible en inglés.
Visita: www.SciLinks.org
Código Web: scn-0155

Verifica tu lectura ¿Cuál es una de las formas en que la ingeniería genética puede ayudar a los agricultores a producir más alimento?

Sección 5 Evaluación

Destreza clave de lectura Identificar ideas principales
Usa tu organizador gráfico para responder a las preguntas.

Repasar los conceptos clave

1. **a. Hacer una lista** Da tres tecnologías que pueden usar los agricultores para aumentar la producción agrícola.
   b. Explicar Describe uno de los retos agrícolas que enfrenta cada tecnología.
   c. Emitir un juicio ¿Qué tecnología piensas que alberga la mayor esperanza para el futuro? Sustenta tu respuesta con razones.

Escribir en ciencias

Entrevista Supón que pudieras entrevistar a un agricultor que usa la agricultura de precisión. Escribe una entrevista de una página en la que le pidas al agricultor que explique la tecnología y sus beneficios.

Laboratorio de tecnología

• Tecnología y diseño •

Diseñar y construir un jardín hidropónico

Problema

¿Puedes diseñar y construir un sistema para sembrar plantas sin tierra?

Destrezas aplicadas

diseñar una solución, rediseñar

Materiales

- planta en maceta
- 2 tipos de semilleros diferentes
- solución nutriente
- botellas de refresco de dos litros vacías
- toallas de papel
- materiales opcionales que te proporcionará tu maestro

Procedimiento 🐦

PARTE 1 Analizar e investigar

1. Copia la tabla de datos en una hoja de papel.

2. Examina cuidadosamente la planta sembrada en una maceta que te dé tu maestro. Piensa en todos los factores que se necesitan para que la planta crezca. Haz una lista de estos factores en la primera columna de la tabla de datos.

3. Usa lo que sabes de las plantas e investigaciones adicionales para llenar la segunda columna de la tabla de datos.

4. En cada factor que aparezca en la tabla, decide si es o no "esencial" para el crecimiento de la planta. Escribe esta información en la tercera columna de la tabla de datos.

PARTE 2 Diseñar y construir

5. Para probar si la tierra es esencial para el crecimiento de la planta, diseña un sistema de "jardín" para cultivar plantas sin tierra. Tu jardín debe:
   - incluir al menos dos tipos diferentes de semilleros
   - usar sólo la cantidad de solución nutritiva que te proporcione tu maestro
   - construirse con materiales pequeños y ligeros, pero duraderos

6. Haz el diseño de tu jardín en una hoja de papel aparte y una lista de los materiales que usarás. Luego pide permiso a tu maestro y construye tu jardín.

PARTE 3 Evaluar y rediseñar

7. Prueba el diseño de tu jardín cultivando tus plantas durante dos semanas. Diariamente, mide y registra la altura de tus plantas y la cantidad de hojas. También anota la apariencia general de tus plantas.

8. Evalúa tu diseño comparando tu jardín y plantas con los de tus compañeros de clase. Basado en tu comparación, decide cómo mejorarías el diseño de tu jardín. Luego haz cualquier cambio que necesites y supervisa el crecimiento de tu planta por una semana más.

Tabla de datos		
Factor necesario para el crecimiento de la planta	Qué le proporciona este factor a la planta	¿Esencial o no esencial?

Analiza y concluye

1. **Identificar una necesidad** En la parte 1, ¿enumeraste la tierra como factor necesario para el crecimiento de la planta? De ser así, ¿pensaste que era un factor esencial o no esencial? Explica tu razonamiento.

2. **Diseñar una solución** ¿En qué te ayudó la información que reuniste en la parte 1 en el diseño de tu jardín en la parte 2? ¿Cómo proporcionó el diseño de tu jardín cada uno de los factores de crecimiento esenciales que enumeraste?

3. **Rediseñar** ¿Qué cambios hiciste a tu jardín y por qué? ¿Los cambios generaron un mejor crecimiento de la planta?

4. **Trabajar con limitaciones de diseño** ¿Cómo influyen las limitaciones del paso 5 en tu diseño? ¿Cómo superaste esas limitaciones?

5. **Evaluar el efecto en la sociedad** Los jardines hidropónicos se planean para los futuros vuelos espaciales y como una forma de cultivar plantas en climas fríos. Explica por qué estos jardines son una buena opción en cada una de esas situaciones. Luego, identifica dos situaciones más en las que los jardines hidropónicos serían una buena opción y explica por qué.

Comunica

Haz un borrador en el que destaques los beneficios de la jardinería hidropónica. Asegúrate de proporcionar detalles sobre cómo se satisfacen las necesidades de una planta y sobre los problemas que podrían resolver los jardines hidropónicos.

1 Características de las plantas con semilla

Conceptos clave

- Las plantas con semilla tienen tejido vascular y usan el polen y las semillas para reproducirse.
- Dentro de una semilla hay una planta parcialmente desarrollada. Si una semilla cae en un zona en donde las condiciones son favorables, puede empezar a convertirse en una planta.
- Las raíces fijan la planta al suelo y absorben agua y minerales. Los tallos transportan sustancias entre las raíces y las hojas, dan sostén y levantan las hojas. Las hojas captan la energía solar para la fotosíntesis.

Téminos clave

floema	germinación
xilema	caliptra
polen	cámbium
semilla	estomas
embrión	transpiración
cotiledón	

2 Gimnospermas

Conceptos clave

- Las gimnospermas producen semillas expuestas. Además, muchas tienen hojas con forma de aguja o escamas y raíces que crecen profundamente.
- Durante la reproducción, el polen cae de un cono masculino en un cono femenino. Más adelante, un espermatozoide y una célula huevo se unen en un óvulo en el cono femenino.
- El papel y otros productos, como la madera que se usa para construir casas, provienen de coníferas.

Términos clave

gimnosperma	óvulo
cono	polinización

3 Angiospermas

Conceptos clave

- Todas las angiospermas producen flores y frutos.
- Todas las flores funcionan en la reproducción.
- Durante la reproducción, el polen cae en el estigma de la flor. Luego, el espermatozoide y el huevo se unen en el óvulo de la flor. El cigoto se convierte en la parte embrionaria de la semilla.
- Las angiospermas se dividen en dos grupos principales: monocotiledóneas y dicotiledóneas.

Términos clave

angiosperma	pistilo
flor	ovario
sépalo	fruto
pétalo	monocotiledónea
estambre	dicotiledónea

4 Respuestas y crecimiento de las plantas

Conceptos clave

- Tacto, luz y gravedad son estímulos hacia los cuales las plantas manifiestan respuestas de crecimiento, o tropismos.
- La cantidad de oscuridad que recibe una planta determina su período de floración en muchos casos.
- La dormición ayuda a las plantas a sobrevivir en el invierno.
- Las angiospermas se clasifican en anuales, bienales y perennes.

Términos clave

tropismo	planta de día neutro
hormona	dormición
auxina	anual
fotoperiodicidad	bienal
planta de día corto	perenne
planta de día largo	
longitud nocturna crítica	

5 Alimentar al mundo

Concepto clave

- La agricultura de precisión, la hidroponía y la ingeniería genética ayudan a los agricultores a producir más cultivos para alimentar a la población mundial.

Términos clave

agricultura de precisión	hidroponía
	ingeniería genética

Repaso y evaluación

Organizar la información

Hacer un mapa de conceptos Copia el mapa de conceptos sobre las plantas con semilla en una hoja de papel aparte. Luego, complétalo y agrégale un título. (Para más información sobre mapas de conceptos, consulta el Manual de destrezas.)

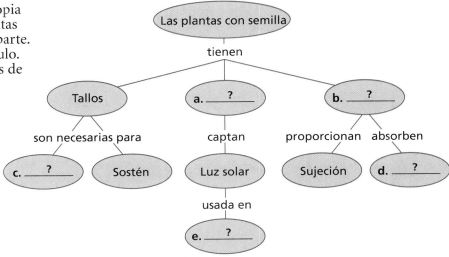

Las plantas con semilla

tienen

Tallos — a. _____? — b. _____?

son necesarias para — c. _____? — Sostén

captan — Luz solar

proporcionan — Sujeción — absorben — d. _____?

usada en — e. _____?

Repasar los términos clave

Elige la letra de la mejor respuesta.

1. El proceso por el cual una semilla germina se llama
   a. polinización.
   b. fecundación.
   c. dispersión.
   d. germinación.

2. En los tallos leñosos, se producen células nuevas de xilema por medio del(de la)
   a. corteza.
   b. cámbium.
   c. floema.
   d. médula.

3. ¿Cuál de las siguientes es la parte femenina de una flor?
   a. pistilo
   b. óvulo
   c. estambre
   d. pétalo

4. ¿Qué clase de tropismo muestran las raíces al crecer hacia abajo en el suelo?
   a. gravitropismo positivo
   b. gravitropismo negativo
   c. fototropismo
   d. tigmotropismo

5. El proceso de agrupar cultivos en una solución nutriente se llama
   a. ingeniería genética.
   b. hidroponía.
   c. agricultura de precisión.
   d. imágenes satelitales.

Si la oración es verdadera, escribe, *verdadera.* **Si es falsa, cambia la palabra o palabras subrayadas para hacer verdadera la oración.**

6. Los <u>tallos</u> fijan las plantas al suelo.

7. Las agujas de un pino son en realidad sus <u>hojas</u>.

8. Las semillas de <u>gimnosperma</u> se dispersan en frutos.

9. Las plantas florales que viven más de dos años se llaman <u>anuales</u>.

10. La <u>agricultura de precisión</u> usa la tecnología para satisfacer las necesidades de agua y fertilizante.

Escribir en ciencias

Informe de primera mano Escribe una historia desde el punto de vista de un semillero. Describe como te dispersaste cuando eras semillas y cómo te convertiste en semillero.

DISCOVERY CHANNEL **SCHOOL**

Seed Plants

Video Preview
Video Field Trip
▶ Video Assessment

Repaso y evaluación

Verificar los conceptos

11. Escribe cuatro formas diferentes en que se dispersan las semillas.

12. Explica la función que desempeñan los estomas en las hojas.

13. Describe la estructura de un cono femenino.

14. ¿Cuál es la diferencia entre polinización y fecundación?

15. ¿Qué función desempeña un fruto en el ciclo de vida de una angiosperma?

16. ¿Qué función desempeñan las hormonas de una planta en el fototropismo?

17. ¿Cómo ayuda el uso de la hidroponía a aumentar la cantidad de alimento que puede cultivarse?

Pensamiento crítico

18. **Inferir** A veces los volcanes submarinos hacen erupción y se forman islas nuevas lejos de otras masas de tierra. Años después, es posible descubrir que crecen plantas de semilla en las islas. ¿Cómo se explica la presencia de esas plantas?

19. **Relacionar causa y efecto** Cuando una tira de corteza se retira alrededor del tronco de un árbol, éste muere. Explica por qué.

20. **Predecir** Los pesticidas están diseñados para matar insectos dañinos. Sin embargo, a veces también matan a insectos útiles. ¿Qué efecto podría tener esto en las angiospermas?

21. **Comparar y contrastar** Cuál de las siguientes plantas es monocotiledónea? ¿Cuál es dicotiledónea? Explica tus conclusiones.

22. **Aplicar conceptos** Explica por qué quienes cultivan plantas caseras en los alféizares deberían voltear las plantas cada semana más o menos.

Pensamiento crítico

23. **Múltiplos** Usa lo que sabes sobre los múltiplos para determinar qué flor es monocotiledónea y cuál dicotiledónea: una flor con nueve pétalos; una flor con diez pétalos. Explica.

Aplicar destrezas

Usa los datos de la gráfica siguiente para responder a las preguntas 24 a 26.

Una científica, midió la transpiración en un fresno durante un período de 18 horas. También midió cuánta agua tomaban las raíces del árbol en el mismo período.

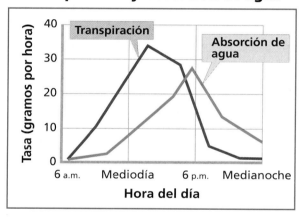

24. **Interpretar datos** ¿A qué hora es más alta la tasa de transpiración? ¿A qué hora es más alta la tasa de absorción de agua?

25. **Inferir** ¿Por qué piensas que la tasa de transpiración aumenta y disminuye como lo hace durante el período de 18 horas?

26. **Sacar conclusiones** Basándote en la gráfica, ¿cuál es una de las conclusiones a las que puedes llegar sobre el patrón de pérdida y ganancia de agua en el fresno?

Lab zone **Proyecto** del capítulo

Evaluación del desempeño Diseña un cartel con los resultados de tu investigación. Puedes usar un diagrama de ciclos para mostrar los principales sucesos en la vida de la planta. ¿Qué información nueva aprendiste sobre las plantas de semilla en este proyecto?

Sugerencia para hacer la prueba

Ordenar en serie los sucesos

En las preguntas de algunas pruebas se te pide que ordenes una serie de sucesos. Quizá te pregunten qué suceso se da primero o al final, o cuál se da antes o después de otro suceso. Antes de considerar las opciones de respuesta, trata de recordar la secuencia correcta en que se dieron los sucesos.

Pregunta de ejemplo

¿Cuál de las siguientes es la secuencia correcta de sucesos en la reproducción de una planta de semilla?

    A polinización, germinación, fecundación
    B fecundación, germinación, polinización
    C polinización, fecundación, germinación
    D germinación, fecundación, polinización

Respuesta

La opción **C** establece la secuencia correcta de sucesos de la reproducción de las plantas de semilla. Puedes eliminar **A** porque una semilla no germina antes de que la fecundación cree a esa semilla. **B** y **D** son incorrectas porque la fecundación no puede darse antes de la polinización.

Elige la letra de la mejor respuesta.

1. El diagrama muestra las partes de una flor. ¿En qué parte de la flor se forma el polen?

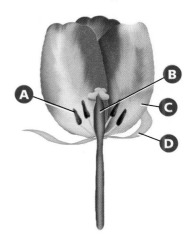

  A parte A   **B** parte B
  C parte C   **D** parte D

2. ¿Cuál de las siguientes es la trayectoria correcta que toma el agua una vez que entra a una planta?
  F hojas, tallos y raíces
  G raíces, hojas, tallos
  H tallos, raíces, hojas
  J raíces tallos, hojas

3. Un científico que examina los anillos anuales de un árbol observa una sección con anillos anchos. ¿Qué inferencia puede hacer a partir de esta observación?
  A Hubo sequía durante los años en que se produjeron los anillos anchos.
  B La lluvia fue abundante durante los años en que se produjeron los anillos anchos.
  C Los incendios forestales produjeron los anillos anchos.
  D Hubo heladas de primavera fuertes durante los años en que se produjeron los anillos anchos.

4. ¿Qué esperaría encontrar un estudiante al examinar una dicotiledónea?
  F un cotiledón
  G partes de flores en múltiplos de tres
  H tallos con haces de tejido vascular dispuestos en forma de anillo
  J hojas con venas paralelas

5. ¿Cuál de las oraciones siguientes es una comparación válida de gimnospermas y angioespermas?
  A Tanto gimnospermas como angiospermas producen flores.
  B Las gimnospermas producen flores, mientras que las angiospermas producen conos.
  C La mayor parte de las gimnospermas tienen hojas amplias, las angiospermas no.
  D Las semillas de las angiospermas están encerradas dentro de frutos, mientras que las semillas de las gimnospermas no.

Respuesta estructurada

6. Explica de qué manera el fototropismo positivo ayuda a sobrevivir a una planta. En tu respuesta usa los términos siguientes: alimento, hojas, fotosíntesis, energía y luz solar.

Maíz: El grano maravilloso

¿Qué grano común
- se seca, luego se tuesta y se come en las películas?
- se muele para hacer harina?
- se come en hojuelas para el desayuno?

La gente ha consumido maíz en cientos de formas diferentes durante miles de años, desde que se cultivó por primera vez por las antiguas culturas mexicanas.

Dado que el maíz es útil, las personas lo han valorado a lo largo de la historia. Sabe bien, es nutritivo y se puede almacenar. Con el tiempo, el conocimiento del maíz se ha difundido entre los pueblos y las culturas. Cristóbal Colón introdujo el maíz en Europa. Colón lo llamó *mahiz*, que significa "especie de grano".

Actualmente, en muchos países del mundo, el maíz es una parte básica de la dieta de la gente, sea a manera de grano, molido, aceite, jarabe o harina. Estados Unidos cultiva miles de millones de fanegas cada año. Pero la gente sólo consume una pequeña parte de esta producción como grano. Cerca del 80 por ciento de la cosecha de maíz de Estados Unidos se da como alimento a los animales de granja para que proporcionen huevos, leche y carne. Otros cientos de productos, desde goma de mascar hasta dispositivos pirotécnicos, también se elaboran de partes de la planta.

Machu Pichu
Las ruinas de Machu Pichu, una ciudad inca, están en la cordillera de los Andes en Perú.

Mercado de pueblo
Una agricultora peruana vende diferentes tipos de maíz.

Antiguas civilizaciones de América Central y América del Sur

Océano Atlántico

Península de Yucatán

Tikal

Mar Caribe

América Central

Río Amazonas

América del Sur

Cuzco

Cordillera de los Andes

Océano Pacífico

| 0 | 1000 km |
| 0 | 600 mi |

CLAVE

Imperio Maya
300 d. C. – 900 d. C.

Imperio Inca
1400 – 1535

El maíz en el tiempo

Hay quienes dicen: "A dondequiera que fue el maíz, siguió la civilización". El maíz se cultivó probablemente a partir de un pasto silvestre en México alrededor del año 8000 a. C. Los primeros agricultores plantaron semillas y cosecharon cultivos en espacios planificados. Transmitieron sus conocimientos del maíz a sus hijos y a otros agricultores. Se considera que el hecho de que hayan contado con abundante maíz fue una de las razones por las que se desarrollaron y florecieron las antiguas civilizaciones maya e inca.

En América Central, la civilización maya llegó a su punto más alto entre los años 300 y 800 d. C. En las ciudades mayas, la gente construyó templos en forma de pirámide en donde adoraban a los dioses del sol, la lluvia y el maíz. El maíz se cultivaba en campos alrededor de las ciudades. El ritmo de las etapas del cultivo del maíz influía en todas las actividades de los mayas. El ciclo de vida del maíz y las partes de la planta (hojas, hilos, flores y granos) se volvieron la base de las palabras en lengua maya.

En América del Sur, el imperio Inca prosperó entre 1400 y 1535. Un poderoso gobernante inca llegó al poder en Perú en 1438. En menos de un siglo, los incas ampliaron su territorio de una pequeña zona en Cuzco, Perú, a un vasto imperio que se extendía por las montañas de los Andes, desde Chile hasta Ecuador. Fue la última de las antiguas civilizaciones prósperas de Perú. El imperio Inca fue destruido por los españoles que llegaron en 1530 en busca de oro. En Cuzco, hallaron un jardín deslumbrante a la vista en donde los tallos, hojas, cáscaras y mazorcas del maíz se trabajaban en plata y oro. Para los incas, el maíz era más preciado que el metal que buscaban los españoles.

Aunque los imperios Maya e Inca se vinieron abajo, el cultivo del maíz se expandió a otras regiones. Al final, la planta se llevó al norte de los valles ribereños de Mississippi y Ohio y al este a las islas del Caribe.

Civilizaciones de América
La civilización maya en América Central y la civilización inca en América del Sur florecieron antes de que llegaran los europeos.

Actividad Ciencias

Usa un mapa de América Central y América del Sur actual.

- Traza las fronteras aproximadas de los imperios Maya e Inca.

- Menciona los países que ahora se ubican en esas áreas.

- Identifica las características geográficas dentro de los imperios.

- Averigua sobre el clima. ¿Por qué estas tierras eran adecuadas para cultivar maíz?

Un grano en un largo camino

¿Sabías que el maíz y los productos derivados de éste se usan como combustible? ¿O que el maíz se encuentra en algunas marcas de alimentos para bebé, en perritos calientes y en dentífricos?

Ahora, sólo una pequeña parte del maíz que se planta es maíz dulce, el cual se vende fresco o se usa para producir maíz enlatado o congelado. Pero millones de fanegas de maíz forrajero, que es menos dulce, se transportan a las refinerías. Ahí, los granos se convierten en aceite, almidón, azúcar o combustible.

Cuando las mazorcas de maíz forrajero llegan a una refinería, el maíz se limpia y pone a remojar. Luego, los granos de maíz se muelen: se trituran y pulverizan. La sustancia molida se centrifuga en tanques gigantescos para separar los embriones. El aceite se extrae del embrión del grano. El tegumento puede retirarse cerniéndolo y puede secarse para producir salvado de maíz.

La sustancia restante, el alimento almacenado, se muele hasta convertirlo en harina de maíz. Una parte de la harina molida es rica en proteínas y se usa para alimentar a los animales. La otra parte de la harina de maíz es el almidón.

A partir del almidón de maíz, se procesan el azúcar y el jarabe de maíz. Puedes consumirlos en panes, cereales para el desayuno, refrescos de cola, helado y aderezos para ensaladas, entre otros productos. El almidón de maíz también se procesa y convierte en pegamentos y polvos para las industrias papelera y textil, y en etanol, que es un combustible.

Mazorca de maíz
Las plantas de maíz empiezan siendo granos y se convierten en mazorcas como ésta.

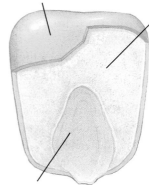

Tegumento
El tegumento protege al grano. El salvado se elabora del tegumento.

Alimento almacenado
El alimento almacenado es la parte almidonada interna que alimenta al embrión. Muchas cosas se elaboran de la parte almidonada del grano de maíz, incluidos

- almidón de maíz
- azúcar de maíz
- jarabes de maíz
- helado
- alimento para animales
- pegamento
- combustible

Embrión
El embrión es la parte de la semilla que se convertirá en una nueva planta de maíz. El aceite de maíz se elabora a partir del embrión.

Actividad Ciencias

En el supermercado, ¿cómo decides qué marca comprar de un determinado producto? ¿Qué criterios sigues? Con un compañero, elijan para investigar un producto de maíz, como serían tortillas, hojuelas o palomitas de maíz.

- Reúnan varias marcas del producto para ponerlas a prueba.

- Decidan qué probarán. Por ejemplo, tal vez quieran probar qué marca de palomitas de maíz produce más granos tostados.

- Antes de empezar, predigan cuáles serán sus resultados.

- Diseñen su propio experimento. Escriban el procedimiento paso a paso que seguirán. Asegúrense de mantener todas las variables iguales al probar cada producto.

- Hagan observaciones y recopilen datos.

- Interpreten los datos y saquen su conclusión. ¿Cómo se comparan sus resultados con su predicción?

Datos sobre el maíz alucinantes

Cada continente en el mundo, salvo la Antártida, produce una parte del maíz cada año. El mayor productor de maíz es Estados Unidos, ya que cultiva 42 por ciento del maíz del mundo. La gráfica muestra los principales países productores de maíz. China es el segundo país productor, ya que cultiva el 19 por ciento. Los otros países del mundo cultivan cantidades mucho más pequeñas.

En Estados Unidos, el maíz se siembra en casi todos los estados y se producen cerca de 9 mil millones de fanegas de maíz al año. Una fanega de maíz contiene cerca de 72,800 granos. La mayor parte de ese maíz se cultiva en un grupo de estados del medio oeste conocidos como el "Cinturón del Maíz". Iowa, Illinois, Nebraska y Minnesota son los cuatro principales estados que siembran maíz. Indiana, Missouri, Kansas, Ohio, Dakota del Sur, Wisconsin, Michigan y Kentucky son los otros estados del Cinturón del Maíz.

Producción de maíz en el mundo

Unión Europea 5%
Brasil 7%
China 19%
Estados Unidos 42%
Otros países 27%

Actividad Matemáticas

Haz una gráfica circular que muestre la producción de maíz en Estados Unidos. Para crear tu gráfica, sigue los pasos que aparecen en el Manual de destrezas.

- Usa los datos de la tabla siguiente para establecer las proporciones y determinar la cantidad de grados en cada porción. Luego calcula los porcentajes de los Principales estados del cinturón del maíz, de los Otros estados del cinturón del maíz y de los Estados fuera del cinturón del maíz. Redondea a la décima más cercana.

- Usa un compás para trazar un círculo.

- Determina el tamaño de cada porción.

- Mide y marca cada porción del círculo.

¿Qué porcentaje debes obtener al sumar estas cifras?

Producción de maíz en Estados Unidos	Miles de millones de fanegas
Principales estados del Cinturón del Maíz (Iowa, Illinois, Nebraska, Minnesota)	5.45
Otros estados del Cinturón del Maíz (Indiana, Missouri, Kansas, Ohio, Dakota del Sur, Wisconsin, Michigan, y Kentucky)	2.49
Estados fuera del Cinturón del Maíz	1.06
Total de Estados Unidos	9.00

Del jardín en el cielo

La palabra que designa al maíz en algunos idiomas nativos americanos significa "lo que nos da vida". Nadie sabe cuándo descubrieron el maíz los seres humanos. Pero muchas culturas tienen mitos e historias que explican cómo llegó a darse la planta. Para los pawnee en las praderas de Nebraska, el maíz era la Estrella de la tarde, la madre de todas las cosas. Los navajo del suroeste de Estados Unidos cuentan una historia de una hembra de pavo que voló en línea recta. En su trayecto, agitó con sus plumas una mazorca de maíz. El siguiente cuento popular proviene de los iroqueses de Canadá.

La diosa del maíz

El Gran Espíritu le dio unas semillas de maíz a una misteriosa doncella, quien se casó con un gran cazador. La esposa enseñó al pueblo del cazador cómo plantar y cosechar el maíz, y cómo cernirlo y hacer pan con él. El pueblo quedó complacido.

Pero al hermano del gran cazador no le gustó el pan y lo tiró al suelo. La esposa se alarmó porque con ello había deshonrado el regalo del Gran Espíritu. Esa noche le dijo a su esposo que ella tenía que abandonar al pueblo.

Poco después del alba, el pueblo oyó el sonido de la lluvia. Pero no era lluvia, sino el sonido de miles de granos que caían de las marzorcas de maíz. Pronto todos los tallos estaban vacíos.

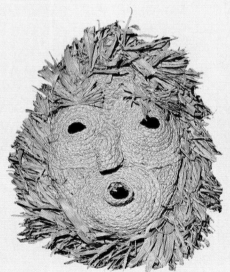

Máscara iroquesa hecha de cáscaras de maíz

Los hombres se fueron de caza pero hallaron pocas presas. Al poco tiempo, los niños empezaron a llorar de hambre. El gran cazador entristeció. Decidió irse y buscar a su esposa. Ella le había dicho: "Si alguna vez quieres encontrarme, camina hacia el este. Cuando llegues a un lago, descansa y espera hasta que escuches el llanto de un niño. Luego, deberás enterrar una flecha en el suelo, con la punta en dirección del sonido y dormir. Al despertar, la flecha te mostrará el camino."

El gran cazador se fue hacia el este al gran lago y encendió una hoguera. Ya tarde esa noche oyó un llanto. Enterró su flecha y se echó a dormir. Al alba, caminó hacia donde apuntaba la flecha. Caminó todo el día, luego se detuvo a descansar por la noche. Encendió otra hoguera. Una vez más oyó un llanto, colocó su flecha y se durmió. A la tercera noche, apareció su esposa.

Le contó que su pueblo moría de hambre y le pidió ayuda. Al terminar el invierno, el gran cazador regresó a su pueblo con el maíz que le había dado su esposa. Ese año, la cosecha fue abundante. El gran cazador se alegró mucho, pero extrañaba a su esposa y se fue a buscarla nuevamente. Viajó al lago y aguardó el llanto, pero no lo oyó. Viajó otro día, y otro más, pensando que conocía la dirección a donde debía ir. Buscó un día tras otro, esperando oír el llanto. Tal vez aún esté buscándola.

——Adaptado de *The Corn Goddess and Other Tales from Indian Canada*, Museo Natural, Canadá

Actividad Artes del lenguaje

Un cuento popular es una historia que se transmite de una persona a otra. Puede explicar algo relacionado con la naturaleza, como esta historia, o enseñar una lección. Halla las palabras y frases que muestren que este cuento se creó hace mucho tiempo.

Escribe tu propia historia sobre cómo se encontró el maíz en la naturaleza. Usa un escenario y personajes modernos.

Relaciónalo

Planea una bola del maíz

Organiza un carnaval del maíz en tu escuela. Para hacerle publicidad al carnaval, crea una enorme bola de palomitas de maíz y pegamento hecho de una mezcla de almidón de maíz y agua. (La bola de maíz más grande de que se tenga registro pesó cerca de una tonelada.)

He aquí algunas sugerencias para las actividades.

- Exhibe diversos productos hechos de maíz.

- Lleva alimentos hechos de maíz.

- Monta un quiosco para explicar cómo se hacen las rosetas de maíz.

- Prepara un concurso para que los visitantes adivinen la cantidad de granos de maíz.

- Monta un quiosco para contar historias graciosas del maíz.

- Reúne hechos, imágenes y fotografías que muestren el maíz en el arte o la historia.

- Reúne información sobre la agricultura en las culturas maya e inca.

Maíz en mazorca
Es uno de los alimentos estadounidenses favoritos.

Piensa como científico

Los científicos tienen una manera particular de mirar el mundo, es decir, tienen hábitos científicos de pensamiento. Cada vez que te haces una pregunta y examinas las respuestas posibles, aplicas muchas de las mismas destrezas que usan los científicos. Algunas de esas destrezas se describen en esta página.

Observar

Observas cada vez que reúnes información sobre el mundo con ayuda de uno o más de tus cinco sentidos. Oír que ladra un perro, contar doce semillas verdes y oler el humo son observaciones. Para aumentar el alcance de los sentidos, los científicos usan microscopios, telescopios y otros instrumentos que los ayudan a hacer observaciones más detalladas.

Una observación debe ser un informe preciso de lo que detectan tus sentidos. Es importante llevar un registro cuidadoso de tus observaciones en la clase de ciencias; para ello puedes escribir o hacer dibujos en un cuaderno. La información recopilada mediante las observaciones se llama evidencia o dato.

Inferir

Cuando interpretas una observación, **infieres,** es decir, haces una inferencia. Por ejemplo, si oyes que tu perro ladra, infieres que hay alguien en la puerta. Para hacer esta inferencia, combinas la evidencia (tu perro ladra) con tu experiencia o conocimientos (sabes que el perro ladra cuando se acerca un desconocido) y llegas a una conclusión lógica.

Ten en cuenta que una inferencia no es un hecho, sino sólo una de muchas interpretaciones posibles de una observación. Por ejemplo, quizá tu perro ladra porque quiere ir de paseo. Una inferencia puede ser incorrecta aun cuando esté basada en observaciones precisas y en un razonamiento lógico. La única manera de saber si una inferencia es correcta consiste en investigarla más a fondo.

Predecir

Cuando escuchas el pronóstico del tiempo, oyes muchas predicciones sobre el tiempo meteorológico del día siguiente: cuál será la temperatura, si lloverá o no y si habrá mucho viento. Los pronosticadores del tiempo usan sus observaciones y conocimientos de patrones climáticos para predecir el tiempo meteorológico. La destreza de **predecir** consiste en hacer una inferencia sobre un acontecimiento futuro, basada en pruebas actuales o en la experiencia.

Ya que una predicción es una inferencia, a veces resulta falsa. En la clase de ciencias, puedes hacer experimentos para probar tus predicciones. Por ejemplo, supón que predices que los aviones de papel más grandes vuelan más lejos que los pequeños. ¿Cómo probarías tu predicción?

Actividad

Usa la fotografía para responder a las preguntas que siguen.

Observar Mira con atención la fotografía. Anota por lo menos tres observaciones.

Inferir Usa tus observaciones para hacer una inferencia de lo que sucedió. ¿Qué experiencias o conocimientos utilizaste para hacer tu inferencia?

Predecir Predice lo que va a suceder. ¿En qué evidencia o experiencia basas tu predicción?

Clasificar

¿Te imaginas cómo sería buscar un libro en la biblioteca si los libros estuvieran acomodados sin ningún orden particular? Tu visita a la biblioteca sería cosa de todo un día. Por fortuna, los bibliotecarios agrupan los libros por tema o por autor. Agrupar los elementos que comparten algún parecido se llama **clasificar**. Puedes clasificar las cosas de muchas maneras: por tamaño, por forma, por uso y por otras características importantes.

Igual que los bibliotecarios, los científicos usan la destreza de clasificar para organizar información y objetos. Cuando las cosas están ordenadas en grupos, es más fácil comprender sus relaciones.

Actividad

Clasifica los objetos de la fotografía en dos grupos basándote en una característica que elijas. Luego, usa otra característica para clasificarlos en tres grupos.

Actividad

Esta estudiante usa un modelo para mostrar qué causa el día y la noche en la Tierra. ¿Qué representan la lámpara y la pelota de tenis en el modelo?

Hacer modelos

¿Alguna vez has hecho un dibujo para que alguien comprenda mejor lo que dices? Ese dibujo es un tipo de modelo. Un modelo es un dibujo, diagrama, imagen de computadora o cualquier otra representación de un objeto o proceso complejo. **Hacer modelos** nos ayuda a comprender las cosas que no vemos directamente.

A menudo, los científicos usan modelos para representar las cosas muy grandes o muy pequeñas, como los planetas del sistema solar o las partes de las células. En esos casos se trata de modelos físicos, o sea, dibujos o estructuras tridimensionales que se parecen a los objetos reales. En otros casos son modelos mentales: ecuaciones matemáticas o palabras que describen el funcionamiento de algo.

Comunicar

Cuando hablas por teléfono, escribes un informe o escuchas a tu maestro en la escuela, te estás comunicando. **Comunicar** es el proceso de compartir ideas e información con los demás. La comunicación eficaz requiere de muchas destrezas, como escribir, leer, hablar, escuchar y hacer modelos.

Los científicos se comunican para compartir resultados, información y opiniones. Suelen comunicar su trabajo en publicaciones, por teléfono, en cartas y en la Internet.

También asisten a conferencias científicas donde comparten sus ideas en persona.

Actividad

En una hoja aparte, escribe instrucciones detalladas para amarrarse los cordones. Intercámbialas con un compañero. Sigue sus instrucciones. ¿Pudiste amarrarte fácilmente los cordones? ¿Cómo podría haberse comunicado mejor tu compañero?

Hacer mediciones

Al hacer mediciones, los científicos pueden expresar sus observaciones con mayor exactitud y comunicar más información sobre lo que observan.

Medir en SI

El sistema estándar de medición que usan los científicos de todo el mundo es el *Sistema Internacional de Unidades*, que se abrevia como SI (**Système International d'Unités**, en francés). Estas unidades son fáciles de usar porque se basan en múltiplos de 10. Cada unidad es diez veces mayor que la inmediata anterior y un décimo del tamaño de la siguiente. En la tabla están los prefijos que se usan para nombrar las unidades más comunes del SI.

Longitud Para medir la longitud, es decir, la distancia entre dos puntos, la unidad de medida es el **metro (m)**. Un metro es aproximadamente la distancia que hay del suelo al pomo de una puerta. Las distancias más grandes, como la que hay entre dos ciudades, se miden en kilómetros (km). Las longitudes más pequeñas se miden en centímetros (cm) o milímetros (mm). Para medir la longitud, los científicos usan reglas y varas métricas.

Prefijos Comunes del SI		
Prefijo	**Símbolo**	**Significa**
kilo-	k	1,000
hecto-	h	100
deca-	da	10
deci-	d	0.1 (un décimo)
centi-	c	0.01 (un centésimo)
mili-	m	0.001 (un milésimo)

Conversiones comunes		
1 km	=	1,000 m
1 m	=	100 cm
1 m	=	1,000 mm
1 cm	=	10 mm

Volumen líquido Para medir el volumen de un líquido, es decir, la cantidad de espacio que ocupa, se usa una unidad de medida llamada **litro (L)**. Un litro es aproximadamente el volumen de un cartón de leche de tamaño mediano. Los volúmenes más pequeños se miden en mililitros (mL). Los científicos usan cilindros graduados para medir el volumen líquido.

Actividad

En la regla métrica de la ilustración, las líneas largas son divisiones en centímetros, mientras las cortas, que no están numeradas, son divisiones en milímetros. ¿Cuántos centímetros de largo tiene este caracol? ¿A cuántos milímetros equivale?

Actividad

El cilindro graduado de la ilustración está marcado con divisiones en mililitros. Observa que la superficie del agua del cilindro es curva. Esta curvatura se llama *menisco*. Para medir el volumen, tienes que leer el nivel en el punto más bajo del menisco. ¿Cuál es el volumen del agua en este cilindro graduado?

Conversión común
1 L = 1,000 mL

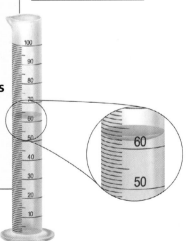

Masa Para medir la masa, es decir, la cantidad de materia de un objeto, se usa una unidad de medida llamada **gramo** (**g**). Un gramo es aproximadamente la masa de un sujetapapeles. Las masas más grandes se miden en kilogramos (kg). Los científicos usan balanzas para medir la masa.

Conversión común

1 kg = 1,000 g

Actividad

La masa de la papa de la ilustración se mide en kilogramos. ¿Cuál es la masa de la papa? Supón que una receta para ensalada de papa requiere un kilogramo de papas. ¿Como cuántas papas necesitarías?

0.25 KG

Temperatura Para medir la temperatura de una sustancia, se usa la **escala Celsius**. La temperatura se mide con un termómetro en grados Celsius (°C). El agua se congela a 0 °C y hierve a 100 °C.

Tiempo La unidad que los científicos usan para medir el tiempo es el **segundo** (**s**).

Actividad

¿Cuál es la temperatura del líquido en grados Celsius?

Conversión de unidades SI

Para trabajar con el sistema SI, debes saber cómo convertir de unas unidades a otras. La conversión de unidades requiere la destreza de **calcular,** es decir, realizar operaciones matemáticas. Convertir unidades SI es igual que convertir dólares y monedas de 10 centavos porque los dos sistemas se basan en múltiplos de diez.

Supón que quieres convertir una longitud de 80 centímetros a metros. Sigue estos pasos para convertir las unidades.

1. Primero escribe la medida que quieres convertir; en este ejemplo, 80 centímetros.

2. Escribe un factor de conversión que represente la relación entre las dos unidades. En este ejemplo, la relación es 1 metro = 100 centímetros. Escribe este factor de conversión como fracción. Asegúrate de poner en el denominador las unidades de las que conviertes (en este ejemplo, centímetros).

3. Multiplica la medición que quieres convertir por la fracción. Al hacer esto, las unidades de esta primera medición se cancelarán con las unidades del denominador. Tu respuesta estará en las unidades a las que conviertes (en este ejemplo, metros).

Ejemplo

80 centímetros = ■ metros

$$80 \text{ centímetros} \times \frac{1 \text{ metro}}{100 \text{ centímetros}} = \frac{80 \text{ metros}}{100}$$
$$= 0.8 \text{ metros}$$

Actividad

Convierte las siguientes unidades.

1. 600 milímetros = ■ metros
2. 0.35 litros = ■ mililitros
3. 1,050 gramos = ■ kilogramos

Realizar una investigación científica

En cierta forma, los científicos son como detectives que unen claves para comprender un proceso o acontecimiento. Una manera en que los científicos reúnen claves es realizar experimentos. Los experimentos prueban las ideas en forma cuidadosa y ordenada. Aunque no todos los experimentos siguen los mismos pasos en el mismo orden, muchos tienen un esquema parecido al que se describe aquí.

Plantear preguntas

Los experimentos comienzan planteando una pregunta científica. Una pregunta científica es aquella que se puede responder reuniendo evidencias. Por ejemplo, la pregunta "¿Qué se congela más rápido, el agua dulce o el agua salada?" es una pregunta científica, porque puedes realizar una investigación y reunir información para responderla.

Desarrollar una hipótesis

El siguiente paso es formular una hipótesis. Una **hipótesis** es una explicación posible para un conjunto de observaciones, o la respuesta a una pregunta científica. En ciencias, una hipótesis debe ser algo que se pueda poner a prueba. Una hipótesis se puede formular como un enunciado *Si… entonces…* Por ejemplo, una hipótesis sería "*Si añado sal al agua dulce, entonces tardará más en congelarse*". Las hipótesis enunciadas de esta manera son un esquema a grandes rasgos del experimento que debes realizar.

Diseñar un experimento

Luego, tienes que hacer un plan para poner a prueba tu hipótesis. Escribe tu plan en forma de pasos y describe las observaciones o mediciones que harás.

Dos pasos importantes en el diseño de un experimento son controlar las variables y formular definiciones operativas.

Controlar variables En un experimento bien diseñado, tienes que conservar igual todas las variables excepto una. Una **variable** es cualquier factor que puede cambiar en un experimento. El factor que modificas se llama **variable manipulada.** En nuestro experimento, la variable manipulada es la cantidad de sal que se añade al agua. Los demás factores, como la cantidad de agua o la temperatura inicial, son constantes.

El factor que cambia como resultado de la variable manipulada se llama **variable respuesta.** La variable respuesta es lo que mides u observas para obtener tus resultados. En este experimento, la variable respuesta es cuánto tarda el agua en congelarse.

Un experimento donde se mantienen constante todos los factores excepto uno, se llama **experimento controlado.** Estos experimentos incluyen una prueba llamada de control. En este experimento, el recipiente 3 es el de control. Como no se le añade sal, puedes comparar con él los resultados de los otros experimentos. Cualquier diferencia en los resultados debe obedecer tan sólo a la adición de sal.

Formular definiciones operativas Otro elemento importante de los experimentos bien diseñados es tener definiciones operativas claras. Una **definición operativa** es un enunciado que describe cómo se va a medir cierta variable o cómo se va a definir. Por ejemplo, en este experimento, ¿cómo determinarás si el agua se congeló? Quizá decidas meter un palito en cada recipiente al inicio del experimento. Tu definición operativa de "congelada" sería el momento en que el palito dejara de moverse.

Procedimiento experimental
1. Llena 3 recipientes con 300 mililitros de agua fría de la llave.
2. Añade 10 gramos de sal al recipiente 1 y agita. Añade 20 gramos de sal al recipiente 2 y agita. No añadas sal al recipiente 3.
3. Coloca los tres recipientes en el congelador.
4. Revisa los recipientes cada 15 minutos. Anota tus observaciones.

Interpretar datos

Las observaciones y mediciones que haces en los experimentos se llaman **datos.** Debes analizarlos al final de los experimentos para buscar patrones o tendencias. Muchas veces, los patrones se hacen evidentes si organizas tus datos en una tabla o una gráfica. Luego, reflexiona en lo que muestran los datos. ¿Apoyan tu hipótesis? ¿Señalan una falla en el experimento? ¿Necesitas reunir más datos?

Sacar conclusiones

Una **conclusión** es un enunciado que resume lo que aprendiste del experimento. Cuando sacas una conclusión, necesitas decidir si los datos que reuniste apoyan tu hipótesis o no. Tal vez debas repetir el experimento varias veces para poder sacar alguna conclusión. A menudo, las conclusiones te llevan a plantear preguntas nuevas y a planificar experimentos nuevos para responderlas.

Actividad

¿**Influye en el rebote de una pelota la altura de la que la dejas caer?** Usa los pasos que se describieron para planificar un experimento controlado e investigar el problema.

Destrezas de diseño tecnológico

Los ingenieros son personas que usan el conocimiento científico y tecnológico para resolver problemas prácticos. Para diseñar productos nuevos, los ingenieros a menudo siguen el proceso descrito aquí antes, aunque no siempre siguen los pasos en el mismo orden. Mientras lees estos pasos, piensa cómo podrías aplicarlos en los laboratorios de tecnología.

Identificar una necesidad

Antes de empezar a diseñar un producto nuevo, los ingenieros deben identificar la necesidad que intentan satisfacer. Por ejemplo, supón que perteneces al equipo de diseño de una empresa fabricante de juguetes. Tu equipo ha identificado una necesidad: un barco de juguete que no sea caro y sea fácil de armar.

Analizar el problema

Lo primero que hacen los diseñadores es reunir información que los ayude con el diseño nuevo. Esta investigación incluye buscar artículos en libros, revistas o en la Internet. A veces también incluye conversar con otros ingenieros que hayan resuelto problemas similares. A menudo, los ingenieros realizan experimentos relacionados con el producto que quieren diseñar.

Para tu barco de juguete podrías revisar juguetes parecidos al que quieres diseñar. Podrías hacer una búsqueda en la Internet. También podrías probar algunos materiales para ver si funcionan bien con el barco de juguete.

Dibujo para el diseño de un barco ▼

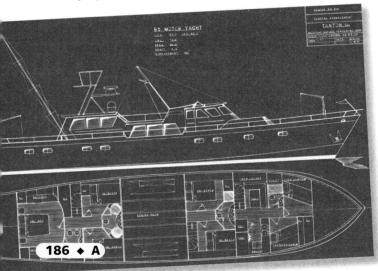

Diseñar una solución

La investigación provee a los ingenieros información útil para diseñar un producto. Los ingenieros trabajan en equipos cuando diseñan productos nuevos.

Generar ideas Por lo común, los equipos de diseño generan lluvias de ideas en las que cualquier integrante del equipo puede aportar algo. Una **lluvia de ideas** es un proceso creativo en el que las sugerencias de los integrantes del equipo dan ideas a los demás integrantes. Una lluvia de ideas puede proporcionar un nuevo enfoque para resolver un problema de diseño.

Evaluar restricciones Durante una lluvia de ideas, un equipo de diseño puede pensar en varios diseños posibles y evaluar cada uno.

Como parte de su evaluación, los ingenieros consideran las restricciones. Las **restricciones** son factores que limitan el diseño de un producto. Las características físicas, como las propiedades del material que usarás para hacer tu barco de juguete, son restricciones, así como el dinero y el tiempo. Si los materiales de un producto son muy caros o si se necesita mucho tiempo para fabricarlo, el diseño puede ser poco funcional.

Hacer intercambios Los equipos de diseño suelen hacer intercambios. En un **intercambio**, los ingenieros renuncian a un beneficio de un diseño propuesto para obtener otro. Al diseñar tu barco de juguete, tendrás que hacer intercambios. Por ejemplo, supón que un material es durable pero no es completamente a prueba de agua. Otro material resiste mejor al agua pero es frágil. Podrías decidir renunciar al beneficio de durabilidad para tener el beneficio de que sea a prueba de agua.

Construir y evaluar un prototipo

Una vez que el equipo ha elegido un plan de diseño, los ingenieros construyen un prototipo del producto. Un **prototipo** es un modelo de trabajo que se usa para probar un diseño. Los ingenieros evalúan el prototipo para ver si funciona bien, si es fácil y seguro de usar, y si soporta un uso repetido.

Piensa en tu barco de juguete. ¿Cómo sería el prototipo? ¿Qué materiales usarías para hacerlo? ¿Cómo lo pondrías a prueba?

Solucionar dificultades y rediseñar

Pocos prototipos funcionan a la perfección, por eso se tienen que probar. Luego de probar un prototipo, los integrantes del equipo de diseño analizan los resultados e identifican cualquier problema. El equipo trata de **solucionar las dificultades,** o sea arreglar los problemas del diseño. Por ejemplo, si tu barco de juguete tiene grietas o se tambalea, tendrás que rediseñar el barco para eliminar estos problemas.

Comunicar la solución

Un equipo de diseño debe comunicar el diseño final a la gente que va a fabricar el producto y a la que va a usarlo. Para hacerlo, el equipo podría usar diagramas, dibujos detallados, simulaciones de computadora y descripciones por escrito.

Actividad

Puedes usar el proceso de diseño tecnológico para diseñar y construir un barco de juguete.

Analizar e investigar

1. Ve a la biblioteca o haz una búsqueda en línea de barcos de juguete.

2. Investiga cómo se puede impulsar un barco de juguete, incluyendo viento, ligas elásticas o carbonato de sodio con vinagre.

3. Haz una lluvia de ideas para elegir los materiales, la forma y el modo de dirección de tu barco.

Diseñar y construir

4. Diseña un barco de juguete que
   • esté hecho de materiales disponibles
   • no mida más de 15 cm de largo y 10 de ancho
   • incluya un sistema de propulsión, un timón y un área de carga
   • avance 2 metros en línea recta llevando una carga de 20 monedas de 1 centavo

5. Haz tu diseño y escribe un plan paso por paso para construir tu barco. Después de que tu maestro apruebe tu plan, construye tu barco.

Evaluar y rediseñar

6. Prueba tu barco, evalúa los resultados y soluciona cualquier problema.

7. Basándote en tu evaluación, rediseña tu barco de juguete para que funcione mejor.

Crear tablas de datos y gráficas

¿Cómo se comprende el significado de los datos de los experimentos científicos? El primer paso es organizarlos para comprenderlos. Para ello, son útiles las tablas de datos y las gráficas.

Tablas de datos

Ya reuniste los materiales y preparaste el experimento. Pero antes de comenzar, necesitas planificar una forma de anotar lo que sucede durante el experimento. En una tabla de datos puedes escribir tus observaciones y mediciones de manera ordenada.

Por ejemplo, supón que un científico realizó un experimento para saber cuántas calorías queman personas con diversas masas corporales al realizar varias actividades. La tabla de datos muestra los resultados.

Observa en la tabla que la variable manipulada (la masa corporal) es el encabezado de una columna. La variable respuesta (en el

Calorías quemadas en 30 minutos			
Masa corporal	Experimento 1: Ciclismo	Experimento 2: Baloncesto	Experimento 3: Ver televisión
30 kg	60 Calorías	120 Calorías	21 Calorías
40 kg	77 Calorías	164 Calorías	27 Calorías
50 kg	95 Calorías	206 Calorías	33 Calorías
60 kg	114 Calorías	248 Calorías	38 Calorías

experimento 1, las Calorías quemadas al montar en bicicleta) encabeza la siguiente columna. Las columnas siguientes se refieren a experimentos relacionados.

Gráfica de barras

Para comparar cuántas Calorías quema una persona al realizar varias actividades, puedes crear una gráfica de barras. Una gráfica de barras muestra los datos en varias categorías distintas. En este ejemplo, el ciclismo, el baloncesto y ver televisión son las tres categorías.

Para crear una gráfica de barras, sigue estos pasos.

1. En papel cuadriculado, dibuja un eje horizontal, o eje *x*, y uno vertical, o eje *y*.

2. En el eje horizontal, escribe las categorías que vas a representar gráficamente. También escribe un nombre para todo el eje.

3. En el eje vertical anota el nombre de la variable respuesta. Incluye las unidades de medida. Para crear una escala, marca números con espacios equilaventes que cubran el intervalo de los datos que recopilaste.

4. Dibuja una barra por cada categoría, usando el eje vertical para determinar la altura. Haz todas las barras del mismo ancho.

5. Agrega un título que describa la gráfica.

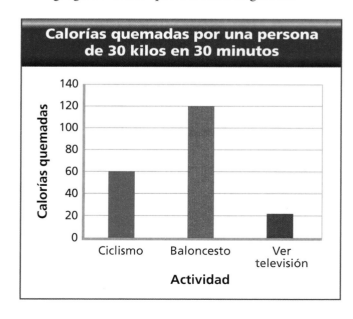

Gráficas lineales

Puedes trazar una gráfica lineal para saber si hay una relación entre la masa corporal y la cantidad de calorías quemadas al montar en bicicleta. En una gráfica lineal, los datos muestran los cambios de una variable (la respuesta) como resultado de los cambios de la otra variable (la manipulada). Conviene trazar una gráfica lineal cuando la variable manipulada es **continua,** es decir, cuando hay otros puntos entre los que estás poniendo a prueba. En este ejemplo, la masa corporal es una variable continua porque hay otros pesos entre los 30 y los 40 kilos (por ejemplo, 31 kilos). El tiempo es otro ejemplo de variable continua.

Las gráficas lineales son herramientas poderosas, pues con ellas calculas los valores de condiciones que no probaste en el experimento. Por ejemplo, con tu gráfica puedes estimar que una persona de 35 kilos quemaría 68 calorías al montar en bicicleta.

Para crear una gráfica lineal, sigue estos pasos.

1. En papel cuadriculado, dibuja un eje horizontal, o eje *x,* y uno vertical, o eje *y.*

2. En el eje horizontal, escribe el nombre de la variable manipulada. En el eje vertical, anota el nombre de la variable respuesta. Incluye las unidades de medida.

3. Para crear una escala, marca números con espacios equivalentes que cubran el intervalo de los datos que recopilaste.

4. Traza un punto en la gráfica por cada dato. En la gráfica de esta página, las líneas punteadas muestran cómo marcar el punto del primer dato (30 kilogramos y 60 calorías). En el eje horizontal, sobre la marca de los 30 kilos, traza una línea vertical imaginaria hacia arriba. Luego, sigue una línea horizontal imaginaria que se proyecte del eje vertical en la marca de las 60 calorías. Haz el punto en donde se cruzan las líneas.

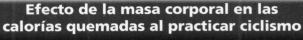

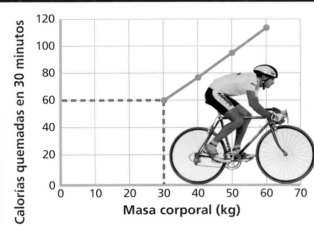

Efecto de la masa corporal en las calorías quemadas al practicar ciclismo

5. Une los puntos con una línea continua. (En algunos casos, tal vez sea mejor trazar una línea que muestre la tendencia general de los puntos graficados. En tales casos, algunos de los puntos quedarán arriba o abajo de la línea. No todas las gráficas son lineales. En algunos casos, puede ser más apropiado dibujar una curva para unir los puntos.)

6. Escribe un título que identifique las variables o su relación en la gráfica.

Actividad

Crea gráficas lineales con los datos de la tabla de los experimentos 2 y 3.

Actividad

Acabas de leer en el periódico que en la zona donde vives cayeron 4 centímetros de lluvia en junio, 2.5 centímetros en julio y 1.5 centímetros en agosto. ¿Qué gráfica usarías para mostrar estos datos? Dibuja tu gráfica en papel cuadriculado.

Gráficas circulares

Al igual que las gráficas de barras, las gráficas circulares sirven para mostrar los datos en varias categorías. Sin embargo, a diferencia de las gráficas de barras, las gráficas circulares sólo se usan cuando tienes datos para *todas* las categorías que componen un tema. Las gráficas circulares a veces se llaman gráficas de pastel. El pastel representa todo el tema y las rebanadas son las categorías. El tamaño de cada rebanada indica qué porcentaje del total tiene cada categoría.

La siguiente tabla de datos muestra los resultados de una encuesta en la que se les preguntó a 24 adolescentes cuál era su deporte favorito. Con esos datos, se creó la gráfica circular de la derecha.

Deportes preferidos por adolescentes

Deportes preferidos por los adolescentes	
Deporte	Estudiantes
Fútbol	8
Baloncesto	6
Ciclismo	6
Natación	4

Para crear una gráfica circular, sigue estos pasos.

1. Dibuja un círculo con un compás. Marca el centro con un punto. Luego, traza una línea del centro a la parte de arriba del círculo.

2. Para determinar el tamaño de cada "rebanada", establece una proporción en la que x sea igual al número de grados de la rebanada. (*Nota*: Un círculo tiene 360 grados.) Por ejemplo, para calcular el número de grados de la rebanada del "fútbol", plantea la siguiente proporción:

$$\frac{\text{Estudiantes que prefieren el fútbol}}{\text{Número total de estudiantes}} = \frac{x}{\text{Número total de grados del círculo}}$$

$$\frac{8}{24} = \frac{x}{360}$$

Multiplica cruzado y halla x.

$$24x = 8 \cdot 360$$
$$x = 120$$

La rebanada de "fútbol" tendría 120 grados.

3. Mide con un transportador el ángulo de la primera rebanada. La línea de 0° es la que trazaste hasta la parte de arriba del círculo. Dibuja una línea que vaya del centro del círculo al extremo del ángulo que mediste.

4. Continúa alrededor del círculo, midiendo cada rebanada con el transportador. Comienza en el borde de la rebanada anterior para que no se traslapen. Cuando termines, el círculo debe estar completo.

5. Determina el porcentaje del círculo que representa cada rebanada. Para ello, divide el número de grados de cada rebanada entre los grados del círculo (360) y multiplica por 100%. En el caso de la rebanada de "fútbol", calcula el porcentaje como sigue:

$$\frac{120}{360} \times 100\% = 33.3\%$$

6. Colorea cada rebanada de un color diferente. Escribe el nombre de la categoría y el porcentaje que representa.

7. Escribe el título de la gráfica circular.

Actividad

En un salón de 28 estudiantes, 12 van a la escuela en autobús, 10 caminan y 6 van en bicicleta. Dibuja una gráfica circular para mostrar los datos.

Repaso de matemáticas

Los científicos usan las matemáticas para organizar, analizar y presentar datos. Este apéndice te ayudará a repasar algunas destrezas básicas de matemáticas.

Media, mediana y moda

La **media** es el promedio de los datos, o su suma dividida por el número de datos. El número intermedio de un conjunto ordenado de datos se llama **mediana**. La **moda** es el número que más aparece en un conjunto de datos.

Ejemplo

Un científico contó el número de cantos distintos de siete pájaros macho y reunió estos datos.

Cantos de pájaros machos							
Pájaro	A	B	C	D	E	F	G
Número de cantos	36	29	40	35	28	36	27

Para hallar el número medio de cantos, suma el total de cantos y divide por el número de datos: en este caso, el número de pájaros macho.

$$\text{Media} = \frac{231}{7} = 33 \text{ cantos}$$

Para hallar la mediana del número de cantos, acomoda los datos en orden numérico y halla el número intermedio.

27 28 29 35 36 36 40

El número intermedio es 35, así que la mediana del número de cantos es 35.

La moda es el valor que más aparece. En estos datos, 36 aparece dos veces, y los demás valores sólo una vez, así que la moda es 36 cantos.

Práctica

Averigua cuántos minutos tarda cada estudiante de tu clase en llegar a la escuela. Luego, halla la media, la mediana y la moda de los datos.

Probabilidad

La **probabilidad** es la posibilidad de que ocurra un suceso. Se puede expresar como una razón, una fracción o un porcentaje. Por ejemplo, si lanzas al aire una moneda, la probabilidad de obtener cara es de 1 en 2, $\frac{1}{2}$ ó 50 por ciento.

La probabilidad de que ocurra un suceso puede expresarse con esta fórmula:

$$P(\text{suceso}) = \frac{\text{Número de veces que puede ocurrir el suceso}}{\text{Número total de sucesos posibles}}$$

Ejemplo

En una bolsa hay 25 canicas azules, 5 verdes, 5 anaranjadas y 15 amarillas. Si cierras los ojos y sacas una canica de la bolsa, ¿cuál es la probabilidad de que sea amarilla?

$$P(\text{canicas amarillas}) = \frac{15 \text{ canicas amarillas}}{50 \text{ canicas totales}}$$

$$P = \frac{15}{50}, \text{ o sea } \frac{3}{10}, \text{ o sea } 30\%$$

Práctica

Cada cara de un dado tiene una letra. Dos caras tienen *A*, tres caras tienen *B* y una cara tiene *C*. Si lanzas el dado, ¿cuál es la probabilidad de que una *A* quede arriba?

Área

El **área** de una superficie es el número de unidades cuadradas que la cubren. La portada de tu libro de texto tiene un área aproximada de 600 cm².

Área de un rectángulo y un cuadrado

Para hallar el área de un rectángulo, multiplica su longitud por su anchura. La fórmula del área de un rectángulo es

$$A = \ell \times a, \text{ o sea } A = \ell a$$

Como los cuatro lados de un cuadrado tienen la misma longitud, el área de un cuadrado es la longitud de un lado multiplicada por sí misma, o sea, al cuadrado.

$$A = l \times l, \text{ o sea } A = l^2$$

Ejemplo

Un científico estudia las plantas de un campo que mide 75 m × 45 m. ¿Qué área tiene el campo?

$$A = \ell \times a$$
$$A = 75 \text{ m} \times 45 \text{ m}$$
$$A = 3{,}375 \text{ m}^2$$

Área de un círculo
La fórmula del área de un círculo es

$$A = \pi \times r \times r, \text{ o sea } A = \pi r^2$$

La longitud del radio se representa con r, y el valor aproximado de π es $\frac{22}{7}$.

Ejemplo

Halla el área de un círculo con radio de 14 cm.

$$A = \pi r^2$$
$$A = 14 \times 14 \times \frac{22}{7}$$
$$A = 616 \text{ cm}^2$$

Práctica

Halla el área de un círculo cuyo radio mide 21 m.

Circunferencia

La distancia alrededor de un círculo se llama circunferencia. La fórmula para hallar la circunferencia de un círculo es

$$C = 2 \times \pi \times r, \text{ o sea } C = 2\pi r$$

Ejemplo

El radio de un círculo es de 35 cm. ¿Qué circunferencia tiene el círculo?

$$C = 2\pi r$$
$$C = 2 \times 35 \times \frac{22}{7}$$
$$C = 220 \text{ cm}$$

Práctica

¿Qué circunferencia tiene un círculo de 28 m de radio?

Volumen

El volumen de un objeto es el número de unidades cúbicas que contiene. El volumen de una papelera, por ejemplo, podría ser de unos 26,000 cm³.

Volumen de un objeto rectangular Para hallar el volumen de un objeto rectangular, multiplica la longitud del objeto por su anchura y por su altura.

$$V = \ell \times a \times h, \text{ o sea } V = \ell a h$$

Ejemplo

Halla el volumen de una caja con longitud de 24 cm, anchura de 12 cm y altura de 9 cm

$$V = \ell a h$$
$$V = 24 \text{ cm} \times 12 \text{ cm} \times 9 \text{ cm}$$
$$V = 2{,}592 \text{ cm}^3$$

Práctica

¿Qué volumen tiene un objeto rectangular con longitud de 17 cm, anchura de 11 cm y altura de 6 cm?

Fracciones

Una **fracción** es una forma de expresar una parte de un todo. En la fracción $\frac{4}{7}$, 4 es el numerador y 7 es el denominador.

Suma y resta de fracciones Para sumar o restar dos o más fracciones con el mismo denominador, primero suma o resta los numeradores. Luego, escribe la suma o diferencia arriba del denominador común.

Para sumar o restar fracciones con distintos denominadores, primero halla el mínimo común múltiplo de los denominadores, que se llama mínimo común denominador. Luego, convierte cada fracción a fracciones equivalentes que tengan el mínimo común denominador. Suma o resta los numeradores y escribe la suma o diferencia arriba del denominador común.

Ejemplo

$$\frac{5}{6} - \frac{3}{4} = \frac{10}{12} - \frac{9}{12} = 10 - \frac{9}{12} = \frac{1}{12}$$

Multiplicación de fracciones Para multiplicar dos fracciones, primero multiplica los numeradores y luego los denominadores.

Ejemplo

$$\frac{5}{6} \times \frac{2}{3} = \frac{5 \times 2}{6 \times 3} = \frac{10}{18} = \frac{5}{9}$$

División de fracciones Dividir por una fracción es lo mismo que multiplicar por el recíproco de la fracción. Un recíproco es un número cuyo numerador y denominador se han intercambiado. Para dividir una fracción por otra, primero invierte la fracción por la que vas a dividir. Luego, multiplica las dos fracciones.

Ejemplo

$$\frac{2}{5} \div \frac{7}{8} = \frac{2}{5} \times \frac{8}{7} = \frac{2 \times 8}{5 \times 7} = \frac{16}{35}$$

Práctica

Resuelve esto: $\frac{3}{7} \div \frac{4}{5}$

Decimales

Las fracciones cuyo denominador es 10, 100 u otra potencia de 10 suelen expresarse como decimales. Por ejemplo, la fracción $\frac{9}{10}$ puede expresarse como el decimal 0.9; la fracción $\frac{7}{100}$ puede escribirse como 0.07.

Suma y resta de decimales Para sumar o restar decimales, alinea los puntos decimales antes de hacer la operación.

Ejemplo

$$\begin{array}{r} 27.4 \\ +\ 6.19 \\ \hline 33.59 \end{array} \qquad \begin{array}{r} 278.635 \\ -\ 191.4 \\ \hline 87.235 \end{array}$$

Multiplicación de decimales Al multiplicar dos números con decimales, el número de lugares decimales del producto es igual al total de lugares decimales de los números que se multiplican.

Ejemplo

$$\begin{array}{r} 46.2 \\ \times\ 2.37 \\ \hline 109.494 \end{array}$$ **(un lugar decimal)**
(dos lugares decimales)
(tres lugares decimales)

División de decimales Para dividir un decimal por un entero positivo, pon el punto decimal del cociente sobre el punto decimal del dividendo.

Ejemplo

$$15.5 \div 5$$

$$5\overline{)5.5} = 3.1$$

Para dividir un decimal por un decimal, tienes que reescribir el divisor como entero positivo. Hazlo multiplicando el divisor y el dividendo por el mismo múltiplo de 10.

Ejemplo

$$1.68 \div 4.2 = 16.8 \div 42$$

$$42\overline{)16.8} = 0.4$$

Práctica

Multiplica 6.21 por 8.5.

Razones y proporciones

Una **razón** es la comparación de dos números mediante una división. Por ejemplo, supón que un científico cuenta 800 lobos y 1,200 alces en una isla. La razón de lobos a alces puede escribirse como fracción, $\frac{800}{1,200}$, que se reduce a $\frac{2}{3}$. La misma razón puede expresarse como 2 a 3, ó 2 : 3.

Una **proporción** es un enunciado matemático que dice que dos razones son equivalentes. Por ejemplo, una proporción podría decir que $\frac{800 \text{ lobos}}{1,200 \text{ alces}} = \frac{2 \text{ lobos}}{3 \text{ alces}}$. A veces, podrás plantear una proporción para hallar o estimar una cantidad desconocida. Supón que un científico cuenta 25 escarabajos en un área de 10 m². El científico quiere estimar el número de escarabajos que hay en 100 m².

Ejemplo

1. Expresa la relación entre escarabajos y área como una razón: $\frac{25}{10}$, ó sea, $\frac{5}{2}$.

2. Escribe una proporción, donde x sea el número de escarabajos: $\frac{5}{2} = \frac{x}{100}$.

3. Multiplica cruzado; es decir, multiplica el numerador de cada fracción por el denominador de la otra fracción.

$$5 \times 100 = 2 \times x, \text{ o sea, } 500 = 2x$$

4. Para hallar el valor de x, divide ambos lados por 2. El resultado es 250, o sea que hay 250 escarabajos en 100 m².

Práctica

Halla el valor de x en esta proporción: $\frac{6}{7} = \frac{x}{39}$.

Porcentaje

Un **porcentaje** es una razón que compara un número con 100. Por ejemplo, hay 37 rocas de granito en una colección de 100 rocas. La razón $\frac{37}{100}$ puede escribirse 37%. Las rocas de granito son el 37% de la colección.

Puedes calcular porcentajes de números distintos de 100 escribiendo una proporción.

Ejemplo

En junio, llueve en 9 de 30 días. ¿Qué porcentaje de días con lluvia hubo en junio?

$$\frac{9 \text{ días}}{30 \text{ días}} = \frac{d\%}{100\%}$$

Para hallar el valor de d, multiplica cruzado, como en cualquier proporción:

$$9 \times 100 = 30 \times d \qquad d = \frac{100}{30} \qquad d = 30$$

Práctica

Hay 300 canicas en un frasco, y 42 de ellas son azules. ¿Qué porcentaje de las canicas es azul?

Cifras significativas

La **precisión** de una medición depende del instrumento que usas para medir. Por ejemplo, si la unidad más pequeña de una regla es milímetros, la medición más precisa que podrás hacer será en milímetros.

La suma o diferencia de mediciones no puede ser más precisa que la medición menos precisa que se suma o resta. Redondea tu respuesta al mismo número de lugares decimales que tiene la medición menos precisa. Redondea hacia arriba si el último dígito es 5 ó más, y hacia abajo si el último dígito es 4 ó menos.

Ejemplo

Resta una temperatura de 5.2 °C a la temperatura de 75.46 °C.

75.46 − 5.2 = 70.26

5.2 tiene menos lugares decimales, así que es la medición menos precisa. Dado que el último dígito de la respuesta es 6, se redondea hacia arriba, a 3. La diferencia más precisa entre las mediciones es 70.3 °C.

Práctica

Suma 26.4 m a 8.37 m. Redondea tu respuesta según la precisión de las mediciones.

Las **cifras significativas** son el número de dígitos distintos de cero en una medición. Los ceros entre dígitos distintos de cero también son significativos. Por ejemplo, las mediciones 12,500 L, 0.125 cm y 2.05 kg tienen tres cifras significativas. Al multiplicar y dividir mediciones, la que tiene menos cifras significativas determina el número de cifras significativas en la respuesta.

Ejemplo

Multiplica 110 g por 5.75 g.

110 × 5.75 = 632.5

Como 110 sólo tiene dos cifras significativas, se redondea la respuesta a 630 g.

Notación científica

Un **factor** es un número por el que otro número puede dividirse sin dejar residuo. En el ejemplo, el número 3 se usa como factor cuatro veces.

Un **exponente** indica cuántas veces se usa un número como factor. Por ejemplo, $3 \times 3 \times 3 \times 3$ puede escribirse como 3^4. El exponente 4 indica que el número 3 se usa como factor cuatro veces. Otra forma de expresar esto es decir que 81 es igual a 3 a la cuarta potencia.

Ejemplo

$$3^4 = 3 \times 3 \times 3 \times 3 = 81$$

La **notación científica** usa exponentes y potencias de 10 para escribir números muy grandes o muy pequeños en forma abreviada. Al escribir un número en notación científica, lo escribes usando dos factores. El primero es cualquier número entre 1 y 10; el segundo es una potencia de 10, como 10^3 ó 10^6.

Ejemplo

La distancia media entre el planeta Mercurio y el Sol es de 58,000,000 km. Para escribir el primer factor de la notación científica, agrega un punto decimal al número original de modo que tengas un número entre 1 y 10. En el caso de 58,000,000 el número es 5.8.

Para determinar la potencia de 10, cuenta los lugares que se movió el punto decimal. En este caso, se movió 7 lugares.

$$58{,}000{,}000 \text{ km} = 5.8 \times 10^7 \text{ km}$$

Práctica

Expresa 6,590,000 en notación científica.

Destrezas de comprensión de lectura

Tu libro de texto es una importante fuente de información científica. A medida que lees tu libro de ciencias, verás que fue escrito para ayudarte a comprender los conceptos de ciencias.

Cómo aprender con los textos de ciencias

Al estudiar ciencias en la escuela, aprenderás los conceptos científicos de diversas maneras. A veces realizarás actividades y experimentos interesantes para explorar ideas científicas. Para comprender plenamente lo que observas en los experimentos y actividades, necesitarás leer tu libro de texto. Para ayudarte en la lectura, se han resaltado las ideas importantes de modo que puedas reconocerlas. Además, una destreza clave de lectura en cada sección te ayudará a comprender lo que lees.

Usando las destrezas clave de lectura, mejorarás tu comprensión de la lectura; es decir, aumentarás tu capacidad para comprender lo que lees. A medida que aprendes ciencias, acumularás conocimientos que te ayudarán a comprender aún más lo que lees. Esos conocimientos te permitirán aprender todos los temas que se abordan en el libro.

Y, ¿sabes qué?, estas destrezas de lectura te serán útiles siempre que leas. Leer para aprender es muy importante en la vida, y ahora tienes la oportunidad de iniciar ese proceso.

A continuación se describen las destrezas clave de lectura que mejorarán tu comprensión de lo que lees.

Desarrollar el vocabulario

Para comprender los conceptos científicos de este libro, debes recordar el significado de los términos clave. Una estrategia consiste en escribir las definiciones de esos términos con tus propias palabras. También puedes practicar usando los términos en oraciones y haciendo listas de palabras o frases que asocias con cada término.

Usar el conocimiento previo

Tu conocimiento previo es lo que ya sabías antes de comenzar a leer acerca de un tema. Si te apoyas en eso, tendrás ventaja al aprender información nueva. Antes de iniciar una tarea, piensa en lo que ya sabes. Podrías hojear tu tarea de lectura, viendo los encabezados y las ilustraciones para estimular tu memoria. Anota lo que sabes en el organizador gráfico que viene al principio de la sección. Luego, a medida que leas, considera preguntas como las que siguen para relacionar lo aprendido con lo que ya sabías.

- ¿Qué relación hay entre lo que estás aprendiendo y lo que ya sabes?
- ¿Cómo te ayudó algo que ya sabes a aprender algo nuevo?
- ¿Tus ideas originales coinciden con lo que acabas de aprender? Si no, ¿cómo modificarías tus ideas originales?

Formular preguntas

Hacerte preguntas es una forma excelente de concentrarte en la información nueva de tu libro y recordarla. Debes aprender a hacer buenas preguntas.

Una técnica es convertir en preguntas los encabezados del libro. Entonces, tus preguntas te guiarán para identificar y recordar la información importante mientras lees. Ve estos ejemplos:

Encabezado: Uso de datos sismográficos

Pregunta: ¿Cómo se usan los datos sismográficos?

Encabezado: Tipos de fallas

Pregunta: ¿Qué tipos de fallas hay?

No tienes que limitar tus preguntas a los encabezados del libro. Haz preguntas acerca de todo lo que necesites aclarar o que te ayude a comprender el contenido. Las preguntas más comunes comienzan con *qué* y *cómo*, pero también puedes preguntar *por qué*, *quién*, *cuándo* o *dónde*. Aquí hay un ejemplo:

Propiedades de las ondas

Pregunta	Respuesta
¿Qué es la amplitud?	La amplitud es . . .

Examinar ayudas visuales

Las ayudas visuales son fotografías, gráficas, tablas, diagramas e ilustraciones. Las ayudas, como este diagrama de una falla normal, contienen información importante. Examina las ayudas y sus leyendas antes de leer. Ello te ayudará a prepararte para la lectura.

A menudo te preguntarán qué quieres aprender acerca de una ayuda visual. Por ejemplo, después de ver el diagrama de la falla, podrías preguntar: ¿qué movimiento hay a lo largo de una falla normal? Estas preguntas crean un propósito de la lectura: respondera tus preguntas. Examinar las ayudas visuales también es útil para recordar lo que ya sabes.

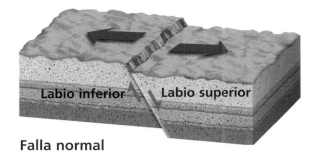

Falla normal

Labio inferior   Labio superior

Hacer un esquema

Un esquema muestra la relación entre las ideas principales y las de apoyo, y tiene una estructura formal. Las ideas principales (temas) se escriben con números romanos. Las ideas de apoyo (subtemas) se escriben debajo de las principales y se rotulan A, B, C, etcétera. Un esquema se ve así:

Tecnología y sociedad
I. Tecnología a través de la historia
II. El efecto de la tecnología en la sociedad
A.
B.

Con un esquema así, podrás captar de un vistazo la estructura de la sección. El esquema te ayudará a estudiar.

Identificar ideas principales

Mientras lees, es importante tratar de comprender las ideas y los conceptos de cada párrafo. Verás que cada párrafo del material de ciencias contiene mucha información y detalles. Un buen lector trata de identificar la idea más importante o amplia de cada párrafo o sección. Esa es la idea principal. El resto de la información del párrafo apoya o explica la idea principal.

A veces, las ideas principales se plantean directamente. En este libro, algunas ideas principales ya vienen identificadas como conceptos clave en negritas. No obstante, tú debes identificar las demás ideas principales. Para ello, hay que identificar todas las ideas de un párrafo o sección y preguntarse cuál de ellas es lo bastante amplia como para incluir a todas las demás.

Comparar y contrastar

Cuando comparas y contrastas, examinas las diferencias y semejanzas entre las cosas. Puedes usar un diagrama de Venn o una tabla para comparar y contrastar. El diagrama o la tabla, ya terminados, muestran en qué se parecen y en qué se diferencian las cosas.

Diagrama de Venn Un diagrama de Venn consiste en dos círculos traslapados. En el lugar donde los dos círculos se traslapan, escribe las características comunes de los datos que estás comparando. En uno de los círculos fuera del área común, escribe los diferentes rasgos o características de uno de los datos. En el otro círculo fuera del área común, escribe las características diferentes del otro dato.

Bolígrafo / Lápiz
Tiene tinta / Sirve para escribir / Tiene grafito
No se borra / Se puede borrar

Tabla En una tabla de comparar/contrastar, escribe los datos que vas a comparar en la fila de arriba de la tabla. Luego, escribe los rasgos o características que vas a comparar en la columna de la izquierda. Completa la tabla escribiendo la información sobre cada característica o rasgo.

Vaso sanguíneo	Función	Estructura de la pared
Arteria	Lleva la sangre fuera del corazón	
Capilar		
Vena		

Ordenar en serie

Una serie es el orden en que se da un grupo de sucesos. Reconocer y recordar la serie de los sucesos es importante para comprender muchos procesos en ciencias. Algunas veces, en el texto se usan palabras como *primero*, *luego*, *durante* y *después* para señalar una serie. Un diagrama de flujo o un diagrama de ciclos te puede ayudar a visualizar una serie.

Diagrama de flujo Para hacer un diagrama de flujo, escribe una descripción breve de cada paso o suceso en un cuadro. Coloca los cuadros en orden, con el primer suceso al principio de la página. Luego, dibuja una flecha para conectar cada paso o suceso con el siguiente.

Para preparar pasta
Hervir el agua.
↓
Cocinar la pasta.
↓
Escurrir el agua.
↓
Sazonar.

Diagrama de ciclos Un diagrama de ciclos muestra una serie continua o cíclica. Una serie continua no tiene final porque donde termina el último suceso, empieza el primero. Para crear un diagrama de ciclos, escribe el suceso inicial en un cuadro dibujado arriba y al centro de una página. Después, siguiendo un círculo imaginario en el sentido de las manecillas del reloj, escribe cada suceso en un cuadro siguiendo su propia serie. Dibuja flechas para conectar cada suceso con el que le sigue, para formar un círculo continuo.

Identificar evidencia de apoyo

Una hipótesis es una explicación posible a una observación hecha por un científico o una respuesta a una pregunta científica. Una hipótesis se pone a prueba varias veces. Las pruebas pueden producir evidencia que apoye la hipótesis. Cuando se tiene suficiente evidencia de apoyo, una hipótesis se puede convertir en una teoría.

Identificar la evidencia de apoyo para una hipótesis o teoría te puede ayudar a comprender mejor esa hipótesis o teoría. La evidencia consiste en hechos, o sea, información cuya exactitud se puede confirmar mediante pruebas u observaciones.

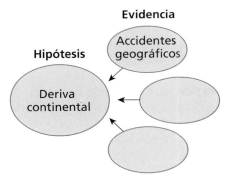

Relacionar causa y efecto

Identificar causas y efectos te ayuda a comprender las relaciones entre los sucesos. Una causa hace que algo suceda. Un efecto es lo que sucede. Cuando reconoces qué suceso provoca otro, estás relacionando causa y efecto. Palabras como *causa*, *porque*, *efecto*, *afecta* y *resulta* a menudo indican una causa o un efecto.

Algunas veces, un efecto puede tener más de una causa, o una causa puede producir varios efectos. Por ejemplo, las emisiones contaminantes de los autos y el humo de las plantas industriales son dos causas de la contaminación del aire. Algunos efectos de esta contaminación son la dificultad para respirar que tienen algunas personas, la muerte de las plantas a lo largo de la carretera y daños a las fachadas de los edificios.

En ciencias, hay muchas relaciones causa y efecto. Observar y comprender estas relaciones te ayuda a entender los procesos científicos.

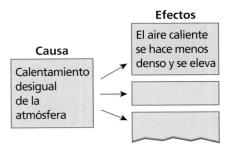

Hacer un mapa de conceptos

Los mapas de conceptos son útiles para organizar información sobre cualquier tema. Un mapa de conceptos se inicia con una idea principal o un concepto central y muestra cómo se puede subdividir la idea en subconceptos relacionados o ideas menores. De este modo, las relaciones entre los conceptos se hacen más claras y fáciles de comprender.

Construye un mapa de conceptos escribiendo conceptos (a menudo una sola palabra) dentro de óvalos que se conectan con palabras relacionadas. El concepto o idea principal se coloca en un óvalo en la parte superior del mapa. Los conceptos relacionados se acomodan en óvalos debajo de la idea principal. Las palabras relacionadas suelen ser verbos y frases verbales que se escriben entre las líneas que conectan los óvalos.

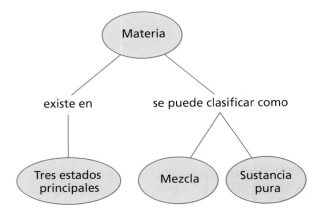

Símbolos de seguridad

Estos símbolos te advierten de posibles peligros en el laboratorio y te recuerdan trabajar con cuidado.

 Gafas de protección Usa estas gafas para protegerte los ojos en actividades con sustancias químicas, fuego o calor, u objetos de cristal.

 Delantal de laboratorio Usa un delantal de laboratorio para proteger tu piel y tu ropa de cualquier daño.

 Rotura de objetos Maneja con cuidado los materiales que pueden romperse, como termómetros y objetos de cristal. No toques cristales rotos.

 Guantes resistentes al calor Usa un guante para hornos u otra protección al manejar materiales calientes, como hornillos u objetos de cristal calientes.

 Guantes de hule Usa guantes de hule desechables para protegerte del contacto con sustancias químicas u organismos que pudieran ser dañinos. Mantén las manos alejadas de tu rostro, y desecha los guantes según las indicaciones de tu maestro.

 Calor Usa pinzas o tenazas para sujetar objetos calientes. No toques los objetos calientes con las manos descubiertas.

 Fuego Sujétate el cabello y la ropa que te quede floja antes de trabajar con fuego. Sigue las instrucciones de tu maestro sobre cómo encender y apagar fuego.

 Trabajar sin fuego Cuando uses materiales inflamables, asegúrate que no haya llamas, chispas o fuentes de calor expuestas.

 Sustancia química corrosiva Evita el contacto del ácido u otras sustancias corrosivas con tu piel, ropa u ojos. No inhales los vapores. Lávate las manos al terminar la actividad.

 Veneno No permitas que ninguna sustancia química te caiga en la piel ni inhales su vapor. Lávate las manos al terminar la actividad.

 Vapores Al trabajar con vapores venenosos, hazlo en un área ventilada. Evita inhalar el vapor directamente. Huélelo sólo cuando tu maestro te lo indique abanicando el vapor hacia tu nariz.

 Objetos afilados Tijeras, bisturís, navajas, agujas, alfileres y tachuelas pueden cortar tu piel. Dirige los bordes afilados en dirección contraria de donde estás tú o los demás.

 Seguridad de los animales Trata a los animales vivos o conservados o a las partes de animales cuidadosamente para no lastimarlos o lastimarte. Lávate las manos al terminar la actividad.

 Seguridad de las plantas Maneja las plantas sólo como tu maestro te indique. Avísale si eres alérgico a ciertas plantas; no realices una actividad donde se usen esas plantas. No toques las plantas nocivas, como la hiedra. Lávate las manos al terminar la actividad.

 Descarga eléctrica Para evitar descargas eléctricas, nunca uses un equipo eléctrico cerca del agua ni cuando tus manos estén húmedas. Asegúrate de que los cables no estorben el paso. Desconecta el equipo cuando no lo uses.

 Seguridad física Cuando un experimento requiera actividad física, evita lastimarte o lesionar a los demás. Avisa a tu maestro si algo te impide participar en la actividad.

 Desechos Las sustancias químicas y otros materiales utilizados en la actividad deben eliminarse de manera segura. Sigue las instrucciones de tu maestro.

 Lavarse las manos Lávate bien las manos al terminar la actividad. Usa jabón antibacteriano y agua caliente. Enjuágate bien.

 Advertencia de seguridad general Sigue las instrucciones indicadas cuando veas este símbolo. Cuando se te pida que diseñes tu propio experimento de laboratorio, pide a tu maestro que apruebe tu plan antes de proseguir.

Reglas de seguridad en ciencias

Precauciones generales

Sigue todas las instrucciones. Nunca realices actividades sin la aprobación y supervisión de tu maestro. No tomes la actividad como un juego. Nunca ingieras alimentos o bebidas. Mantén el área de trabajo limpia y en orden.

Normas de vestimenta

Usa gafas de protección siempre que trabajes con sustancias químicas, objetos de cristal, fuentes de calor, o cualquier sustancia que pudiera entrar en tus ojos. Si usas lentes de contacto, avísale a tu maestro.

Usa un delantal o una bata siempre que trabajes con sustancias corrosivas o que manchen. Usa guantes de hule desechables cuando trabajes con organismos o químicos dañinos. Si tienes el cabello largo, sujétalo. Quítate o anúdate por la espalda cualquier prenda o adorno que cuelgue y que pueda entrar en contacto con sustancias químicas, llamas o equipo. Súbete las mangas largas. Nunca uses sandalias.

Primeros auxilios

Informa de todos los accidentes, lesiones o fuego a tu maestro, por insignificantes que sean. Averigua dónde está el botiquín de primeros auxilios, el equipo de emergencia y el teléfono más cercano. Identifica a quién llamar en caso de emergencia.

Seguridad con fuego y calor

Mantén los materiales combustibles lejos del fuego. Al calentar una sustancia en un tubo de ensayo, fíjate que la boca del tubo no apunte hacia ti o hacia los demás. Nunca calientes líquidos en recipientes cerrados. Usa un guante para hornos para levantar un recipiente caliente.

Seguridad con sustancias químicas

Nunca acerques la cara a la boca de un recipiente que contiene sustancias químicas. No toques, pruebes ni inhales una sustancia a menos que lo indique el maestro.

Usa sólo las sustancias químicas requeridas en la actividad. Cuando no uses las sustancias, mantén cerrados los recipientes que las contienen. Vierte las sustancias sobre el fregadero o un recipiente, nunca sobre tu área de trabajo. Desecha las sustancias químicas según las instrucciones de tu maestro.

Presta atención especial cuando trabajes con ácidos o bases. Cuando mezcles un ácido con agua, vacía primero el agua al recipiente y luego agrega el ácido. Nunca pongas agua en un ácido. Limpia inmediatamente todos los derrames y salpicaduras con mucha agua.

Uso seguro de objetos de cristal

Si algún utensilio de cristal se rompe o astilla, notifícalo de inmediato a tu maestro. Nunca tomes con las manos descubiertas ningún cristal roto o astillado.

Nunca fuerces tubos ni termómetros de cristal en topes de hule y tapones de corcho. Pide ayuda a tu maestro para hacer esto, si la actividad lo requiere.

Uso de instrumentos afilados

Maneja con cuidado los instrumentos afilados. Nunca cortes el material hacia ti, sino en dirección opuesta.

Seguridad con animales y plantas

Nunca realices experimentos que causen dolor, incomodidad o daño a los animales. Toma animales sólo si es indispensable. Si eres alérgico a ciertas plantas, mohos o animales, díselo a tu maestro antes de iniciar una actividad que implique su uso. Lávate bien las manos después de trabajar con animales, partes de animales, plantas, partes de plantas o tierra.

Durante el trabajo de campo, usa pantalones largos, mangas largas, calcetines y zapatos cerrados. Evita el contacto con plantas y hongos venenosos, así como las plantas con espinas.

Reglas al terminar experimentos

Desconecta el equipo eléctrico. Limpia tu área de trabajo. Elimina materiales de desecho según las indicaciones de tu maestro. Lávate las manos después de cualquier experimento.

El microscopio es un instrumento indispensable en las ciencias de la vida. Te permite ver cosas demasiado pequeñas como para verse a simple vista.

Probablemente usarás un microscopio compuesto como el que se ilustra aquí. El microscopio compuesto tiene más de una lente que amplifica el objeto que se estudia.

Por lo regular, un microscopio compuesto tiene una lente en el ocular: la parte por la que miras. La lente del ocular por lo general tiene un aumento de 10 ×. Un objeto visto a través de esta lente se verá 10 veces más grande de lo que es.

El microscopio compuesto podría contener una o dos lentes adicionales llamadas objetivos. Si hay dos lentes objetivo, una es de baja potencia y la otra es de alta potencia. La lente objetivo de baja potencia suele tener un aumento de 10 × y la de alta potencia suele tener un aumento de 40 ×.

Para calcular el aumento total de un objeto, multiplica el aumento de la lente ocular por el aumento de la lente objetivo que estás usando. Por ejemplo, el aumento del ocular, 10 ×, multiplicado por el aumento de la lente objetivo de baja potencia, 10 ×, da un aumento total de 100 ×.

Usa la foto del microscopio compuesto para familiarizarte con las partes del microscopio y sus funciones.

Partes de un microscopio compuesto

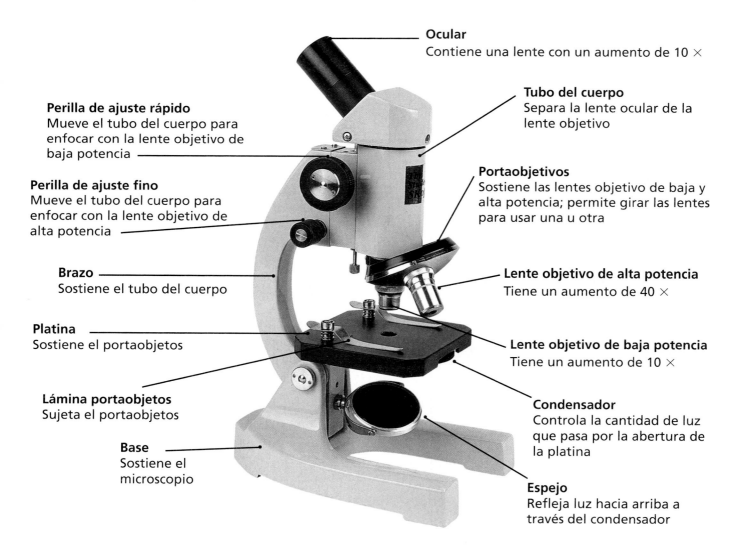

Ocular
Contiene una lente con un aumento de 10 ×

Tubo del cuerpo
Separa la lente ocular de la lente objetivo

Portaobjetivos
Sostiene las lentes objetivo de baja y alta potencia; permite girar las lentes para usar una u otra

Lente objetivo de alta potencia
Tiene un aumento de 40 ×

Lente objetivo de baja potencia
Tiene un aumento de 10 ×

Condensador
Controla la cantidad de luz que pasa por la abertura de la platina

Espejo
Refleja luz hacia arriba a través del condensador

Perilla de ajuste rápido
Mueve el tubo del cuerpo para enfocar con la lente objetivo de baja potencia

Perilla de ajuste fino
Mueve el tubo del cuerpo para enfocar con la lente objetivo de alta potencia

Brazo
Sostiene el tubo del cuerpo

Platina
Sostiene el portaobjetos

Lámina portaobjetos
Sujeta el portaobjetos

Base
Sostiene el microscopio

Uso del microscopio

Sigue estos procedimientos cuando trabajes con un microscopio.

1. Para llevar el microscopio, sujeta el brazo con una mano y coloca la otra mano bajo la base.
2. Coloca el microscopio en una mesa con el brazo hacia ti.
3. Gira la perilla de ajuste grueso para elevar el tubo del cuerpo.
4. Gira el portaobjetivos hasta que la lente objetivo de baja potencia quede en posición.
5. Ajusta el condensador. Mirando por el ocular, ajusta también el espejo hasta ver un círculo brillante. **PRECAUCIÓN:** *Nunca uses luz solar directa como fuente de luz.*
6. Coloca un portaobjetos en la platina. Centra el espécimen sobre la abertura de la platina. Usa la lámina portaobjetos de la platina para mantener fijo el portaobjetos. **PRECAUCIÓN:** *Los portaobjetos de vidrio son frágiles.*
7. Mira la platina desde un lado. Gira con cuidado la perilla de ajuste rápido para bajar el tubo del cuerpo hasta que el objetivo de baja potencia casi toque el portaobjetos.
8. Mirando por el ocular, gira muy lentamente la perilla de ajuste rápido hasta enfocar el espécimen.
9. Para cambiar a la lente objetivo de alta potencia, mira el microscopio desde un lado. Gira con cuidado el portaobjetivos hasta que la lente objetivo de alta potencia quede en posición. Cuida que la lente no toque el portaobjetos.
10. Mirando por el ocular, gira la perilla de ajuste fino hasta enfocar el espécimen.

Cómo montar un espécimen en húmedo

Sigue estos procedimientos para montar un espécimen en húmedo en un portaobjetos.

1. Consigue un portaobjetos y un cubreobjetos limpios. **PRECAUCIÓN:** *Los portaobjetos y cubreobjetos son frágiles.*
2. Coloca el espécimen en el portaobjetos. El espécimen debe ser lo bastante delgado como para que la luz lo atraviese.
3. Con un gotero de plástico, coloca una gota de agua sobre el espécimen.
4. Coloca suavemente un borde del cubreobjetos contra el portaobjetos de modo que toque el borde de la gota de agua con un ángulo de 45°. Baja lentamente el cubreobjetos. Si quedan atrapadas burbujas de aire bajo el cubreobjetos, dále a éste unos golpecitos suaves con el borrador de un lápiz.
5. Retira el exceso de agua del borde del cubreobjetos con una toalla de papel.

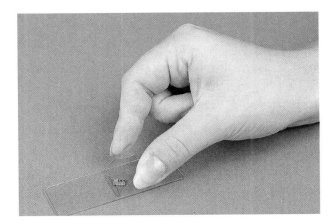

Glosario

absorción Proceso por el cual un objeto absorbe la luz. (pág. 115)

agricultura de precisión Método de cultivo en el que los agricultores usan la tecnología para determinar con precisión la cantidad de agua y fertilizante que emplearán, para suplir las necesidades de un terreno específico. (pág. 166)

algas Protistas con características vegetales. (pág. 79)

angiosperma Planta con flores que produce semillas encerradas en una estructura protectora. (pág. 151)

antibiótico Sustancia química que puede matar bacterias sin dañar las células humanas. (pág. 62)

anual Planta con flores que completa su ciclo de vida en una sola temporada de crecimiento. (pág. 164)

autótrofo Organismo que produce su propio alimento. (pág. 12)

auxina Hormona vegetal que acelera el crecimiento de las células de la planta. (pág. 161)

bacteria Organismo unicelular que no tiene núcleo; procariota. (pág. 49)

bacteriófago Virus que infecta bacterias. (pág. 41)

bienal Planta con flores que completa su ciclo de vida en dos años. (pág. 164)

cámbium Una capa de células de una planta que produce nuevas células de floema y xilema. (pág. 142)

célula Unidad básica de estructura y función en los seres vivos. (pág. 7)

ciénaga Pantano en donde crecen los musgos asfagnáceos encima de agua ácida. (pág. 123)

cigoto Óvulo fecundado. (pág. 107)

cilios Proyecciones finas en el exterior de las células, que se mueven de manera ondulante. (pág. 77)

citoplasma Región de una célula ubicada dentro de la membrana celular (en los procariotas), o entre la membrana celular y el núcleo (en los eucariotas); contiene un material gelatinoso y estructuras celulares. (pág. 49)

clasificación Proceso de agrupar cosas según sus semejanzas. (pág. 17)

clorofila Pigmento verde que se halla en los cloroplastos de las plantas, en algas y algunas bacterias. (pág. 110)

cloroplasto Estructura en las células vegetales en la que ocurre la fotosíntesis. (pág. 105)

cofia Estructura que cubre la punta de una raíz y la protege contra daños. (pág. 141)

conjugación Proceso por el cual un organismo unicelular transfiere parte de su material genético a otro organismo unicelular. (pág. 52)

cono Estructura reproductora de una gimnosperma. (pág. 148)

cutícula Capa cerosa e impermeable que cubre las hojas y los tallos de la mayoría de las plantas. (pág. 106)

cotiledón Hoja de una semilla; en la que a veces se almacena alimento. (pág. 138)

desarrollo Proceso de cambio que ocurre durante la vida de un organismo, mediante el cual se produce un organismo más complejo. (pág. 9)

descomponedor Organismo que separa sustancias químicas de los organismos muertos y devuelve materiales importantes al suelo y al agua. (pág. 56)

dicotiledónea Angiosperma cuyas semillas tienen dos cotiledones. (pág. 156)

dormición Período durante el cual se suspende el crecimiento o la actividad de un organismo. (pág. 163)

embrión Organismo joven que se desarrolla a partir de un cigoto. (pág. 138)

endospora Célula pequeña y redonda de paredes gruesas que se encuentra en reposo, que se forma dentro de una célula bacteriana. (pág. 53)

enfermedad infecciosa Enfermedad que puede pasar de un organismo a otro. (pág. 60)

especie Grupo de organismos semejantes que pueden cruzarse entre ellos y producir descendencia fértil. (pág. 18)

espora Célula diminuta que, al crecer, puede convertirse en un nuevo organismo. (pág. 82)

esporofito Etapa en el ciclo de vida de una planta en la que la planta produce esporas. (pág. 110)

estambre Parte reproductora masculina de una flor. (pág. 153)

estímulo Cambio en el entorno de un organismo que le hace reaccionar. (pág. 8)

estomas Pequeñas aberturas en la superficie de casi todas las hojas, a través de las cuales pasan los gases. (pág. 144)

eucariota Organismo cuyas células contienen núcleo. (pág. 28)

eutrofización Acumulación gradual de nutrientes en lagos y estanques de agua dulce que produce un aumento en el crecimiento de algas. (pág. 86)

evolución Proceso mediante el cual las especies cambian gradualmente con el tiempo. (pág. 23)

experimento controlado Experimento en el que todos los factores son iguales excepto uno. (pág. 10)

fecundación Unión de un espermatozoide y de un óvulo. (pág. 107)

fisión binaria Forma de reproducción asexual en la que una célula se divide para formar dos células idénticas. (pág. 52)

flagelo Estructura larga con forma de látigo que ayuda a la célula para moverse. (pág. 49)

floema Tejido vascular por el que circula el alimento en algunas plantas. (pág. 137)

flor Estructura reproductora de una angiosperma. (pág. 152)

fósil Restos de un organismo antiguo que se ha preservado en la roca u otra sustancia. (pág. 32)

fotoperiodicidad Respuesta de una planta a los cambios de día y noche por las estaciones. (pág. 162)

fotosíntesis Proceso por el que las plantas y otros organismos captan energía luminosa y la usan para producir alimento a partir del dióxido de carbono y del agua. (pág. 104)

fronda Hoja de un helecho. (pág. 128)

fruto Ovario maduro y otras estructuras que encierran una o más semillas de una angiosperma. (pág. 155)

gametofito Etapa en el ciclo de vida de una planta en la cual la planta produce gametos, es decir, células sexuales. (pág. 110)

gemación Forma de reproducción asexual de las levaduras, en la que una nueva célula crece del cuerpo de su progenitor. (pág. 90)

generación espontánea Idea equivocada de que los seres vivos surgen de fuentes inertes. (pág. 10)

género Clasificación por grupo formada por un número de especies similares y muy relacionadas. (pág. 18)

germinación La brotadura del embrión de una semilla; ocurre cuando el embrión prosigue su crecimiento. (pág. 140)

gimnosperma Planta cuyas semillas no están encerradas en una fruta protectora. (pág. 146)

heterótrofo Organismo que no puede producir su propio alimento. (pág. 12)

hidroponía Método de cultivo de plantas en el que se usan soluciones de nutrientes en vez de suelos. (pág. 166)

hifas Delgados tubos ramificados que constituyen el cuerpo de los hongos multicelulares. (pág. 89)

homeostasis Mantenimiento de condiciones internas estables. (pág. 14)

hongo Organismo eucariótico que posee paredes celulares, usa esporas para reproducirse y es un heterótrofo que se alimenta absorbiendo su comida. (pág. 88)

hormona Sustancia química que afecta el crecimiento y el desarrollo. (pág. 161)

huésped Organismo que provee una fuente de energía o un ambiente apropiado para que viva un virus u otro organismo. (pág. 41)

ingeniería genética Proceso por el cual se altera el material genético de un organismo para producir otro organismo con cualidades que se consideran útiles. (pág. 167)

Glosario

liquen Combinación de un hongo y una alga o bien una bacteria autótrofa, que viven juntos en una relación de mutualismo. (pág. 95)

longitud nocturna crítica El número de horas de oscuridad que determina si florece una planta o no. (pág. 162)

marea roja Multiplicación de algas que se presenta en el agua salada. (pág. 85)

monocotiledónea Angiosperma cuyas semillas tienen un solo cotiledón. (pág. 156)

multicelular Que se compone de muchas células. (pág. 7)

multiplicación de las algas Rápido crecimiento de una población de algas. (pág. 84)

mutualismo Tipo de simbiosis en la que ambos participantes se benefician de vivir juntos. (pág. 78)

nomenclatura binaria Sistema para nombrar organismos, en el cual a cada organismo se le da un nombre científico único de dos partes, que indica su género y especie. (pág. 18)

núcleo Área densa en una célula eucariota que contiene ácidos nucleicos, es decir, las instrucciones químicas que dirigen las actividades de la célula. (pág. 27)

organismo Ser vivo. (pág. 7)

órgano fructífero Estructura reproductora de un hongo que contiene muchas hifas y produce esporas. (pág. 90)

ovario Estructura de la flor que encierra y protege a los óvulos y a las semillas durante su desarrollo. (pág. 153)

óvulo Estructura de las plantas con semilla que produce el gametofito femenino; contiene una célula reproductora femenina. (pág. 148)

parásito Organismo que vive sobre o dentro de un huésped y le causa daño. (pág. 41)

pasteurización Proceso de calentamiento del alimento a una temperatura suficientemente alta como para matar la mayoría de las bacterias dañinas sin cambiar el sabor de la comida. (pág. 55)

perenne Planta con flores que vive más de dos años. (pág. 164)

pétalo Estructura de color brillante, en forma de hoja, que tienen algunas flores. (pág. 152)

pigmento Sustancia química que produce color. (pág. 79)

pigmento accesorio Pigmento diferente de la clorofila que se halla en las células vegetales. (pág. 116)

pistilo Parte reproductora femenina de una flor. (pág. 153)

planta de día largo Una planta que florece cuando las noches son más cortas que la longitud nocturna crítica. (pág. 162)

planta de día neutro Planta cuyo ciclo de floración no es sensible a la duración de los períodos de luz y oscuridad. (pág. 162)

planta de día corto Una planta que florece cuando las noches son más largas que la longitud nocturna crítica de la planta. (pág. 162)

planta no vascular Planta de crecimiento lento que carece de tejido vascular verdadero. (pág. 108)

planta vascular Planta que tiene tejido vascular verdadero. (pág. 108)

polen Partículas diminutas (gametofitos masculinos) producidas por las plantas con semilla que contienen las células que posteriormente se convierten en células reproductoras masculinas. (pág. 137)

polinización Transferencia de polen de las estructuras reproductoras masculinas a las estructuras reproductoras femeninas de las plantas. (pág. 149)

procariota Organismo cuyas células carecen de núcleo y otras estructuras celulares. (pág. 27)

protista Organismo eucariótico que no se puede clasificar como animal, planta ni hongo. (pág. 75)

protozoario Protista con características animales. (pág. 75)

reflexión Proceso por el cual la luz rebota en un objeto. (pág. 115)

reproducción asexual Proceso de reproducción que implica a sólo un progenitor y produce descendencia que es idéntica al progenitor. (pág. 52)

reproducción sexual Proceso de reproducción que implica a dos progenitores que combinan su material genético para producir un nuevo organismo diferente a los dos progenitores. (pág. 52)

resistencia a antibióticos Capacidad de la bacteria a resistir los efectos de los antibióticos. (pág. 63)

respiración Proceso de descomposición de alimentos para liberar su energía. (pág. 51)

respuesta Acción o cambio en el comportamiento que ocurre como resultado de un estímulo. (pág. 9)

ribosoma Estructura diminuta ubicada en el citoplasma de una célula donde se producen las proteínas. (pág. 49)

rizoide Estructura fina parecida a una raíz que sujeta un musgo al suelo, y que absorbe el agua y los nutrientes para la planta. (pág. 123)

semilla Estructura de una planta, que contiene una plántula dentro de una cubierta protectora. (pág. 137)

sépalo Estructura, parecida a una hoja, que encierra el botón de una flor. (pág. 152)

seudópodo "Pie falso" o abultamiento temporal del citoplasma, que algunos protozoarios usan para alimentarse o desplazarse. (pág. 76)

simbiosis Relación estrecha entre dos organismos, en la que al menos uno de los organismos se beneficia. (pág. 78)

taxonomía Estudio científico de cómo se clasifican los seres vivos. (pág. 17)

tejido Grupo de células semejantes que realizan una función específica en un organismo. (pág. 105)

tejido vascular Tejido de transporte interno en algunas plantas que está formado por estructuras parecidas a tubos. (pág. 107)

toxina Veneno que puede dañar a un organismo. (pág. 61)

transmisión Proceso por el cual la luz pasa a través de un objeto. (pág. 115)

transpiración Proceso por el cual las hojas de una planta eliminan agua. (pág. 145)

tropismo Respuesta de una planta a un estímulo, que consiste en crecer hacia el estímulo o en la dirección opuesta. (pág. 160)

turba Capas comprimidas de musgos asfagnáceos muertos que se acumulan en las ciénagas. (pág. 123)

unicelular Compuesto por una sola célula. (pág. 7)

vacuna Sustancia introducida en el cuerpo para estimular la producción de sustancias químicas que destruyen a los virus y organismos específicos causantes de enfermedades. (pág. 65)

vacuola Gran área de almacenamiento parecida a un saco en una célula. (pág. 105)

vacuola contráctil Estructura celular que recoge el agua sobrante del citoplasma y luego la expulsa de la célula. (pág. 76)

virus Partícula diminuta no viva que invade una célula viva y luego se reproduce dentro de ella. (pág. 41)

xilema Tejido vascular por el que circulan agua y nutrientes en algunas plantas. (pág. 137)

Índice

Los números de página correspondientes a los términos clave se muestran en **negrita**.
Los números de página correspondientes a ilustraciones, mapas y tablas se muestran en *cursiva*.

Índice

Los números de página correspondientes a los términos clave se muestran en **negrita**.
Los números de página correspondientes a ilustraciones, mapas y tablas se muestran en *cursiva*.

Reconocimientos

Acknowledgment for page 178: Excerpt from *The Corn Goddess and Other Tales from Indian Canada* by Diamond Jenness, Bulletin no. 141, Anthropological Series no. 39, National Museum of Canada, 1956. © Canadian Museum of Civilization.

Ilustración

Patrice Rossi Calkin: 44–45, 76–77; **John Edwards and Associates:** 23 insets, 43, 80, 116b, 138; **David Fuller:** 175; **Kevin Jones Associates:** 142; **Richard McMahon:** 118; **Karen Minot:** 26, 100, 162, 172; **Morgan-Cain & Associates:** 10, 11, 36t, 92, 144; **Laurie O'Keefe:** 23; **Stephanie Pershing:** 31; **Walter Stuart:** 89t, 123, 128, 176; **Cynthia Turner:** 156; **J/B Woolsey Associates:** 21, 22, 81, 90, 141, 152, 159. **Todos los diagramas y las gráficas por Matt Mayerchak.**

Fotografía

Investigación fotográfica Sue McDermott
Imagen superior de portada, Lester Lefkowitz/Corbis; **inferior,** Zefa Biotic/Photonica

Página vi l, Dr. Brad Fute/Peter Arnold, Inc.; **vi m,** Dr. Linda Stannard, UCT/Photo Researchers, Inc.; **vi r,** Tektoff-RM/CNRI/Photo Researchers, Inc.; **vii,** Richard Haynes; **viii,** Richard Haynes; **x b,** USDA/S.S./Photo Researchers; **x t,** Courtesy of Cindy Friedman; **2,** Reinhard Dirscher/Alamy Images; **3,** Courtesy of Cindy Friedman.

Páginas 4–5, Roland Birke/Peter Arnold, Inc.; **5 detalle,** Richard Haynes; **6b,** Beatty/Visuals Unlimited; **6t,** Russ Lappa; **7br,** Biodisc/Visuals Unlimited; **7l,** Michael & Patricia Fogden/Corbis; **7tr,** Michael Abbey/Photo Researchers, Inc.; **8,** Norvia Behling/Animals Animals; **9l,** Steve Callahan/Visuals Unlimited; **9m,** Dan Suzio/Photo Researchers, Inc.; **9r,** Porterfield-Chickering/Photo Researchers, Inc.; **10,** Breck Kent/Animals Animals; **11,** Superstock; **12 detalle,** Tom Brakefield/DRK Photo; **12–13b,** Stephen J. Krasemann/DRK Photo; **13 detalle l,** Kennan Ward/Corbis; **13 detalle r,** W. Perry Conway/Corbis; **14,** Michael Newman/PhotoEdit; **15,** Russ Lappa; **16b,** Inga Spence/The Picture Cube, Inc.; **16t,** Russ Lappa; **17,** Biophoto Associates/Photo Researchers, Inc.; **18l,** Gerard Lacz/Animals Animals; **18m,** Gavriel Jecan/Art Wolfe, Inc.; **18r,** Ron Kimball Studios; **19,** Lynn Stone/Animals Animals; **21,** Thomas Kitchin/Tom Stack & Associates, Inc.; **24l,** Richard Day/Animals Animals; **24r,** Phil Dotson/Photo Researchers, Inc.; **25 todas,** Russ Lappa; **27b,** Alan Schietzch/Bruce Coleman; **27 detalle b,** BBoonyaratanakornkit & D.S. Clark, G. Vrdolijak/EM Lab, U. of C Berkeley/Visuals Unlimited; **27t,** Lennart Nilsson/Albert Bonniers Forlag AB; **27 detalle t,** Eye of Science/Photo Researchers, Inc.; **28 detalle l,** Carolina Biological/ Visuals Unlimited; **28 detalle r,** W. Wayne Lockwood, M.D./Corbis; **28–29t,** Daniel J. Krasemann/DRK Photo; **29 detalle l,** Photodisc/Getty Images, Inc.; **29 detalle r,** E.R. Degginger/Animals Animals; **30,** Russ Lappa; **32l,** Biological Photo Service; **32r,** Reg Morrison/Auscape; **33,** Peggy/Yoram Kahana/Peter Arnold,Inc.; **34l,** W. Wayne Lockwood, M.D./Corbis; **34r,** E.R. Degginger/Animals Animals.

Páginas 38–39, Dennis Kunkel/Phototake; **39 detalle,** Richard Haynes; **40bl,** Institut Pasteur/CNRI/Phototake; **40br,** Lee D. Simon/Photo Researchers, Inc.; **40t,** Getty Images, Inc.; **41l,** Dr. Brad Fute/Peter Arnold, Inc.; **41m,** Dr. Linda Stannard, UCT/Photo Researchers, Inc.; **41r,** Tektoff-RM/CNRI/Photo Researchers, Inc.; **44–45,** Peter Minister/Dorling Kindersley; **46,** Esbin-Anderson/Omni-Photo; **47b,** Dr. Linda Stannard, UCT/Photo Researchers, Inc.; **47t,** Custom Medical Stock; **48,** Richard Haynes; **49b,** Geoff Brightling/Dorling Kindersley; **49t,** USDA/Visuals Unlimited; **50b,** David M. Phillips/Visuals Unlimited; **50r,** Oliver Meckes/Photo Researchers, Inc.; **50t,** Scott Camazine/Photo Researchers, Inc.; **51b,** Dr. Jeremy Burgess/Photo Researchers, Inc.; **51 detalle b,** Dennis Kunkel/Phototake; **51l,** Steve Dunwell/Index Stock Imagery; **51 detalle l,** Dennis Kunkel/Phototake; **51t,** Alan L. Detrick/Photo Researchers, Inc.; **51 detalle t,** Photo courtesy of Agriculture and Agri-Food Canada ; **52b,** Dr. Dennis Kunkel/Phototake; **52t,** Dr. K.S. Kim/Peter Arnold, Inc.; **53,** Alfred Pasieka/Peter Arnold, Inc.; **54l,** StockFood/Raben; **54r,** Richard Haynes; **55l,** Dorling Kindersley; **55m,** J. C. Carton/Bruce Coleman; **55r,** Neil Marsh/Dorling Kindersley; **56b,** Ben Osborne; **56 detalle,** Michael Abbey/Photo Researchers, Inc.; **56t,** John Riley/Getty Images, Inc.; **57,** David Young-Wolff/PhotoEdit; **59,** Richard Haynes; **60,** Richard Haynes; **61b,** Getty Images, Inc.; **61bm,** David M. Dennis/Tom Stack & Associates, Inc.; **61t,** Grapes/Michaud/Photo Researchers, Inc.; **61tm,** Richard Haynes; **62l,** Clouds Hill Imaging, Ltd.; **62r,** Dennis Kunkel/Phototake; **63,** Dr. Gary Gaugler/Photo Researchers, Inc.; **64,** Institut Pasteur/CNRI/Phototake; **65,** David Young-Wolff/PhotoEdit; **66–67 muchacho,** Richard Haynes; **66 úlceras estomacales,** Veronika Burmeister/Visuals Unlimited; **66 tuberculosis,** Dennis Kunkel/Phototake; **66 caries,** Dr. David Phillips/Visuals Unlimited; **66 neumonía,** BSIP/Photo Researchers, Inc.; **66 infección de garganta,** Dr. Gary Gaugler/Photo Researchers, Inc.; **66 infección de oído,** David M. Phillips/Photo Researchers, Inc.; **66 conjuntivitis,** Dr. Gary Gaugler/Visuals Unlimited; **66 meningitis,** Dr. Dennis Kunkel/Visuals Unlimited; **67 impétigo,** Dr. Stanley Flegler/Visuals Unlimited; **67r,** C. Swartzell/Visuals Unlimited; **68b,** Geoff Brightling/Dorling Kindersley; **68t,** Lee D. Simon/Photo Researchers, Inc.; **70l,** Dennis Kunkel; **70r,** Science Photo Library.

Páginas 72–73, Michael Fogden/DRK Photo; **73 detalle,** Richard Haynes; **74b,** Jan Hinsch/Science Photo Library/Photo Researchers, Inc.; **74t,** Science VU/Visuals Unlimited; **75b,** Gregory G. Dimijian/Photo Researchers, Inc.; **75m,** A. Le Toquin/Photo Researchers, Inc.; **75t,** O.S.F./Animals Animals/Earth Scenes; **76,** Astrid & Hanns-Frieder Michler/Photo Researchers, Inc.; **77,** Eric Grave/Photo Researchers, Inc.; **78b,** Oliver Meckes/Photo Researchers, Inc.; **78 detalle,** Jerome Paulin/Visuals Unlimited; **78t,** Layne Kennedy/Corbis; **79,** David M. Phillips/Visuals Unlimited; **80,** Sinclair Stammers Oxford Scientific Films/Animals Animals/Earth Scenes; **81,** Barry Runk/Stan/Grant Heilman Photography; **82 ambas,** David M. Dennis/Tom Stack & Associates, Inc.; **83b,** G.R. Roberts/Omni-Photo; **83t,** Dwight R. Kuhn; **84,** Doug Perrine/Hawaii Whale Research Foundation/Innerspace Visions; **85,** Sanford Berry/Visuals Unlimited; **85 detalle,** Dr. David Phillips/Visuals Unlimited; **86,** Doug Sokell/Visuals Unlimited; **87,** Russ Lappa; **88b,** Michael Fogden/Animals Animals/Earth Scenes; **88t,** Russ Lappa; **89,** Fred Unverhau/Animals Animals/Earth Scenes; **90t,** Nobel Proctor/Science Source/Photo Researchers, Inc.; **90b,** David Scharf/Peter Arnold, Inc.; **91t,** Carolina Biological/Visuals Unlimited; **91bl,** Michael Fogden/Animals Animals/Earth Scenes; **91bl detalle,** Scott Camazine; **91br,** Runk/Schoenberger/Grant Heilman Photography, Inc.; **91br detalle,** E.R. Degginger/Photo Researchers, Inc.; **92l,** Viard/Jacana /Photo Researchers, Inc.; **92r,** Owen Franken/Corbis; **93bl,** Eye of Science/Photo Researchers, Inc.; **93br,** ISM/Phototake; **93t,** C. James Webb/Phototake; **94,** Photo courtesy of David Read; **95,** Rod Planck/Tom Stack & Associates, Inc.; **95 detalle,** V. Ahmadjian/Visuals Unlimited; **96,** Richard Haynes; **97,** Richard Haynes; **98,** Michael Fogden/Animals Animals/Earth Scenes.

Páginas 102–103, Norbert Rosing/National Geographic Image Collection; **103 detalle,** Richard Haynes; **104,** Richard Haynes; **105l,** Michael J. Doolittle/The Image Works; **105 detalle,** Runk/Schoenberger/Grant Heilman Photography, Inc.; **106,** Kjell B. Sandved/Photo Researchers, Inc.; **107,** Ludovic Maisant/Corbis; **108l,** Randy M. Ury/Corbis; **108r,** John Shaw/Bruce Coleman; **109bl,** Ron Thomas/Getty Images, Inc.; **109br,** Eastcott Momatiuk/Getty Images, Inc.; **109m,** Barry Runk/Stan/Grant Heilman Photography; **109tl,** R. Van Nostrand/Photo Researchers, Inc.; **109tr,** Brenda Tharp/Photo Researchers, Inc.; **110b,** Frans Lanting/Minden Pictures; **110tl,** Runk/Schoenberger/ Grant Heilman Photography, Inc.; **110tr,** Peter Chadwick/Dorling Kindersley; **112,** Royalty Free/Corbis; **113,** Lester Lefkowitz/Corbis; **114b,** Peter A. Simon/Corbis; **114t,** Richard Haynes; **115,** Christi Carter/Grant Heilman Photography; **116,** Runk/Schoenberger/Grant Heilman Photography; **117b,** Georg Gerster/Photo Researchers, Inc.; **117t,** Interfoto-Pressebild-Agentur; **118,** Biophoto Associates/ Photo Researchers, Inc.; **119,** Michael Keller/Corbis; **120,** Richard Haynes; **121,** Richard Haynes; **122t,** Russ Lappa; **122–123b,** J. Lotter Gurling/Tom Stack & Associates, Inc.; **123 detalle,** Runk/Schoenberger/Grant Heilman Photography, Inc.; **124l,** Runk/Schoenberger/Grant Heilman Photography, Inc.; **124r,** William E. Ferguson; **125,** Richard Haynes; **126,** Richard Haynes; **128,** Milton Rand/Tom Stack & Associates, Inc.; **129l,** Runk/Schoenberger/Grant Heilman Photography, Inc.; **129r,** Gerald Moore; **130,** J. Lotter Gurling/Tom Stack & Associates, Inc.; **133,** Runk/Schoenberger/Grant Heilman Photography, Inc.

Páginas 134–135, Barrett and MacKay; **135 detalle,** Jon Chomitz; **136,** Russ Lappa; **137 ambas,** Phil Schermeister/Corbis; **138l,** Barry Runk/Grant Heilman Photography, Inc.; **138m,** Dave King/Dorling Kindersley; **138r,** Anna W. Schoettle, USDA Forest Service; **139bl,** D. Cavagnaro/Visuals Unlimited; **139br,** Frans Lanting/Minden Pictures; **139m,** Heather Angel/Natural Visions; **139mr,** Color-Pic/Animals Animals/Earth Scenes; **139ml,** John Pontier/Animals Animals/Earth Scenes; **139t,** J.A.L. Cooke/OSF/Earth Scenes; **140 fondo,** Color-Pic/Earth Scenes; **140 ambos detalles,** Runk/Schoenberger/Grant Heilman Photography, Inc.; **141 fondo,** Color-Pic/Earth Scenes; **141l detalle,** Max Stuart/Alamy; **141r detalle,** Runk/Schoenberger/Grant Heilman Photography, Inc.; **142l,** Barry Runk/Stan/Grant Heilman; **142r,** Richard Shiell/Animals Animals/Earth Scenes; **143,** Darrell Gulin/Getty Images, Inc.; **145 ambas,** Dr.Jeremy Burgess/Photo Researchers, Inc.; **146,** Richard Haynes; **147b,** Ken Brate/Photo Researchers, Inc.; **147l,** Michael Fogden/Animals Animals/Earth Scenes; **147r,** Breck Kent/Animals Animals/Earth Scenes; **147t,** Jim Strawser/Grant Heilman Photography, Inc.; **149t,** Grant Heilman/Grant Heilman Photography, Inc.; **149t detalle,** Breck P. Kent/Animals Animals/Earth Scenes; **149b detalle,** Breck P. Kent; **149b,** Patti Murray/Animals Animals/Earth Scenes;**150,** Martin Rogers/Stock Boston; **151b,** Frans Lanting/Minden Pictures; **151t,** Russ Lappa; **153bl,** Ian Tait/Natural Visions; **153br,** Merlin D. Tuttle, Bat Conservation International; **153t,** Anthony Bannister/Animals Animals; **154l,** Perennou et Nuridsany/Photo Researchers, Inc.; **154ml,** Russ Lappa; **154mr,** Philip Dowell/Dorling Kindersley; **154r,** Jules Selmes and Debi Treloar/Dorling Kindersley; **155t,** Nancy Rotenberg/Animals Animals/Earth Scenes; **155b,** Dwight Kuhn;**157,** Alan Pitcairn/Grant Heilman Photography, Inc.; **158,** Richard Haynes; **160,** David Sieren /Visuals Unlimited; **161b,** E.R. Degginger; **161m,** Heather Angel/Natural Visions; **161t,** Barry Runk/Stan/Grant Heilman Photography; **163 ambas,** Scott Smith/Animals Animals/Earth Scenes; **164b,** Larry Lefever/Grant Heilman Photography, Inc.; **164m,** Mark E. Gibson/Corbis; **164t,** E. R. Degginger; **165,** Robert Frerck/Odyssey Productions, Inc.; **166b,** Arthur C. Smith III/Grant Heilman Photography, Inc.; **166–167t,** Patti McConville/Getty Images, Inc.; **168,** Richard Haynes; **169,** Richard Haynes; **170,** Ken Brate/Photo Researchers, Inc.; **174b,** Ed Simpson/Getty Images, Inc.; **174 detalle,** Robert Frerck, Odyssey Productions, Chicago; **174–175t,** Monica Stevenson/Getty Images, Inc.; **176,** David Frazier Photo Library; **177,** Ed Bock/Corbis; **178b,** C.M. Dixon; **178t,** Tim Spransy; **179,** David Young Wolff/PhotoEdit; **180,** Tony Freeman/PhotoEdit; **181b,** Russ Lappa; **181m,** Richard Haynes; **181t,** Russ Lappa; **182,** Richard Haynes; **184,** Richard Haynes; **186,** Morton Beebe/Corbis; **187,** Richard Haynes; **189b,** Richard Haynes; **189t,** Dorling Kinderlsey; **191,** Image Stop/Phototake; **194,** Richard Haynes; **201,** Richard Haynes; **203 ambas,** Richard Haynes.